PRAWDZIWA DIETA ANTYRAKOWA

PRAWDZIWA DIETA ANTYRAKOWA

prof. David Khayat
we współpracy
z Nathalie Hutter-Lardeau
oraz France Carp

tłumaczenie Agnieszka Labisko

WYDAWNICTWO
otwarte

Kraków 2012

Tytuł oryginału: *Le Vrai Régime anticancer*

Projekt okładki: Katarzyna Bućko

Fotografie na okładce: owoce – © David Malan / Photographer's Choice RF / Getty Images / Flash Press Media, przedarta kartka – © iStockphoto.com / t_kimura

Opieka redakcyjna: Eliza Kasprzak-Kozikowska

Opracowanie typograficzne książki: Daniel Malak

Adiustacja: Janusz Krasoń / Studio NOTA BENE

Korekta: Anna Szczepańska / Studio NOTA BENE,
Marta Terechowska, Janusz Krasoń / Studio NOTA BENE

Łamanie: Agnieszka Szatkowska

ISBN 978-83-7515-171-8

WYDAWNICTWO
otwarte

www.otwarte.eu

Zamówienia: Dział Handlowy, ul. Kościuszki 37, 30-105 Kraków,
tel. (12) 61 99 569
Zapraszamy do księgarni internetowej Wydawnictwa Znak,
w której można kupić książki Wydawnictwa Otwartego: www.znak.com.pl

„Dusza nie jest jak uporządkowany zagon, lecz łaknie burzy, ognia, zawirowań. Ciało ma czas, zmienia się powoli, ostrożnie, dzień za dniem, poddane sile ciężkości. Dusza zaś nic sobie nie robi z czasu, chce biec, prześcigać ziemskie prawa i nieważne, że rozgorączkowana popada w szaleństwo, gdyż tylko tym sposobem może się wznieść do Boga. Zapewne spotkasz na swej drodze ludzi przywiązanych do ścieżki rozumu, ale wiedz, że rozum błądzi po omacku, torując sobie drogę białą laską i potykając się o każdą nierówność. Kiedy natrafi na przeszkodę, podejmuje metodyczną rozbiórkę kamień po kamieniu, jednak nigdy nie udaje mu się jej ukończyć, bo jakaś niewidzialna ręka wciąż odbudowuje mur, coraz wyższy i szerszy".

Elie Wiesel, *The Gates of the Forest*, 1964

Dla mojej mamy i mojego taty,
którzy karmili mnie z wielką miłością.
Dla mojej żony i pociech –
nasze wspólne posiłki dawały nam tyle radości!
Bardzo mi ich brakuje.

Dziękuję tym, którzy pomogli mi w napisaniu tej książki: skutecznej Virginie Baffet, całej wspaniałej ekipie Atlantic Santé oraz mojemu przyjacielowi Rogerowi Mouawadowi, na którego zawsze mogłem liczyć.

Na moje podziękowanie zasłużyli również Gilbert i Michel, Guy S., Michel R. i Caroline, Christian C., Antoine W., Alain D., Georges B., Éric F., Yannick A., Jean-Louis P., Alain D., Pierre H., Hélène D., Paul B., Yves C., Dominique L.S., Alain S., Bernard L., Jean-Pierre V., Jean-Paul L., Michel C., Jacques L., Marc V., Valérie V. oraz wielu innych kulinarnych geniuszy, których nieodmiennie podziwiam.

Dziękuję wszystkim przyjaciołom, którzy mnie wspierają i podnoszą na duchu w chwilach, kiedy ciężar walki z nowotworami wydaje się nie do uniesienia.

Jestem wdzięczny tym, którzy gościli mnie, abym mógł się odgrodzić od codzienności i dokończyć tę książkę. Dziękuję także Claude'owi i Bénédicte, Herbertowi i Catherine, Julienowi, Olivii, Romainowi i Julienowi.

SPIS TREŚCI

Wstęp 15
Wprowadzenie 19

Rozdział 1. Lepiej zapobiegać, niż leczyć 21

Jak zmniejszyć ryzyko zachorowania na nowotwór? 24
Pierwsza przyczyna nowotworów: palenie 26
Kancerogenne działanie hormonów 28
Rola infekcji i zanieczyszczenia środowiska 29
Czynniki fizyczne oraz dziedziczne 31
Rak na talerzu 32
Dane naukowe i mądrość pokoleń 35
Czy dieta antynowotworowa to mrzonki? 40

Rozdział 2. Czym jest rak? 43

Skąd się bierze życie? 43
Kluczowe geny 46
Rak: choroba genetyczna 48
Uszkodzone geny 49

Rak to nie fatum 51
Nutrigenomika, czyli związek między dietą a rakiem 54
Wpływ składników odżywczych 58

Rozdział 3. Czy aby na pewno zdrów jak ryba? 63
Czy ryba działa antyrakowo? 64
Zanieczyszczenia mórz 66
Kumulacja toksyn 69
Czy musimy całkowicie zrezygnować z ryb? 70
Ryby hodowlane i ryby poławiane w warunkach naturalnych 73
Mamy więc wybrać dietetyczne bezrybie? 74

Rozdział 4. Nie takie mięso straszne 77
Mięso: jeść czy nie jeść? Oto jest pytanie! 77
Skupmy się na badaniach 79
Nie jesteśmy Amerykanami 82
Tradycja w służbie profilaktyki 87
Czy wędliny muszą iść w odstawkę? 89
A białe mięso i drób? 90

Rozdział 5. Czy nabiał i jajka służą profilaktyce? 91
Zacznijmy od prebiotyków i probiotyków 92
Laktaza – ochronny enzym 93
Kwestia trawienia mleka 94
Produkty mleczne a ryzyko raka 95
Jajka 100

Rozdział 6. Owoce i warzywa: są korzyści, nie ma pewności 101
Składniki niezbędne i uzupełniające 103
Kolory dają ochronę 106
Kolor zielony 107
Kolor pomarańczowy 108

Kolor żółtopomarańczowy 109
Kolor czerwony 110
Kolor niebieski 111
Kolor żółtozielony 112
Kolor biały i kremowy 113
Azotany, pestycydy, toksyny 115
Higiena spożywania owoców i warzyw 117

Rozdział 7. Tłuszcze i sposoby przyrządzania potraw 119
Tłuszcze i rak 120
Jak być alfą i omegą w sprawie omega-3? 123
Podgrzewanie oleju 124
Uwaga na patelnię i wok! 126
Olej olejowi nierówny? 127
Nie raczmy się rakotwórczym akrylamidem 128

Rozdział 8. Jak osłodzić sobie życie 133
Spożywanie cukrów a ryzyko nowotworów 134
Wpływ insuliny i insulinopodobnego czynnika wzrostu (IGF-1) 135
Słodka alternatywa 139
Syrop z agawy i stewia 140

Rozdział 9. Co pić na zdrowie 143
Woda zdrowia doda? 143
Azotany i azotyny 147
Wino winne czy niewinne? 148
Własności resweratrolu 151
Ten wspaniały sok z granatów! 153
Kawa czy herbata? 157

Rozdział 10. Witaminowo-suplementowy zawrót głowy 161
Suplementy pomocne w trakcie choroby nowotworowej 162
Zapobiegają czy szkodzą? 164

Witamina E i żelazo 167
Dobroczynne suplementy 168
D jak dylemat z witaminą D 169
Antyrakowe składniki odżywcze 170
Kurkuma 173
Genisteina 173
Jagody goji (*Lycium barbarum*) 174

Rozdział 11. Ruch to zdrowie 175

Dlaczego robimy się coraz grubsi? 176
Profilaktyczna rola aktywności fizycznej 182
Jak przegonić raka tam, gdzie... raki zimują? 184
Ekoaktywność 187

Rozdział 12. Praktyczne wskazówki antyrakowe 189

Pięć złotych zasad 190
Moje przykazania antynowotworowe 194
Czynniki antyrakowe 194
Czego unikać 196
Dobroczynne praktyki 198
Triki żywieniowe 198
Dla każdego coś dobrego 199

Wnioski 205

Aneks 217

Słowniczek 231
Objaśnienie skrótów 238
Bibliografia 240
Indeks tematyczny 263

Dieta antyrakowa w pigułce 267

WSTĘP

W chwili kiedy piszę tę książkę, upływa dokładnie 30 lat, odkąd rozpocząłem stawiać czoło nowotworom. Jako lekarz onkolog zadebiutowałem 1 września 1980 roku w szpitalu Pitié-Salpétrière! Równo 30 lat temu!

Pierwszym etapem mojej medycznej kariery był staż podyplomowy w Hôpitaux de Paris, gdzie po latach uzyskałem tytuł ordynatora kliniki. Zrobiłem doktorat z medycyny i nieco później, po wykonaniu wielu badań naukowych w Izraelu i Nowym Jorku, obroniłem kolejną pracę doktorską z biologii organizmu ludzkiego.

Uzyskałem tytuł profesora onkologii na dwóch uniwersytetach: Pierre-et-Marie-Curie w Paryżu oraz w MD Anderson Cancer Center na University of Texas (USA). Od 20 lat pracuję jako ordynator oddziału onkologii w paryskim szpitalu Pitié-Salpétrière.

Zostałem powołany przez prezydenta Jacques'a Chiraca do stworzenia Narodowego Planu Walki z Nowotworami we Francji na lata 2002–2007.

Przez wszystkie te lata, niezależnie od mojej pozycji zawodowej i uzyskiwanych tytułów, niezmiennie przyświecał mi jeden cel – troska o pacjentów cierpiących na choroby nowotworowe.

Już 30 lat dzięki nieustannym badaniom i licznym konsultacjom z kolegami po fachu, najlepszymi specjalistami w swojej dziedzinie, niestrudzonej lekturze prac naukowych, wymianie poglądów z najtęższymi umysłami staram się wytrwale wyjaśnić mechanizmy powstawania nowotworów, aby walczyć z rakiem i – coraz częściej – go zwyciężać.

Toczyłem tę walkę u boku tysięcy chorych, towarzysząc pacjentom, tak jak robi to przyjaciel. Z wieloma z nich byłem aż do wyleczenia, z innymi niestety – było ich zbyt wielu – w drodze do śmierci.

Starałem się wszelkimi dostępnymi metodami zatrzymać rozwój guzów w organizmach chorych. Niektóre z tych metod zdawały się z początku zupełnie szalone.

Jak rycerz ze swoją białą bronią stawiałem czoło rozlicznym i tajemniczym nowotworom, które toczyły ciała moich pacjentów. Celem było zwycięstwo – wyleczenie.

Jakże ciężkie to były walki, jakże musieli cierpieć moi pacjenci! Jakże często i ja cierpiałem z powodu smutku i frustracji, które są częścią mojej onkologicznej profesji.

Próbowałem zyskać przewagę nad rakiem za pomocą planu walki z nowotworami, który zaproponowałem prezydentowi Chiracowi, polegającemu na realizacji ogólnokrajowej strategii wczesnej diagnostyki i badań przesiewowych. Zależało mi na tym, aby wszyscy pacjenci, niezależnie od miejsca, gdzie odbywa się leczenie, mogli korzystać z najnowszych osiągnięć medycyny. Moim celem było również pobudzenie badań naukowych w dziedzinie onkologii i rozwój nowych terapii, co pozwoliłoby leczyć coraz więcej odmian raka.

Niestety, w tych działaniach zabrakło ważnego elementu. Dziś wiem, że powinniśmy byli poświęcić więcej uwagi prewencji i na niej się skupić.

Właśnie dlatego chciałem napisać tę książkę będącą owocem 30 lat moich doświadczeń i przemyśleń. Chcę podzielić się wiedzą o zapobieganiu nowotworom z jak największą liczbą Czytelników, ponieważ tylko wtedy, gdy zjednoczymy nasze wysiłki, zyskamy realną nadzieję, że nasze dzieci będą żyły w świecie wolnym od tej potwornej choroby!

Nie jest to książka jakich wiele, które opierając się na opisie pojedynczego przypadku wyleczenia nowotworu, usiłują uogólniać i służyć radą wszystkim innym. Oddaję w Wasze ręce poradnik napisany z zachowaniem naukowego obiektywizmu, oparty na 30 latach obserwacji i badań w dziedzinie kancerologii dokonywanych zarówno w laboratoriach, jak i przy szpitalnych łóżkach chorych we Francji i w USA. Gwarantem jego jakości jest owocna współpraca duetu autorskiego – niżej podpisanego onkologa oraz wybitnej specjalistki w dziedzinie żywienia.

David Khayat,
kwiecień 2010

Tabela 1. Szacunkowa liczba przypadków nowotworów we Francji w 2009 roku według danych Państwowego Instytutu Sanitarno-Epidemiologicznego (Institut national de veille sanitaire)

Lokalizacja nowotworu	Mężczyźni		Kobiety	
	Zapadalność (liczba nowo zarejestrowanych przypadków)	Zgony	Zapadalność	Zgony
Wargi, jama ustna, gardło	8000	2750	3040	730
Przełyk	3090	2770	1050	730
Żołądek	4210	2860	2280	1660
Okrężnica, odbyt	21 000	9200	18 500	8200
Wątroba	5800	–	1650	–
Trzustka	3880	–	3880	–
Krtań	2790	940	520	130
Płuco	25 000	21 000	9200	7300
Skóra (czerniak złośliwy)	3420	830	4000	710
Pierś	–	–	52 000	12 000
Szyjka macicy	–	–	2780	970
Trzon macicy	–	–	6300	1880
Jajnik	–	–	4440	3120
Prostata	71 000	8900	–	–
Jądro	2220	70	–	–
Pęcherz moczowy	8900	3460	1790	1140
Nerka	6800	2450	3370	1380
Ośrodkowy układ nerwowy	2500	1700	1990	1280
Tarczyca	2050	140	6600	240
Chłoniaki	6700	2220	5900	1890
Szpiczak mnogi	2890	1540	2400	1440

Lokalizacja nowotworu	Mężczyźni		Kobiety	
	Zapadalność (liczba nowo zarejestrowanych przypadków)	Zgony	Zapadalność	Zgony
Ostra białaczka	1840	1630	1580	1410
Przewlekła białaczka limfatyczna	1990	590	1530	460
Wszystkie nowotwory łącznie	**197 500**	**85 500**	**149 000**	**62 000**

Źródło: InVS, *Projections de l'incidence et de la mortalité par cancer en France*, 2009; dostępny na stronie: http://www.invs.sante.fr/applications/cancers/projections2009/donnees_generales.htm (data dostępu: 29 marca 2010).

W 2010 roku we Francji co godzinę jedna kobieta umierała z powodu raka piersi.

Nowotwory przyczyniają się do jednej trzeciej zgonów w Europie, a we Francji w ciągu 3–4 ostatnich lat stały się wręcz główną przyczyną śmierci.

Przestańmy się w końcu oszukiwać, że śmierć z powodu nowotworu jest czymś normalnym, ponieważ rak zabiera głównie ludzi starszych, a w końcu kiedyś i tak trzeba umrzeć. Nieprawda! To rak jest główną przyczyną przedwczesnych zgonów Francuzów przed ukończeniem 65 roku życia. Jeden tylko nowotwór płuca każdego roku kradnie ok. pół miliona lat życia przedwcześnie odchodzącym osobom, które nie dożyły nawet 65 lat[5].

Jakże piękne mogłyby to być lata! Jak bardzo mogłyby się przyczynić do wzrostu gospodarczego dzięki dodatkowej produkcji i konsumpcji, jaką generowaliby ci ludzie, gdyby tylko mieli szansę dożyć sędziwego wieku!

Z punktu widzenia ekonomii nowotwory są prawdziwą katastrofą. Bezpośrednie koszty leczenia pacjentów onkologicznych we Francji wynoszą ok. 11 miliardów euro w ciągu roku, jednak należy do tego doliczyć straty gospodarcze w wysokości ok. 17 miliardów euro związane ze zjawiskiem przedwczesnej śmierci na skutek nowotworów.

Całkowite koszty wygenerowane przez raka we Francji dochodzą zatem do zawrotnej sumy 30 miliardów euro rocznie[6]!

Co gorsza, jak pokazały obliczenia Światowej Organizacji Zdrowia, liczba zachorowań na nowotwory podwaja się co 20 lat!

Dokąd zatem zmierzamy? W jaki sposób możemy powstrzymać hekatombę tych wciąż młodych mężczyzn i kobiet? Skąd weźmiemy dla nich środki na coraz droższe terapie onkologiczne? Jeśli nie zrobimy niczego w zakresie profilaktyki, wkrótce dojdziemy do ściany!

Tabela 2. Zapadalność na nowotwory w 2008 roku i prognoza na rok 2030

Region	Liczba zachorowań w 2008 roku [mln]	Szacunkowa liczba zachorowań w 2030 roku (bez uwzględnienia wskaźnika wzrostu zapadalności)	Szacunkowa liczba zachorowań w 2030 roku (z uwzględnieniem wskaźnika wzrostu zapadalności w wysokości 1% w skali roku)
Afryka	0,7	1,2	1,6
Europa	3,4	4,1	5,5
Region Morza Śródziemnego	0,5	0,9	1,2
Ameryka	2,6	4,8	6,4
Azja Południowo-Wschodnia	1,6	2,8	3,7
Obszar zachodniego Pacyfiku	3,7	6,1	8,1
Cały świat	12,4	20	26,4

Źródło: M.P. Curado, B. Edwards, H.R. Shin, H. Storm, M. Ferlay, P. Boyle (red.), *Cancer Incidence in Five Continents*, vol. 9, IARC Scientific Publication, nr 160.

Jak zmniejszyć ryzyko zachorowania na nowotwór?

Co zatem powinniśmy przedsięwziąć? Rozwiązanie jest proste: albo wynajdziemy cudowny lek, który sprowadzi nowotwór do parteru, czyli do rangi niegroźnego przeziębienia albo – co jest jedyną dostępną

alternatywą – z determinacją podejmiemy najtańszą i najskuteczniejszą walkę z rakiem, jaką jest profilaktyka.

Zapobieganie wystąpieniu i rozwojowi nowotworów jest najbardziej realistyczną i logiczną strategią na zduszenie w zarodku obserwowanej plagi zachorowań.

Ale od czego zacząć? Jak przygotować się do walki z zabójczym potworem, który przebiegle atakuje pod tak wieloma postaciami? Jakiego rodzaju procesy, mechanizmy czy podejście mogłyby go powstrzymać? Jego nazwa nie jest przypadkowa – jest równie sprytny jak jego zwierzęcy imiennik! Zazdrośnie strzeże swoich tajemnic, które mogłyby stać się kluczem do znalezienia skutecznej broni przeciw niemu. Zwłaszcza wtedy, gdy w początkowej fazie rozwoju ukrywa się w ciele człowieka w najmniejszym stopniu nieprzeczuwającego swojej choroby. Rak piersi czy rak prostaty przyczajony jak tygrys w jednym z zakamarków ciała czerpie składniki odżywcze i powoli rośnie w siłę. Profilaktyka mogłaby niejednokrotnie zapobiec chorobie i jej konsekwencjom w postaci interwencji chirurgicznych, radio- i chemioterapii, a nawet śmierci.

Zanim omówimy sposoby zapobiegania, które są tak ważne i zarazem trudne do rozpracowania, musimy najpierw wspomnieć o czynnikach, które „wywołują raka".

Na kolejnych stronach tej książki zajrzymy do wnętrza komórki nowotworowej, by zrozumieć, co decyduje o tym, że staje się ona śmiertelnym wrogiem organizmu. Nie obawiajcie się jednak, że wciągnę Was w skomplikowany dyskurs akademicki, usiłując podsumować miliony artykułów naukowych, jakie ukazują się każdego roku. Obiecuję przedstawić ten temat w sposób jak najbardziej przejrzysty i przystępny, by pomóc bez problemu zrozumieć, w jaki sposób pożywienie, np. zwykła pomarańcza lub befsztyk, może wpłynąć na cykl komórkowy jednej z naszych komórek i doprowadzić do jej przemiany w komórkę nowotworową albo – wręcz przeciwnie – ochronić ją przed mutacją.

Na tym etapie naszych rozważań chciałbym naświetlić przyczyny rozwoju nowotworów, czyli – w języku medycyny – etiologię nowotworów. Znajomość czynników wywołujących raka pozwoli Wam uniknąć zachorowania.

Pierwsza przyczyna nowotworów: palenie

Na początku muszę zaznaczyć, że przyczyny nowotworów są zróżnicowane tak bardzo, jak zróżnicowane są odmiany raka. Jest jednak jeden czynnik kancerogenny uniwersalny dla całej naszej planety – tytoń pod wszelkimi jego postaciami. Odpowiada on za 30% przypadków zachorowań na nowotwory w krajach uprzemysłowionych[7].

Jedna trzecia wszystkich nowotworów jest spowodowana paleniem tytoniu.

Tabela 3. Odsetek nowotworów wywołany paleniem tytoniu

Umiejscowienie nowotworu	Odsetek zachorowań u mężczyzn związany z paleniem tytoniu (%)	Odsetek zachorowań u kobiet związany z paleniem tytoniu (%)
Jama ustna	63	17
Gardło	76	44
Przełyk	51	34
Żołądek	31	14
Wątroba	38	17
Trzustka	25	17
Krtań	76	65
Płuca	83	69
Nerka	26	12
Pęcherz moczowy	53	39
Szyjka macicy	–	23

Źródło: Académie des sciences, *Les Causes du cancer en France*; raport dostępny na stronie: http://www.academie-sciences.fr/publications/rapports/pdf/cancer_13_09_07.pdf (data dostępu: 29 marca 2010).

Niezależnie czy jest on zażywany pod postacią papierosów, cygar czy wkładu do fajki, czy palone papierosy są z filtrem lub bez, mocne lub lekkie, tytoń pozostaje niezmiennie rakotwórczy. Wywołuje nowotwory warg, jamy ustnej, gardła, oskrzeli, płuc, przełyku, żołądka, trzustki, nerek, pęcherza

moczowego... Odsetek zachorowań powiązanych z paleniem tytoniu zależy od rodzaju raka i dochodzi do 70% w przypadku nowotworów płuc i gardła. Sam lub w powiązaniu z innymi czynnikami ryzyka, tytoń jest niezwykle silnym aktywatorem procesu nowotworzenia. Produkty spalania tytoniu wnikające do organizmu odnajdują drogę do wnętrza komórek, gdzie oddziałują na DNA, czyli zapis genetyczny naszych chromosomów, wywołując szereg mutacji, które z kolei mogą prowadzić do przemian nowotworowych. Podobnie negatywne skutki ma także palenie marihuany (konopi indyjskich) i innych roślin używanych w tym celu.

Niektóre papierosy są określane jako lekkie, ale nie zmienia to ryzyka związanego z ich paleniem. W ich przypadku bowiem palacz mocniej zaciąga się dymem i w związku z tym dochodzi do rozwoju nowotworu w głębiej położonych odcinkach płuc.

We Francji papierosy zabijają co roku 70 tysięcy osób. Na całym świecie coraz więcej ludzi umiera z powodu negatywnych konsekwencji nałogu nikotynowego. Z tym problemem będą musieli się także zmierzyć Chińczycy, ponieważ w ich kraju konsumuje się ponad 2 miliardy papierosów z 5,5 miliardów sztuk całej ogólnoświatowej rocznej produkcji.

Niech palacze nie oszukują się, że widmo nowotworu odpędzi od nich przestawienie się na zdrową żywność lub podjęcie diety cud! Cokolwiek zrobią w dziedzinie profilaktyki, będzie to wyłącznie działanie pozorne, zważywszy na zasadniczą rolę czynnika palenia tytoniu w genezie nowotworów.

Zatem pora na pierwszą zasadę profilaktyki antynowotworowej: NIE PAL.

Obecnie prawie we wszystkich szpitalach we Francji działa sieć poradni antynikotynowych. Substytuty nikotyny są dostępne nieodpłatnie lub ze zniżką. Stąd mój apel do palaczy, którzy nie chcą zachorować na raka: rzućcie palenie! Oraz dodatkowy apel do dzieci i młodzieży: nie zaczynajcie palić!

Wiemy, że palenie jest główną przyczyną raka, odpowiedzialną za jedną trzecią przypadków zachorowań na całym świecie. Co wywołuje pozostałe 70% nowotworów?

Kancerogenne działanie hormonów

Kolejne 30% zachorowań jest spowodowane rakotwórczym działaniem hormonów na wrażliwe na nie organy. Hormony te mogą być produkowane przez nasz organizm lub dostarczane do niego w sposób sztuczny (np. w ramach hormonalnej terapii zastępczej w okresie menopauzy).

Efekt kancerogenny wykazują np. estrogeny (żeńskie hormony płciowe) w przypadku raka piersi i macicy oraz testosteron (męski hormon płciowy) w przypadku raka prostaty.

We Francji wymienione rodzaje nowotworów są najczęściej występującymi odmianami u kobiet (rak piersi) i mężczyzn (rak prostaty) i zabijają co roku odpowiednio 10 tysięcy kobiet i 12 tysięcy mężczyzn. Czy możemy coś zdziałać w zakresie profilaktyki tych nowotworów? Właściwie i tak, i nie!

Warto wiedzieć, że w przypadku kobiet ryzyko zachorowania zwiększają:

- wystąpienie nowotworu piersi u matki lub siostry,
- wczesne pokwitanie,
- późna pierwsza ciąża,
- mniejsza liczba potomstwa,
- brak okresu karmienia piersią,
- późna menopauza,
- hormonalna terapia zastępcza (HTZ) stosowana przez dłuższy czas.

Jak widać, poza rezygnacją z HTZ w przypadku prawidłowo przebiegającej menopauzy niewiele można zrobić. Nie mamy wpływu na rozpoczęcie okresu dojrzewania czy menopauzy ani nie od nas zależą choroby naszych bliskich. Nie można też oczywiście zmuszać kobiet do rodzenia większej liczby dzieci i zostawania matkami w młodszym wieku. Zatem ogólna odpowiedź na pytanie o możliwość zapobiegania nowotworom hormonozależnym jest negatywna. Są jednak pewne naukowe przesłanki, które napawają nadzieją i pozwalają zaryzykować odpowiedź: tak, można zapobiec tego rodzaju nowotworom poprzez odpowiedni sposób

odżywiania. Na gospodarkę hormonalną organizmu wpływa bowiem nasza dieta. Dotyczy to również męskiego nowotworu prostaty.

Jak dotąd wskazaliśmy przyczyny 60% nowotworów – palenie tytoniu dla połowy z nich oraz dla drugiej połowy – podłoże hormonalne. Wciąż jednak pozostają nam do określenia czynniki wywołujące pozostałe 40% przypadków raka.

Rola infekcji i zanieczyszczenia środowiska

20% zachorowań z pozostałej do omówienia liczby przypadków raka jest spowodowane kombinacją wielu czynników etiologicznych i wykazuje zmienność geograficzną.

Pewne nowotwory są zaś wynikiem działania czynników infekcyjnych.

Nieliczni zdają sobie sprawę z tego, że rozwój wielu nowotworów wynika bezpośrednio z zainfekowania organów przez bakterie i wirusy onkogenne.

Dzieje się tak w przypadku raka szyjki macicy, wątroby, żołądka, jamy nosowo-gardłowej, prącia, odbytu, pęcherza moczowego i węzłów chłonnych.

Właściwie wraz ze zwiększaniem się możliwości wykrywania nowych rodzajów wirusów w guzach nowotworowych odkrywamy coraz więcej odmian raka powiązanych z określonymi infekcjami.

O ile od dawna wiemy, że rak wątroby ma związek z zakażeniem wirusem zapalenia wątroby, o tyle stosunkowo niedawno, bo w roku 2006 wykryto powiązanie między rakiem jamy nosowo-gardłowej a zakażeniem wirusem brodawczaka ludzkiego (HPV) – tym samym, który wywołuje raka szyjki macicy i jest przenoszony drogą seksualnych kontaktów oralno-genitalnych.

Hipoteza o wirusowym lub – jeszcze szerzej pojmowanym – infekcyjnym pochodzeniu nowotworów (bakteryjnym, wirusowym, pasożytniczym itp.) zyskuje coraz więcej zwolenników w kręgach onkologów. Mogłaby tłumaczyć obserwowany lawinowy wzrost liczby zachorowań na raka płuc u niepalących kobiet (+250% w ciągu 15 lat!) lub

odnotowany ostatnio wyraźny wzrost liczby przypadków raka przełyku typu adenocarcinoma, który wcześniej był niezwykle rzadko spotykany w tym narządzie.

Co istotne, niektóre z onkogennych mikroorganizmów mogą zostać wprowadzone do naszego organizmu wraz z pożywieniem lub napojami. Mamy więc kolejne powiązanie między rakiem a naszym sposobem odżywiania! Wrócimy do tego tematu później.

Nie byłbym specjalnie zaskoczony, gdyby w nadchodzących latach odsetek nowotworów określanych jako spowodowane infekcjami wzrósł z 5% do ok. 20–30%.

Zanieczyszczenie środowiska natomiast odpowiada bezpośrednio za 5% przypadków raka, co za chwilę szerzej omówimy. Chodzi tutaj w równym stopniu o zanieczyszczenia rolnicze, jak i przemysłowe. Do białaczki i niektórych innych odmian nowotworów powszechnych wśród mieszkańców wsi przyczyniają się zanieczyszczenia rolnicze, ale zagrażają one także mieszkańcom miast, którzy spożywają je wraz z owocami i warzywami. Z zanieczyszczeniami przemysłowymi możemy się stykać z racji wykonywanej pracy: dzieje się tak w przypadku osób zatrudnionych przy produkcji tworzyw sztucznych, barwników, rozpuszczalników i azbestu oraz w przemyśle petrochemicznym, drzewnym i w elektrowniach atomowych. Narażenie na szkodliwe czynniki przemysłowe jest przyczyną tzw. nowotworów zawodowych. Najlepszym tego przykładem jest niebezpieczeństwo związane z azbestem, którego nie chcieliśmy przyjąć w porę do wiadomości i z którego wyniknęła późniejsza afera azbestowa. Na tym jednak nie koniec zgubnego oddziaływania zanieczyszczeń przemysłowych. Przenikają one do wód (mórz, rzek, jezior, wód powierzchniowych i podziemnych) i w ten sposób dostają się do naszego łańcucha pokarmowego. Tak migrują metale ciężkie (rtęć i ołów) oraz polichlorobifenyle (PCB) i parabeny.

Będzie o nich mowa w wielu miejscach tej książki, ponieważ jest ich coraz więcej w naszym pożywieniu i przyczyniają się do rakotwórczego działania niektórych pokarmów.

Czynniki fizyczne oraz dziedziczne

Mniej więcej 5% przypadków raka spowodowane jest inną formą oddziaływania środowiska, jaką są czynniki fizyczne. Chodzi tutaj o promieniowanie słoneczne (np. ultrafiolet UV) oraz radioaktywny gaz radon będący produktem rozkładu radu, który z kolei powstaje z obecnego w przyrodzie w znacznej ilości uranu. W Stanach Zjednoczonych wszystkie budynki mieszkalne muszą być zaopatrzone w świadectwo określające stopień narażenia na emanację radonu. Występuje również skażenie promieniotwórcze związane z działalnością człowieka (próby broni jądrowej, awarie elektrowni atomowych). Substancje radioaktywne przenikają do atmosfery, a potem wraz z opadami do gleby i produktów rolnych (m.in. do mleka, grzybów, owoców jagodowych). Skażenie tego typu może się utrzymywać przez bardzo długi czas. Proszę zauważyć, że po raz kolejny obserwujemy, iż rakotwórcze oddziaływanie innego czynnika będzie miało związek z pożywieniem.

Jedynie 5% zachorowań na nowotwory złośliwe ma podłoże genetyczne.

Chociaż wszystkie nowotwory powstają w wyniku mutacji materiału genetycznego w komórce (więcej na ten temat w mojej książce *Les Chemins de l'espoir*[8]), to w przeważającej większości przypadków (95%) mutacja ta ma miejsce w trakcie późniejszego życia u osób, które otrzymały całkowicie zdrowe geny od matki i ojca. Tylko w bardzo rzadkich przypadkach (5%) dochodzi do dziedziczenia uszkodzonych genów predysponujących do rozwoju raka i tylko taki nowotwór może być nazwany dziedzicznym. U osób z pierwotnie uszkodzonymi genami, nawet prowadzących niezwykle zdrowy tryb życia i stosunkowo młodych, ryzyko zachorowania na raka jest olbrzymie.

Zapamiętajmy zatem, że rak, owszem, jest chorobą genetyczną, ale tylko 5% przypadków zachorowań wynika z odziedziczenia uszkodzonych genów po rodzicach.

Ustaliliśmy jak dotąd przyczyny 80% nowotworów: palenie, oddziaływanie pewnych hormonów, czynniki infekcyjne, zanieczyszczenie środowiska, czynniki fizyczne oraz dziedziczne. Wciąż pozostają do objaśnienia przyczyny pozostałych 20% zachorowań. To odpowiedni moment, aby zacząć w końcu mówić o sposobie odżywiania.

Tabela 4. Odsetek nowotworów wywołanych określonymi czynnikami

Przyczyna raka	Oszacowany odsetek nowotworów spowodowanych danym czynnikiem
Palenie	30%
Hormony	30%
Czynniki infekcyjne	5%
Czynniki fizyczne	5%
Dziedziczenie uszkodzonych genów	5%
Zanieczyszczenie środowiska	5%
Sposób odżywiania	20%

Rak na talerzu

Czyżby niewłaściwy sposób odżywiania był odpowiedzialny aż za 20% przypadków raka?

Prawdopodobnie nawet więcej, o czym wspomnieliśmy przy okazji omawiania wpływu zanieczyszczeń środowiska, substancji radioaktywnych i czynników infekcyjnych obecnych w naszym pożywieniu. Bez obaw o większą pomyłkę możemy założyć, że ok. jednej trzeciej wszystkich przypadków raka wiąże się w sposób bezpośredni lub pośredni z naszym jadłospisem.

Mamy zatem teoretycznie spore pole manewru w zakresie profilaktyki!

Po przeczytaniu tej książki przekonacie się jednak, że owe manewry dietetyczne nie są ani tak łatwe, ani tak oczywiste jak samo wyciągnięcie podobnego wniosku.

Z wielu powodów i w przeciwieństwie do tego, co niektórzy usiłują wmawiać, nie jest możliwe określenie wpływu konkretnego, wydzielonego składnika menu. Twierdzenie z miną znawcy, że tego lub innego pokarmu należy unikać jak ognia, a innym raczyć się bez opamiętania, by uniknąć określonej odmiany raka, to popis ignorancji! Jeśli już z czegoś mamy całkowicie rezygnować, to zrezygnujmy z tytoniu.

Jeśli byłoby to takie proste, to nie sądzicie, że w ciągu tych wszystkich lat, kiedy rak wciąż zbiera śmiertelne żniwo w naszych rodzinach, właściwie od zarania ludzkości, nie wyrobilibyśmy sobie w końcu odpowiednich nawyków żywieniowych i zrezygnowalibyśmy z pożywienia będącego oczywistą przyczyną tej choroby?

Przemyślcie chwilę następujące pytania. Zaznaczam, że nie są to zagadki medyczne na miarę laureata Nagrody Nobla. Jakim sposobem możliwe byłoby wskazanie jednego uniwersalnego antyrakowego produktu żywnościowego, skoro tak bardzo różnimy się między sobą? Jak sprawić, aby rekomendowana ilość tego cudownego pokarmu była taka sama dla dziecka o wadze 15 kg i rosłego mężczyzny ważącego 90 kg? Czy rzeczywiście mogłoby istnieć dietetyczne panaceum równie skuteczne w zapobieganiu rakowi piersi u kobiet i rakowi prostaty u mężczyzn?

Jakkolwiek skromna jest nasza wiedza z dziedziny medycyny, zapewne każdy zauważył, że nie wszyscy trawimy pokarmy w ten sam sposób. Różni nas również szybkość metabolizmu, co sprawia, że przy identycznej diecie jedni chudną, a inni nie.

Czy wreszcie w przypadku badań wykonanych w innym kraju, wskazujących na rakotwórczy wpływ danego produktu żywnościowego, upewniliśmy się, że jest on otrzymywany i przyrządzany u nas, we Francji, w ten sam sposób? Z pewnością nie!

Niektórzy zapewne chcieliby, abyśmy przyjęli takie uproszczone dietetyczne przykazania za prawdę objawioną.

A przecież w przypadku czerwonego mięsa, jeśli chcemy być uczciwi i skuteczni w profilaktyce antynowotworowej, nie możemy zignorować kwestii pochodzenia, sposobu chowu zwierzęcia i jego paszy oraz metody

przyrządzania potrawy i wielkości porcji. Musimy też wziąć pod uwagę nasz wiek, zapotrzebowanie energetyczne, płeć i przemianę materii.

Poza tym w pokarmach spożywanych przez ludzi jest ponad 25 tysięcy składników bioaktywnych. W przypadku 500 składników udowodniono ich konkretny wpływ na proces powstawania nowotworów[9].

Zwykle też nie odżywiamy się tylko jednym rodzajem pokarmu. Jak wszystkie organizmy wszystkożerne mamy stosunkowo urozmaiconą dietę. Nie tylko w ciągu całego naszego życia, ale w trakcie każdego posiłku. Zwykle nie jadamy jednoskładnikowych dań bez dodatków.

Mięso spożywamy solone, z pieczywem, warzywami. Wcześniej zjadamy przystawkę, a na zakończenie nakładamy sobie jeszcze porcję sera lub deser. Okraszamy nasz posiłek przyprawami i musztardą oraz zwykle czymś popijamy...

Nieuniknione jest to, że bioskładniki spożytego dania będą między sobą reagować i tworzyć rozmaite skomplikowane związki chemiczne, których wpływ na nasze zdrowie będzie równie złożony i różnorodny. Pora skończyć z mitem, że ryzyko kancerogenne naszego posiłku jest arytmetyczną sumą ryzyka związanego z jego poszczególnymi składnikami! To zbyt daleko idące uproszczenie!

Przecież owe składniki ulegają chemicznym przemianom w trakcie przyrządzania potrawy, a zwłaszcza jej obróbki termicznej. Czy aby na pewno befsztyk smażony ma taki sam wpływ na nasz organizm jak befsztyk tatarski? Albo jak duszona wołowina? Z całą pewnością nie i intuicja na pewno Wam to podpowiedziała.

Ta książka udowodni, że możemy się kierować nie tylko zdrowym rozsądkiem, ale mamy również do dyspozycji dowody naukowe, by zweryfikować naszą intuicyjną wiedzę. Jeśli chcemy zgłębić temat powiązań między dietą a rakiem, musimy na wstępie ustalić, co może zmieniać oddziaływanie bioskładników pokarmu na nasz organizm.

Na pewno nie możemy polegać na badaniach populacji, które znacząco odbiegają od nas wyglądem i nawykami żywieniowymi, a co za tym idzie – również dziedzictwem enzymatycznym. Nie będziemy również odnosić do nas badań dotyczących produktów żywieniowych,

które co prawda noszą tę samą nazwę w różnych krajach, ale różnią się diametralnie składnikami odżywczymi.

Kiedy tylko będzie to możliwe, odwołamy się do tradycyjnej mądrości przekazanej nam przez mamy i babcie. Tej samej, która wskazywała im przez wieki, jak karmić swoje dzieci, aby były zdrowe.

To oczywiste, że pewne praktyki pozwoliły gatunkowi ludzkiemu przetrwać w określonym środowisku – biotopie, mnożyć się, rozwijać, skutecznie przystosowywać, żyć w zdrowiu i znacznie rzadziej niż dzisiaj zapadać na nowotwory.

Dane naukowe i mądrość pokoleń

Skąd zaczerpnięte są informacje, które posłużą nam jako materiał do rozważań w dalszej części książki?

Skąd wiemy, że dany pokarm posiada własności profilaktyczne w przypadku raka?

Mamy trzy sprawdzone metody uzyskiwania tego typu wiedzy: badania epidemiologiczne, eksperymentalne oraz interwencyjne u ludzi[10].

Zanim przejdziemy do wprowadzenia metodologicznego, chciałbym zwolnić z tej lektury bardziej niecierpliwych. Możecie przejść bezpośrednio do porad z zakresu „skutecznej diety antynowotworowej". Jeśli jednak chcielibyście wiedzieć, dlaczego wyciągam taki, a nie inny wniosek dotyczący określonego składnika menu, warto, byście przeczytali ten rozdział.

Zacznijmy od badań epidemiologicznych.

Badania epidemiologiczne: badanie przypadków oraz obserwacje kohortowe

Aby wykryć związek między dietą a nowotworami, możemy się posłużyć dwoma typami badań epidemiologicznych: kliniczno-kontrolnym badaniem przypadków oraz obserwacjami kohortowymi. Oba mają pewne ograniczenia.

Kliniczno-kontrolne badania przypadków (inaczej badania retrospektywne) są stosowane najczęściej ze względu na łatwość wykonania i niskie koszty. Polegają na przeprowadzeniu wywiadu standaryzowanego wśród chorych na raka na temat ich sposobu odżywiania w określonym okresie oraz porównaniu uzyskanych informacji z odpowiedziami osób zdrowych. Jeśli wychwycimy w obu grupach różnicę dotyczącą określonego pokarmu, możemy wnioskować o jego wpływie na rozwój choroby.

Cóż, nie trzeba być omnibusem, aby wskazać słabe punkty tego typu badań.

Zarówno osoby z grupy badanej, jak i kontrolnej mogą niezbyt dobrze pamiętać, co jadały w określonym czasie w przeszłości, zwłaszcza w przypadku produktów żywnościowych, które gościły na ich talerzach sporadycznie. Mogą też pominąć w wywiadzie dodatki, jakimi wzbogacały ten pokarm (a jak wiemy, mają one często ogromny wpływ).

Ponadto samo pojęcie grupy kontrolnej wzbudza kontrowersje. Interesuje nas dany produkt żywnościowy, przy czym nie w stanie naturalnym, ale po przejściu wielu przemian w organizmie: po spożyciu, zaabsorbowaniu, zmetabolizowaniu i dostarczeniu składników odżywczych do komórek oraz po wydaleniu niestrawionych resztek i szkodliwych produktów przemiany materii. Wszystkie te procesy mogą modyfikować wpływ kancerogenny bioskładnika pokarmu. Dla badacza powinna zatem liczyć się pochodna tego składnika pozostała po przejściu wszystkich tych procesów w organizmie, która na koniec dociera do komórki i może wywołać jej przemianę nowotworową. To działanie rakotwórcze ma ewidentny związek z jakością wcześniejszych etapów: wchłaniania, metabolizmu, transportu składników odżywczych oraz wydalania.

Całość przemian biochemicznych trawienia zależy od dziedzictwa enzymatycznego danej osoby, które jest oczywiście cechą indywidualną.

Weźmy jako przykład pokarm, który wykazuje działanie rakotwórcze w przypadku, gdy pozostaje ponad 2 godziny w kontakcie ze śluzówką narządów ludzkich. Jeśli dany człowiek szybko strawi, zmetabolizuje i wydali ów pokarm, szanse na rozwój nowotworu w jego ciele będą znikome.

Wyobraźcie sobie teraz, że Wasz organizm prawie nie produkuje enzymu odpowiedzialnego za metabolizm i wydalanie omawianego pokarmu. Jeśli go spożyjecie, będzie długo zalegał w organizmie i zyska dość czasu, aby zadziałać kancerogennie.

Jak widać, zmienność związana z enzymatyczną „urodą" poszczególnych osób może mieć zasadniczy wpływ na własności kancerogenne określonego pokarmu. Niestety, w badaniach kliniczno-kontrolnych nie weryfikujemy nigdy zgodności grupy badanej i kontrolnej pod względem metabolizmu.

Przyjrzyjmy się innemu przykładowi, który pokaże, jak bardzo może zmienić wynik badania zwykłe zapomnienie osoby badanej o pewnej przekąsce.

Wiadomo z badań eksperymentalnych, że witamina D_3, którą znajdziemy w produktach mlecznych, może spowolnić wzrost ludzkich komórek nowotworowych (wrócimy do tego później).

Podobne działanie wykazuje również genisteina, związek naturalnie obecny w soi i sycylijskich orzechach pistacjowych.

Kiedy połączymy oba związki, ich dobroczynne działanie się skumuluje[11]. Wystarczy jednak, że osoby badane przypomną sobie dokładnie mleczne składniki swojej diety, ale zapomną, że posilały się również orzeszkami pistacjowymi, i już wynik badania kliniczno-kontrolnego dotyczący roli nabiału w profilaktyce raka ulegnie zafałszowaniu.

Może się również zdarzyć, że w momencie przeprowadzania badania nie jesteśmy świadomi, że w przeszłości na osoby badane oddziaływał pewien pozadietetyczny czynnik kancerogenny. Jeśli nie znamy tego czynnika, nie możemy zadbać, aby osoby chore i z puli kontrolnej zostały dobrane według podobnego stopnia ekspozycji na ów czynnik.

Wyobraźcie sobie, że zostało wykonane badanie dotyczące roli składnika A. Został też ustalony jego wpływ na rozwój określonego nowotworu, ale dopiero jakiś czas później odkryto inny ważny czynnik kancerogenny B. W tym momencie wyniki zdezaktualizowanego badania musimy odesłać do lamusa i powtórzyć je jeszcze raz z uwzględnieniem nowo odkrytego czynnika B.

Tego rodzaju sytuacja miała miejsce w przypadku badania poświęconego roli, jaką pełni konsumpcja wina w rozwoju raka jamy nosowo-gardłowej. W latach, gdy wykonano większość badań dotyczących powiązania picia wina z ryzykiem wystąpienia tej odmiany raka, nikt jeszcze nie wiedział, że większość przypadków zachorowań jest wynikiem zakażenia wirusem brodawczaka ludzkiego (HPV). Oczywiście, żaden z badaczy nie dobierał grupy badanej i kontrolnej z uwzględnieniem podobnej proporcji ilościowej osób zarażonych wirusem HPV. Dlatego badania te są obecnie bezużyteczne.

Przeprowadźmy pewien eksperyment myślowy. Wyobraźcie sobie, że przez przypadek w grupie zapalonych koneserów wina znajduje się więcej nosicieli wirusa HPV. Wtedy nie regularna konsumpcja wina, ale zakażenie wirusem brodawczaka ludzkiego będzie odpowiedzialne za zwiększoną częstość występowania raka jamy nosowo-gardłowej w tej grupie.

Jak widać, jest wiele powodów, aby do wyników epidemiologicznych badań kliniczno-kontrolnych podchodzić z dużą ostrożnością. Ich wyniki należy zawsze przepuścić przez filtr zdrowego klinicznego rozsądku.

Drugi typ badań epidemiologicznych nazywamy obserwacjami kohortowymi (inaczej prospektywnymi).

Badania te są rzadko stosowane, ponieważ wymagają dużych nakładów finansowych i długo trwają. Do badań wybiera się grupę (kohortę) zdrowych osób i prosi się je o regularne zapiski dotyczące składu posiłków. Potrzeba ok. 15–20 lat, aby prześledzić wpływ nawyków żywieniowych na ewentualny rozwój nowotworów w grupie badanych. Krytyka tej metody badań dotyczy precyzji zebranych informacji i możliwości pominięcia wpływu nieznanego dotąd czynnika kancerogennego, odkrytego już w trakcie badań lub po ich zakończeniu.

Wyobraźmy sobie, że 20 lat temu w momencie rozpoczęcia obserwacji kohortowych nie mieliśmy pojęcia o roli kurkumy w zapobieganiu rozwojowi raka żołądka. Nie uwzględniliśmy w dzienniku diety osób badanych pytania o częstość stosowania tej przyprawy. Nie tylko nie

dowiemy się z takiego badania, jakie jest oddziaływanie kurkumy, ale – jeśli wśród badanych będą osoby, u których rozwinie się rak żołądka z powodu niskiego spożycia kurkumy – mylnie przypiszemy kancerogenne oddziaływanie innemu składnikowi diety.

Badania eksperymentalne

Te badania są o wiele bardziej interesujące!

Polegają na testowaniu na hodowlach komórkowych i zwierzętach wpływu danego produktu spożywczego.

Pozwalają na prześledzenie mechanizmów decydujących o działaniu kancerogennym lub ochronnym danego bioskładnika. Tego rodzaju badania pozwalają wykonać testy na hodowlach komórkowych w laboratoriach, niemożliwe do wykonania u człowieka.

Będziemy często powoływać się na ich wyniki.

Oczywiście badania eksperymentalne mają swoje ograniczenia, z których należy sobie zdawać sprawę. Kiedy test dotyczy określonego produktu żywieniowego, zwykle nie jest brany pod uwagę sposób jego przygotowania i obróbki termicznej. Czy w pełni wiarygodne będzie badanie wykonane z użyciem surowego warzywa, które zwykle spożywamy po ugotowaniu?

Trudno sobie wyobrazić, żeby możliwe było przetestowanie wszystkich możliwych kombinacji składników dań, jakie spotykają się na naszych talerzach. Jeśli jednak tego nie zrobimy, zignorujemy efekt działania tego czy innego połączenia!

Wcześniej wspomniałem o skutkach spożywania produktów bogatych w witaminę D_3 z dodatkiem soi oraz orzechów pistacjowych. Innym podobnym przykładem może być piperyna, alkaloid zawarty w owocach niektórych odmian pieprzu, który wzmacnia pozytywne działanie kurkumy.

Jak pokazują przytoczone przykłady, kombinacje określonych składników oraz sposób obróbki potrawy mogą się przyczynić do zniwelowania lub zintensyfikowania własności kancerogennych lub ochronnych określonego pokarmu. I jak to wszystko uwzględnić?

Badania interwencyjne u ludzi

To ostatni rodzaj badań, jaki będzie nam przydatny. Są zdecydowanie najbardziej skomplikowane i kosztowne.

Wybieramy do badania populację zdrowych ludzi. Następnie dzielimy ją na dwie grupy o porównywalnych cechach (wcześniej wspomniałem, jakie to złudne!). Wszystkie te osoby będą codziennie zażywały pozornie identyczne tabletki. W przypadku pierwszej grupy tabletki będą zawierały określony biosładnik lub mieszankę biosładników, pigułki drugiej grupy będą zwykłym placebo. Oczywiście osoby łykające placebo nie będą tego świadome.

Przez kilka lat wszyscy badani będą pod kontrolą, a na koniec tego okresu badacze zweryfikują, czy w grupie zażywającej biosładniki lub witaminy rzeczywiście wystąpi mniej przypadków określonej odmiany raka.

Badania interwencyjne przeprowadza się rzadko. Będziemy cytować ich wyniki, ilekroć przyczyni się to do lepszego wyjaśnienia omawianych zagadnień.

Czy dieta antynowotworowa to mrzonki?

Ci, którzy przeczytali poprzedni podrozdział, zyskali wiedzę z zakresu metodologii badań, która pozwoli im krytycznym okiem oceniać różne zalecenia dietetyczne.

Musimy umieć zadawać sobie pytania i nie dać się zwieść temu, co nam opowiadają rozmaici pseudospecjaliści. Za każdym razem należy sprawdzić nie tylko, skąd pochodzi określona informacja, ale czy zastosowane badanie było właściwie dobrane. Należy również postawić pytanie, czy wzięto pod uwagę sposób otrzymywania i pochodzenie danego produktu (a przy okazji, czy wiecie, że pewne odmiany brokułów zawierają nawet do 25 razy więcej przeciwnowotworowej glukorafaniny niż inne?), jak również sposób jego przyrządzania i łączenia z innymi

składnikami, sposób podawania oraz jakość trawienia i wydalania resztek przez organizm. Sprawdźmy też koniecznie, czy informacja dotyczy kobiet czy mężczyzn, palaczy czy niepalących, dzieci czy dorosłych.

W dziedzinie odżywiania w grę wchodzi ogromna zmienność i stopień skomplikowania rozmaitych zależności, dlatego nie dajmy się zwieść uproszczeniom i uogólnieniom dotyczącym diety antyrakowej!

Trzeba zachować w powodzi różnych porad zdrowy rozsądek. Służył on ludzkości przez tysiąclecia i z pewnością nieraz się jeszcze przyda.

Niech nas, wspólnie z nauką, prowadzi przez karty tego poradnika.

Rozdział 2

CZYM JEST RAK?

Skąd się bierze życie?

Skoro chcemy zrozumieć, w jaki sposób nasze pożywienie może zmniejszać lub zwiększać ryzyko rozwoju nowotworów, warto zacząć od wyjaśnienia, w jaki sposób powstaje rak*.

Każda ziemska forma życia złożona jest z maleńkich cegiełek nazywanych komórkami, które mogą łączyć się w większe struktury i rozmnażać.

W taki sposób zbudowane są rośliny, zwierzęta, ludzie. Jedynym wyjątkiem są wirusy (wrócimy do tego nieco później). Najprostsze organizmy, takie jak bakterie, składają się z pojedynczej komórki i dlatego określamy je mianem jednokomórkowców. Jednak zdecydowana większość istot żywych, lądowych i morskich, zarówno z królestwa roślin, jak i zwierząt, stanowi niezwykle skomplikowaną i wyrafinowaną kompozycję bardzo wielu komórek.

---

* Zainteresowanych tematyką tego rozdziału zachęcam do lektury mojej książki *Les Chemins de l'espoir*, Odile Jacob, Paryż 2003.

Organizm dorosłego człowieka liczy ok. miliona miliardów komórek.

Skąd się biorą wszystkie te komórki? Początkiem życia każdej żywej istoty jest moment zapłodnienia komórki żeńskiej (jajeczka – u zwierząt, komórki jajowej z rodni słupka – u roślin) przez komórkę męską (plemnik – u zwierząt, ziarno pyłku – u roślin). Z połączenia tych dwóch komórek rozrodczych powstaje pierwsza komórka organizmu potomnego. (Co prawda trochę upraszczam, ponieważ w rzeczywistości komórki rozrodcze mają tylko jeden zestaw chromosomów, czyli są czymś w rodzaju półkomórek, ale nie ma to aż tak dużego znaczenia dla naszych rozważań).

Zatem na początku naszego istnienia jesteśmy zaledwie jedną jedyną komórką w łonie naszej mamy!

Ta komórka to zygota, która ma szczególną zdolność – natychmiast zaczyna się dzielić, powielając swą zawartość.

Z jednej komórki powstają dwie prawie identyczne!

I tak, dzień po dniu, nowe komórki dzielą się, a z każdej następnej powstają dwie kolejne.

Z dwóch komórek powstają cztery, z czterech – osiem, i dalej – szesnaście, trzydzieści dwie, sześćdziesiąt cztery, sto dwadzieścia osiem, dwieście pięćdziesiąt sześć...

Żywa materia sama daje początek żywej materii.

Przed podziałem komórka powiela swój materiał genetyczny, aby każda z dwóch nowych komórek dysponowała tym samym dziedzictwem. Podczas gdy zjawisko to zapewnia wzrost ilości materii i liczby komórek, jednocześnie ma miejsce cudowny fenomen „jakościowy".

Tysiące, a później miliony nowych komórek zaczynają się różnicować. Jedne z nich przekształcą się w komórki serca, inne – nerek, mózgu, wątroby, śledziony, mięśni, jelit, oczu itd.

Zróżnicowane komórki zaczną się łączyć w struktury określonych narządów.

Tym sposobem z pojedynczej komórki drogą licznych podziałów i przemian powstaje embrion, który zaczyna wykazywać coraz wyraźniej

cechy budowy ludzkiego ciała. Narządy płodu „uczą się" coraz lepszej współpracy i po paru miesiącach będzie on gotowy, aby pojawić się na świecie jako noworodek.

Oto cud życia!

Pierwsza zapłodniona komórka dała początek milionowi miliardów nowych komórek organizmu. Cegiełki te zorganizują się w tkanki i narządy, które podejmą konkretne czynności w ciele (komórki mięśnia sercowego utworzą bijące serce, komórki kosmków jelitowych zaczną wchłaniać pokarm itd.). Dzięki wyspecjalizowanym komórkom w poszczególnych organach organizm może się narodzić, rozwijać i żyć.

Proces podziału komórek we wszystkich organach będzie trwał przez całe życie, ponieważ żadna z komórek nie jest wieczna. Żyje kilka dni lub tygodni, a potem umiera.

Nie zaburza to funkcjonowania narządów, ponieważ poszczególne komórki przed swoją śmiercią dzielą się i dają początek komórkom potomnym, które je zastąpią. Każdego dnia ok. 70 milionów komórek obumiera w naszym ciele i zastępuje je 70 milionów nowych. Starzejące się komórki, z wyjątkiem neuronów w naszym mózgu, gdy tylko „stwierdzą" swoją pogarszającą się formę, dzielą się, aby dać początek swoim nowym, żywotnym odpowiednikom. Następnie ustępują im miejsca.

Oszacowano, że w ciągu całego życia człowieka dochodzi w jego ciele średnio do 10^{16} podziałów komórkowych, czyli do dziesięciu milionów miliardów podziałów! Ta gigantyczna liczba robi wrażenie, nieprawdaż?

Jeśli macie odwagę kontynuować lekturę, przygotujcie się na jeszcze więcej niezwykłych, wciskających w fotel informacji.

Wróćmy jednak do objaśniania genezy raka. Jak dotąd omówiliśmy pierwszy etap: proces powstawania życia.

Mamy jeszcze do przeanalizowania trzy kolejne etapy.

W drugim etapie rozważań zajrzymy do wnętrza komórki, aby zrozumieć procesy, które umożliwiają jej podziały i różnicowanie. Aby dowiedzieć się, dlaczego komórka żyje i jak umiera.

Przenieśmy się zatem w wyobraźni do środka komórki.

Co kryje się w jej wnętrzu? Jak działa ta maleńka, precyzyjna struktura?

Kluczowe geny

Postaram się zbytnio nie zniekształcić obrazu, jakiego dostarcza nam nauka, ale zarazem uprościć zagadnienie na użytek nienaukowców.

Wyobraźmy sobie, że we wnętrzu komórki mamy „fabryczkę" do produkcji białek, „komputer" z oprogramowaniem do sterowania tym procesem oraz „minielektrownię".

Pierwszą rzeczą, jaka może się nam przydać w zrozumieniu mechanizmu powstawania raka, jest ów komórkowy „komputer". Trzeba wyraźnie zaznaczyć, że komórka może spełniać swoją funkcję tylko wtedy, gdy otrzyma stosowne instrukcje. Potrafi jedynie realizować zadania zapisane w swym wewnętrznym oprogramowaniu.

Jeśli nie macie odpowiedniego edytora tekstu, napisanie czegokolwiek za pomocą komputera będzie niemożliwe. Podobnie w przypadku komórki – bez odpowiedniego programu ani rusz.

Jakież to jednak oprogramowanie kryje w sobie komórka i gdzie jest ono zapisane? Odpowiedź jest prosta: w chromosomach.

Zajrzyjmy teraz do wnętrza chromosomów, aby zrozumieć, czym są i jak funkcjonują.

Chromosomy są nośnikiem materiału genetycznego w postaci genów, które definiują nasze cechy gatunkowe i indywidualne (stąd badania genetyczne okazują się przydatne w kryminalistyce!) oraz zawierają wytyczne funkcjonowania komórek.

Każdy człowiek posiada 46 chromosomów zbudowanych ze skręconego łańcucha polimeru o nazwie DNA. Związek DNA składa się z czterech cząsteczek zwanych nukleotydami: adeniny (A), tyminy (T), guaniny (G) i cytozyny (C), a kolejność ich ułożenia tworzy zapis genetyczny. Ów kod genetyczny został odkryty przed 60 laty przez trzech genialnych francuskich naukowców, późniejszych laureatów Nagrody Nobla: François Jacoba, Jacques'a Monoda i André Lwoffa.

Zaledwie cztery elementy ATGC w różnych kombinacjach wystarczą, aby zakodować w DNA 30 tysięcy naszych genów. Dzięki nim milion miliardów naszych komórek funkcjonuje poprawnie, dzieli się,

różnicuje, wytwarza białka, żyje i w którymś momencie umiera. Zapis genetyczny jest odpowiedzialny za nasze życie i śmierć.

3 miliardy nukleotydów ATGC znajdują się w każdej komórce organizmu, tworząc łańcuch o długości 2 metrów z zapisem 30 tysięcy genów.

Powtórzę jeszcze raz, ponieważ zdaje się to nieprawdopodobne: tak, ludzkie ciało składa się z miliona miliardów komórek pogrupowanych (lub zróżnicowanych) w 200 różnych typów, a każda komórka mieści w sobie 30 miliardów cząsteczek nukleotydów tworzących kod genetyczny z zapisem 30 tysięcy genów!

Powiedzcie to komuś podczas luźnej pogawędki i zobaczcie jego reakcję! A jednak zapewniam Was, że to najprawdziwsza prawda!

To jeszcze nie wszystko – pomnóżcie podane wcześniej dane liczbowe przez dwa, ponieważ w każdej naszej komórce mieszczą się aż dwa łańcuchy DNA o długości 2 metrów. Jeden pochodzi z komórki jajowej i przekazuje nam geny matki, a drugi z plemnika i przekazuje nam geny ojca.

Wszystkie te liczby wywołują zawrót głowy, ale pozwalają lepiej wyobrazić sobie, że wszystkie omawiane struktury są niezwykle małe i tym samym niesłychanie delikatne.

Wiecie już, że geny, które zawierają przepis na tworzenie wszelkich elementów niezbędnych do życia, są zapisane na długim zwoju nośnika o nazwie DNA.

Za każdym razem, gdy komórka potrzebuje wyprodukować jedno z białek niezbędnych do jednej z jej funkcji, rozwija zwój i czyta zapis, aż natrafi na odpowiedni gen. Wykonuje coś w rodzaju kopii tego genu i za pomocą skomplikowanego systemu transportowego wysyła ją do swojej wewnętrznej „fabryki białek". Zlecenie zostaje przyjęte, potrzebne białko wytworzone, a żądana funkcja komórki aktywowana przez to białko.

Postarajmy się jednak jeszcze lepiej zrozumieć funkcjonowanie żywej materii.

Ustaliliśmy, że geny są przepisami, programami, które dostarczają komórce wiedzy na temat tego, jak zrobić to, czego potrzebuje. Ustalmy zatem, czego potrzebuje komórka.

Komórka ma dwa cele: pierwszy to podział (niezależnie od typu komórki), a drugi – udział w specyficznej funkcji organu, którego jest cząstką.

W związku z tym logiczne jest, że będziemy mieli do czynienia z dwoma rodzajami genów w DNA naszych chromosomów.

Pierwszy rodzaj genów kontroluje proces podziału komórki, decydując, kiedy zakończy ona życie. Drugi rodzaj genów zawiera informacje potrzebne do wyprodukowania białek funkcyjnych, właściwych dla danego rodzaju komórki. Podkreślmy, że każda zróżnicowana komórka, budująca pewien organ, może spełniać tylko jedną funkcję: i tak komórki mięśnia sercowego uczestniczą w jego pracy, a komórki nerek produkują mocz, z którym wydalane są z organizmu toksyny. Wyobraźcie sobie, co by się stało, gdyby nagle zamieniły się funkcjami! Serce zaczęłoby wytwarzać mocz, a nerki – rytmicznie pulsować!

Muszę jeszcze wprowadzić pewien element komplikujący sytuację – obiecuję, że ostatni.

W sąsiedztwie każdego genu, zarówno odpowiedzialnego za funkcję komórki, jak i podział, znajduje się dodatkowy gen zwany przełącznikiem lub promotorem. Jeśli go aktywujemy, wpłynie na funkcję głównego genu – podział komórki lub produkcję białek.

Zapomnijmy teraz o grupie genów kodujących produkcję białek funkcyjnych. Skupmy się tylko na genach odpowiedzialnych za podział komórki i genach promotorach, które je kontrolują.

Oto dotarliśmy do sedna: rozwój raka jest zawsze wynikiem uszkodzenia jednego z tych dwóch rodzajów genów.

Jak się to odbywa?

Rak: choroba genetyczna

Katastrofalna w skutkach jest sytuacja, gdy zostaje uszkodzony gen odpowiedzialny za podział komórki lub gen przełącznik włączający i wyłączający ów główny gen. Podział komórki wymyka się wtedy

spod kontroli i nie wynika już z realnego zapotrzebowania, ale odbywa się w sposób chaotyczny. Komórka nie przestaje się dzielić. Rozpędza się jak samochód z uszkodzonymi hamulcami. Z jednej komórki powstają dwie, potem – cztery, osiem, szesnaście, trzydzieści dwie, sześćdziesiąt cztery, sto dwadzieścia osiem itd. Nic nie jest w stanie zatrzymać tego procesu i zmutowane komórki będą się dzielić w nieskończoność, jeśli tylko będą miały zapewnione składniki odżywcze. To szaleńcze tempo namnażania jest zabójcze dla organizmu, w którym opisane zmiany zachodzą. Powstaje narośl – guz, który rozrasta się, opanowuje sąsiednie tkanki i zaburza ich funkcjonowanie. Zajęte organy stają się coraz bardziej niewydolne. Komórkom nowotworowym w niczym to jednak nie przeszkadza, nadal się dzielą i jest ich coraz więcej, aż w końcu niechybnie prowadzi to do śmierci ich „gospodarza".

Zilustruję na przykładzie, jak bardzo jest to przerażające zjawisko: guzek o średnicy 1 cm zawiera w sobie aż miliard upakowanych obok siebie zrakowaciałych komórek. Wszystkie one pochodzą od jednej komórki z uszkodzonym genem kontrolującym jej podział.

Prosty i jakże przerażający mechanizm!

Możemy teraz podsumować drugi etap objaśnień przez stwierdzenie, że proces nowotworowy polega na niekontrolowanym namnażaniu komórki z uszkodzonym genem odpowiedzialnym za jej podział.

Odwagi, drodzy Czytelnicy! Jeszcze tylko dwie sprawy do omówienia i przejdziemy do diety.

Uszkodzone geny

Kolejny etap rozważań doprowadzi nas do zrozumienia przyczyn uszkodzenia genów. Od razu mogę zdradzić, że jest to ten etap wyjaśnień, który przybliży zespół mechanizmów molekularnych związanych z wpływem pożywienia na stan omawianych genów.

Wcześniej jednak dowiemy się, w jaki sposób geny ulegają uszkodzeniu.

W tym miejscu lektury wiecie już, że geny są tekstami zapisanymi za pomocą najprawdziwszych liter, nawet jeśli te litery to „tylko" cząsteczki chemiczne. Jest to rzeczywista organiczna struktura w postaci dwóch nici DNA biegnących w przeciwnych kierunkach i owijających się wokół wspólnej osi, tworzących w chromosomach tzw. podwójną helisę.

Podział komórki poprzedza powielenie jej DNA, proces ten może niestety zostać zaburzony.

Jak pewnie pamiętacie, tuż przed rozmnożeniem się komórka tworzy kopię swojej zawartości, w tym – materiału genetycznego. Jest to niezwykle ważny proces, który gwarantuje zachowanie przez komórki potomne cech danego gatunku, a w obrębie jednego gatunku – cech indywidualnych osobnika.

Wiemy też, że komórka jest dokładnie tym, czym nakażą jej być jej geny. Jest całkowicie posłuszna ich poleceniom.

Każda nasza komórka jest komórką ludzką, ponieważ posiada 30 tysięcy genów właściwych dla gatunku ludzkiego.

Dlatego niezbędne jest, aby każda pojedyncza komórka wykonała przed podziałem identyczną kopię swojego DNA i swoich genów w celu przekazania obu komórkom pochodnym identycznego dziedzictwa genetycznego, identycznych chromosomów.

Aby uzmysłowić sobie wagę starannego kopiowania genów, rozważmy pewien przykład. Jak wiecie, kolor oczu czy skóry jest genetycznie uwarunkowany, czyli zależny od genów.

Wyobraźcie sobie, że macie niebieskie oczy i białą skórę. Zdarzyło się jednak tak, że w toku kolejnych podziałów Wasze komórki zniekształciły swoje dziedzictwo genetyczne i nie zachowały niezmienionych genów decydujących o kolorze oczu i skóry. Jaki będzie tego skutek? Stopniowo Wasze oczy staną się piwne, a skóra – czekoladowa. Po pewnym czasie przestaniecie być fizycznie sobą i nikt Was nie rozpozna na podstawie wcześniejszej podobizny i opisu w dowodzie tożsamości.

Mam nadzieję, że ten bardzo uproszczony przykład pozwolił zrozumieć, jak ogromne znaczenie ma jakość kopii naszych genów

wykonywanej przy każdym podziale komórkowym. Jeśli nie jest ona kompletna, w organizmie mogą zajść poważne zmiany.

Na szczęście dla nas ów mechanizm kopiowania jest zazwyczaj bardzo dokładny, nieomal perfekcyjny. Możecie spać spokojnie, bo jutro najprawdopodobniej pozostaniecie sobą!

Jest jednak pewien szkopuł... kopiowanie trzeba powtarzać 70 milionów razy dziennie, czyli 800 razy na sekundę, co w ciągu całego życia daje aż 10 000 000 000 000 000 (10^{16}) okazji do pomyłki...

Pomyłka wcale nie musi być znacząca ilościowo. Może się przytrafić, ot, prosta zamiana jednej z liter „alfabetu" genetycznego, która odpowiada jednemu z 3 miliardów nukleotydów łańcucha DNA. Wystarczy, że zamiast C lub A pojawi się T i już zniekształci jedno ze „słów" genetycznego „tekstu". Wystarczy też, że gen przełącznik aktywuje gen sterujący podziałem komórki wcześniej, niż pojawi się realna potrzeba lub zamiast delikatnie stymulować akcję podziału, nada jej szaleńcze tempo.

Pomyłka dotyczy zaledwie jednej „literki", ale jest fatalna w skutkach. Anomalia cząsteczki o wielkości jednej miliardowej milimetra sprowadza śmiertelne niebezpieczeństwo. Komórka dotknięta defektem wyłamuje się spod kontroli organizmu i zaczyna się mnożyć w nieskończoność, dając początek mnóstwu komórek potomnych, które rosną i dzielą się bez opamiętania. Zajmują coraz więcej miejsca, odbierając je, a także pokarm zdrowym strukturom. Cała ta śmiertelna lawina przemian jest efektem błędnego zapisu jednej „literki" w genie!

Jak to dobrze, że nasze błędy ortograficzne nie mają aż tak katastrofalnych skutków!

Rak to nie fatum

Wróćmy jednak na moment do komórki, która pomyliła się przy powielaniu swojego materiału genetycznego i doszło w nim do tzw. mutacji.

Biorąc pod uwagę liczbę podziałów komórkowych w ciągu całego naszego życia, mutacje są nie do uniknięcia i przytrafiają się tysiące razy.

Co w związku z tym? Czyżby wszystkie skutkowały nowotworami? Na szczęście nie! Gdyby tak było, ludzkość wymarłaby z powodu raka. Natura przewidziała możliwość mutacji DNA i aby uniknąć jej konsekwencji, przygotowała dwa systemy ochronne:

- system weryfikacji zapisu genetycznego utworzonego przez 3 miliardy nukleotydów,
- system korekcji dostrzeżonych błędów.

Mutacje mogą się jednak pojawić już w fazie syntezy, która poprzedza podział komórkowy.

DNA jest przecież stale narażone na ryzyko uszkodzenia związane z działaniem rozmaitych czynników chemicznych i fizycznych. Ocenia się, że każdego dnia dochodzi w każdej z naszych komórek do ok. 10 tysięcy mutacji materiału genetycznego!

Na przykład wiemy już dzisiaj, że komórkowa „fabryczka białek" i „elektrownia" produkują cząsteczki chemiczne zdolne do reagowania z nukleotydami łańcucha DNA i mogące go poważnie uszkodzić. Dla ciekawych tego zagadnienia dodam, że chodzi m.in. o nadtlenek wodoru, rodniki wodorotlenowe i reaktywne pochodne tlenu. Nazywamy je wolnymi rodnikami. Gdy komórka działa prawidłowo, wolne rodniki wyprodukowane w jej procesach metabolicznych i potencjalnie niebezpieczne dla genów są unieszkodliwiane w jej wnętrzu i nigdy nie dochodzi do ich kontaktu z DNA. Niestety, nic nie jest doskonałe na tym świecie i może się zdarzyć, że mechanizm detoksykacji komórki nie zadziała prawidłowo. Niezwykle reaktywny wolny rodnik dosięgnie DNA i zniszczy jedną z molekuł bazowych (nukleotydów ATGC). Czy to naprawdę tak ważne, że zabrakło jednej z 3 miliardów literek zapisu genetycznego? Jeśli byłaby to powieść literacka zapisana na papierze 3 miliardami znaków, pewnie byście się nawet nie zorientowali, że gdzieś zabrakło jednej litery. Jednak w przypadku czegoś tak precyzyjnego jak życie, jak geny decydujące o życiu i śmierci, nawet najdrobniejszy brak może się okazać opłakany w skutkach.

Mutacje pojawiają się także w związku z działaniem czynników zewnętrznych, takich jak:

- promieniowanie, które nie tylko oddziałuje na powierzchnię ciała, ale również może wnikać w głąb komórek (promieniowanie ultrafioletowe czy radioaktywne)
- składniki pożywienia mogące wpływać na mechanizm syntezy DNA (omówimy to później).

Również tutaj nie jest możliwe całkowicie bezawaryjne działanie systemów wykrywania usterek genetycznych i ich korekcji.

Defekty i błędy wciąż się zdarzają.

Z każdą taką nieprawidłowością wiąże się ryzyko powstania zmutowanej komórki rakowej. Pewnego dnia jedna zmieniona komórka pojawia się pośród miliona miliardów zdrowych. Daje początek kolejnym pokoleniom zmutowanych komórek, których przybywa z każdym dniem, aż w końcu zaburzą całkowicie harmonię organizmu i sprowadzą na niego śmierć.

Jak widać, konieczne w zapobieganiu rozwojowi raka okażą się zatem zarówno systemy kontroli podziałów komórkowych, jak i naprawy DNA.

Nie będziemy w tej książce omawiać mechanizmów korygujących usterki w zapisie DNA. W zupełności wystarczy nam informacja, że różne procesy naprawcze odpowiadają różnym rodzajom uszkodzeń materiału genetycznego. Komórka może uciec się do odmiennych metod reperacji błędów w zależności od tego, czy któraś litera ATGC (lub grupa liter) została dopisana w nadmiarze, opuszczona lub zamieniona w zapisie genetycznym.

Wszystkie te systemy mają jednak jeden nadrzędny, strategiczny cel: zapewnienie dokładności i stabilności zapisu DNA w ciągu całego życia komórki i w trakcie całego życia człowieka!

Gratuluję drodzy Czytelnicy! Oto zapoznaliście się z przyspieszonym kursem biologii molekularnej!

Jeśli poprawnie zrozumieliście mój wywód, macie wiedzę porównywalną z tą, jaką zdobywa każdy młody student medycyny.

Możecie teraz na chwilę odłożyć książkę. Zasłużyliście, aby nieco odpocząć przed przejściem do ostatniej części rozdziału, w którym przedstawiam wpływ pożywienia na omówione wcześniej mechanizmy komórkowe.

Nutrigenomika, czyli związek między dietą a rakiem

Uświadomiłem Wam, że rak zawsze wiąże się z deformacją materiału genetycznego jednej z komórek organizmu, która nie została właściwie (lub wcale) skorygowana. Usterka dotyczy genów kontrolujących lub regulujących kluczowy proces podziału komórki.

Geny te są niezbędne do życia, ale również, paradoksalnie, do rozwoju nowotworu. Istnieją ich dwa rodzaje. Czytelnikom, którzy chcą się dowiedzieć, w jaki sposób zostały odkryte owe geny i jak spełniają swoje zadania, polecam lekturę jednej z moich wcześniejszych książek pt. *Les Chemins de l'espoir.* Tutaj jedynie wspomnimy o nich w kontekście działania prokancerogennego i antykancerogennego pewnych składników pokarmowych. Dwa typy genów, o których tu mowa, to geny aktywujące i hamujące podział komórkowy, a dokładnie:

- protoonkogeny, zmutowane w onkogeny, wyzwalające proces transformacji nowotworowej komórki,
- antyonkogeny, inaczej geny supresorowe, hamujące podział komórkowy i wstrzymujące rozwój nowotworu.

Niektóre z genów biorących udział w procesie nowotworzenia są warte szczególnej uwagi.

Zacznijmy od onkogenów. Większość z nich koduje, czyli innymi słowy dostarcza komórce przepis na „duety" białkowe nazywane czynnikami wzrostowymi, pobudzające komórki do podziału. Duety powstają z:

- białka receptorowego (receptora) zlokalizowanego na powierzchni komórki docelowej (na jej błonie komórkowej),
- białka mediatora (czyli właściwego „czynnika wzrostowego") wysyłanego na zewnątrz komórek producentek w poszukiwaniu właściwego receptora.

Kiedy dryfujący mediator wykryje receptor, skleja się z nim i wysyła sygnał do wnętrza komórki, do której był przytwierdzony receptor. W komórce rozlega się coś w rodzaju „dzwonka do drzwi" i rozpoczyna się znany już ciąg reakcji. W ich efekcie budzą się geny przełączniki dla genów podziału i aktywują proces podziału komórki.

Natomiast jeśli chodzi o geny supresorowe (antyonkogeny), najważniejszy wśród nich jest gen p53 nazywany strażnikiem genomu. Wspomniałem wcześniej o zasadniczej roli stabilności genetycznej komórki oraz istnieniu systemu do wielokrotnej lektury genomu z obu nici DNA i naprawy wykrytych usterek.

Zapis DNA jest cały czas czytany, podobnie jak płyta CD z muzyką w czasie jej odtwarzania przez odtwarzacz. Wyobraźcie sobie teraz, że wśród 30 tysięcy genów jest jeden – p53, którego rolą jest właśnie „słuchanie muzyki" DNA. Kiedy nie wykryje żadnej fałszywej nuty, nic nie robi. Czasem jednak zdarza się, szczególnie w przypadku starzejących się komórek o niesprawnym systemie korekty usterek genetycznych, że p53 zamiast harmonijnej muzyki usłyszy kakofonię DNA i wtedy zareaguje sprowokowaniem samobójstwa komórki, czyli tzw. apoptozy.

Aby uniknąć ryzyka dla całego organizmu, woli on uśmiercić zmutowaną komórkę, w której zresztą sam się znajduje.

Jak widać, w sytuacji kiedy komórka produkuje zbyt wiele receptorów stymulacji wzrostu, gdy receptory te są zbyt czułe albo posiada nadmiar mediatorów (czynników wzrostowych), może dojść do powstania nowotworu. Podobnie jak w przypadku, gdy gen p53 lub inne antyonkogeny nie działają prawidłowo, np. z powodu mutacji, i nie są w stanie zapobiec skutkom uszkodzeń materiału genetycznego, a w szczególności – patologii podziału komórek.

Jakie wnioski możemy wysnuć na temat związku między genami, rakiem i dietą?

Nauka zajmująca się uwarunkowanymi genetycznie różnicami reakcji organizmu na składniki pokarmowe obecne w codziennej diecie nazywana jest nutrigenomiką. Ta dziedzina dociekań naukowych dopiero raczkuje, ale już ukazały się pewne prace wskazujące – może jeszcze nie pewniki – ale ciekawe tropy dietetyczne.

Aby zrozumieć znaczenie tej nauki i moją motywację do napisania książki, którą trzymacie w rękach, musimy jeszcze raz odwołać się do zdrowego rozsądku.

Jak wiemy, co sekundę 800 komórek naszego ciała wytwarza kopię swoich 46 chromosomów. Aby cokolwiek wyprodukować, nieważne czy jest to obiekt widzialny gołym okiem czy mikroskopijny, zawsze potrzeba dwóch rzeczy: tworzywa i energii.

Nie inaczej jest w przypadku komórki, która przed podziałem musi wytworzyć dodatkowe chromosomy. Potrzebuje ona energii i odpowiedniego budulca. Energię może pozyskać tylko drogą spalania cukru.

Niestety, nie ma tak szerokiego pola manewru jak ludzie w świecie makroskopowym, gdzie możemy spalać drewno, węgiel, benzynę, pozyskiwać energię atomową lub przetwarzać energię płynącej wody.

Komórka nie ma wyboru i musi spalać cukier pozyskany z pożywienia lub zgromadzony pod różnymi postaciami we własnych rezerwach energetycznych. Do spalania cukru niezbędny jest jej tlen dostarczany regularnie wraz z natlenioną krwią. To czerwony barwnik krwi o nazwie hemoglobina wiąże i przenosi życiodajny pierwiastek.

Zatem cukier i tlen są potrzebne każdej prawidłowej komórce do wyprodukowania energii.

Budulec do produkcji chromosomów pochodzi natomiast z substancji odżywczych takich jak białka i tłuszcze.

Warto wiedzieć, że tłuszcze (lipidy) mogą zostać w razie potrzeby przekształcone w cukry i tym samym awaryjnie posłużyć do produkcji energii.

W takim układzie to białka pozostają podstawowym materiałem budulcowym wszelkich struktur w żywym organizmie.

Wyobraźcie sobie, że zamierzacie zbudować dom. Będą potrzebne cegły (białka), energia (cukry) i dwufunkcyjny materiał – tłuszcze (służące do pozyskiwania energii lub nadawania białkom określonych własności).

Poza trzema wymienionymi elementami niezbędnymi do wybudowania domu musicie go wykończyć, nadać znamiona funkcjonalności i upiększyć, zaopatrując się w tym celu w cement, kleje, okablowanie – czyli witaminy oraz makro- i mikroelementy aktywujące, przyspieszające i regulujące procesy życiowe w komórkach.

Zadam teraz proste pytanie: skąd pochodzą te wszystkie „materiały budowlane"? Białka, tłuszcze, węglowodany, witaminy i składniki mineralne?

Tak, z naszych posiłków! Jedynie tlen pochodzi z powietrza, którym oddychamy.

Jeśli nasze posiłki są kiepskiej jakości, źle zbilansowane i niedostosowane do naszych potrzeb (potrzeb indywidualnych, o których będzie jeszcze mowa), wtedy pozyskany budulec jest lichy i procesy syntezy w komórce mogą ulec zaburzeniu. Ponieważ budujemy nasze komórki ze składników naszego pożywienia, naprawdę jesteśmy tym, co jemy!

To jeszcze nie wszystko. Dzisiaj wiemy też, poza tym co od dawna podpowiadał nam zdrowy rozsądek, że bioskładniki naszego jadłospisu mogą bezpośrednio wpływać na procesy naprawy DNA i różnicowania komórek, mogą aktywizować lub usypiać nasze geny, mogą też oddziaływać na produkcję lub dezaktywację kancerogenów w ciele. Mogą wreszcie rzutować na proces przygotowania DNA do replikacji w fazie syntezy, która poprzedza podział komórki.

Oto i zakres nutrigenomiki.

Doprawdy szerokie spektrum zagadnień!

Jest to nauka o składnikach odżywczych, ale również o ich zdolności do stymulowania, blokowania lub przygotowywania pewnych reakcji chemicznych, które mogą się okazać decydujące w procesie nowotworzenia (kancerogenezy).

Wpływ składników odżywczych

Zanim przejdziemy do omówienia oddziaływania określonych grup pokarmów, chciałbym najpierw przekazać kilka obserwacji na temat wpływu pewnych bioskładników z pożywienia na mechanizmy regulujące podział komórki: system naprawy DNA, aktywacji genów, wzbudzania różnicowania się komórek czy wreszcie produkcji kancerogennych toksyn lub ich usuwania.

Wiadomo, że zdolność regeneracji DNA zmniejsza ogólne niedożywienie, a zwiększa wzbogacenie diety o owoce kiwi oraz pierwiastek śladowy o nazwie selen. Ostatnio zostało również udowodnione, że soki bogate w likopen mają podobnie korzystne działanie na procesy naprawcze DNA.

Warto wiedzieć, że gen może mieć różny stopień aktywowalności. Jeśli niemożliwe jest jego aktywowanie i ekspresja, wtedy mówimy o genie uśpionym. Aby wyciszyć i uśpić gen, wystarczy dokleić do jego cząsteczek budulcowych kilka atomów węgla lub wodoru.

Proces ten jest często stosowany przez naturę, aby uniknąć ekspresji niebezpiecznych genów, np. onkogenów. Działanie usypiające regulują dwa typy enzymów o antagonistycznym działaniu:

- histonowe acetylotransferazy (HAT), które wyciszają geny,
- histonowe deacetylazy (HDAC), które „budzą" geny z „letargu".

Pewne składniki pożywienia mogą blokować enzymy HDAC i tym samym zmniejszać ryzyko raka. Chodzi tutaj o ester kwasu masłowego powstający w procesie fermentacji niektórych wielocukrów w jelicie, dwusiarczek diallilu zawarty w czosnku oraz sulforafan obecny w warzywach kapustnych[1].

Natomiast mechanizmy różnicowania ograniczające zdolności komórek do podziałów są stymulowane przez kwas retinolowy zawarty m.in. w marchwi i pewne wielonienasycone kwasy tłuszczowe obecne w tranie. Związki te wykazują skuteczne działanie przeciwnowotworowe[2].

Na zakończenie rozdziału wprowadzającego wypada wspomnieć o jednym z najbardziej frapujących tematów badań w obszarze nutrigenomiki, jakim jest zagadnienie powstawania rakotwórczych toksyn i usuwania ich z komórek.

W naszym pożywieniu i napojach, jak również we wnętrzu naszego organizmu znajdują się substancje, które mogą stać się rakotwórcze w przebiegu aktywacji metabolicznej. Innymi słowy nasze ciało również może wytwarzać kancerogenne związki. Enzymy uczestniczące w ich powstawaniu są nazywane enzymami I fazy. Liczba i aktywność tych enzymów u poszczególnych osób może być różna.

Obecność lub brak enzymów I fazy oraz ich cechy i aktywność są uwarunkowane genetycznie, czyli dziedziczymy od naszych rodziców cechę posiadania tych enzymów lub ich braku oraz stopień ich uaktywnienia. Najbardziej znane spośród nich są enzymy z rodziny cytochromu p450 oraz peroksydazy i transferazy. Decydują one m.in. o tym, że u jednego palacza rozwinie się rak płuca, a u innego – nie.

Przed chwilą wymieniłem enzymy, które uczestniczą w powstawaniu silnie kancerogennych substancji na bazie dymu tytoniowego[3]. Jeśli zatem los zrządził tak, że macie dużo takich enzymów, to nawet przy sporadycznym paleniu w organizmie powstaną duże ilości substancji rakotwórczych i ryzyko rozwoju raka płuc w Waszym przypadku będzie znacząco wyższe niż u innych osób. Jeśli natomiast jesteście genetycznymi szczęśliwcami i macie niewiele takich enzymów lub wcale ich nie posiadacie, to najprawdopodobniej palenie nie będzie się wiązało z większym ryzykiem zachorowania.

To, co zostało powiedziane w poprzednim akapicie, dotyczy również wszystkich innych sytuacji, kiedy organizm jest narażony na kontakt z węglowodorami wielopierścieniowymi (np. ze zbyt długo smażonego lub pieczonego na otwartym ogniu mięsa) albo z alfatoksynami (obecnymi – na szczęście coraz rzadziej – w orzeszkach arachidowych).

Naukowcom udało się również udowodnić, że sok z grejpfrutów, czosnek i czerwone wino są w stanie zadziałać hamująco na enzymy I fazy i obniżyć ryzyko rozwoju raka[4].

Istnieją inne enzymy działające dokładnie na odwrót w stosunku do enzymów I fazy, unieszkodliwiając kancerogenne produkty przemiany materii i usuwając je z komórek, zanim zdążą narobić szkód. Nazywamy je enzymami II fazy, czyli detoksykacji. Najbardziej rozpowszechnionym enzymem detoksykacji jest S-transferaza glutationowa. Działanie enzymów II fazy prowadzi do rzeczywistego odtrucia organizmu z większości składników biologicznie aktywnych o własnościach rakotwórczych.

Dobroczynną działalność enzymów II fazy stymulują izotiocyjaniany zawarte w brukselce i czerwonej kapuście. Na próżno jednak szukać tych związków w innych warzywach z grupy kapustnych takich jak kapusta biała czy brokuł[5].

Tym oto sposobem, opierając się na zdrowym rozsądku i eksperymentach naukowych, utwierdziliśmy się w przekonaniu, że nasze pożywienie ma wpływ na ryzyko rozwoju nowotworów. Wiemy już, jak i dlaczego realizuje się ten wpływ.

Nawet zaczęliśmy się powoli dowiadywać, co należy jeść, a czego unikać.

Jak dotąd nasze rozważania były dość szczegółowe i być może nieco wystraszyły niektórych czytelników. Pragnę Was jednak uspokoić. Chciałem swoim wywodem udowodnić, że to, co zostanie powiedziane w następnych rozdziałach, ma naukowe podstawy. Moje porady są wynikiem długich przemyśleń, pracochłonnego zdobywania wiedzy i zostały poddane testowi zdrowego rozsądku.

Obiecuję, że kolejne rozdziały będą przystępne i pozbawione naukowych terminów. Będzie w nich mowa o różnych produktach spożywczych i sposobach polepszenia naszego jadłospisu, by zmniejszyć ryzyko zachorowania na raka.

Dokonam po kolei przeglądu głównych grup produktów spożywczych i na końcu książki zamieszczę dla Was zbiór praktycznych „porad antynowotworowych".

Bardzo proszę, przestańcie słuchać ludzi, którzy wmawiają, że jeden określony rodzaj diety może wszystkich ocalić przed rakiem, np. młodą kobietę, której ciało wytwarza w obfitości żeńskie hormony o potencjalnym

wpływie na rozwój raka piersi, a także kobietę w wieku pomenopauzalnym, o właściwie wygasłej aktywności hormonalnej. Tak jakby ta sama dieta mogła być odpowiednia dla osoby niepalącej i nałogowego palacza, którego organizm każdego dnia musi pieczołowicie naprawiać miliony uszkodzeń DNA spowodowane przez dym papierosowy!

Nie dajcie się oszukać! Razem z Nathalie Hutter-Lardeau, znakomitą dietetyczką, przedstawimy kompetentne żywieniowe wskazówki antyrakowe *à la carte*, które dostosujecie do swoich indywidualnych potrzeb.

Możecie zaufać naszemu doświadczeniu. Przejdźmy wspólnie do analizy głównych grup produktów trafiających na nasze talerze.

WPROWADZENIE

Japonki znacznie rzadziej zapadają na raka piersi niż Amerykanki. Dlaczego?

Jeszcze bardziej interesujące jest to, że wśród japońskich emigrantek, które mieszkają w Stanach Zjednoczonych, już w drugim pokoleniu ryzyko zachorowania na nowotwór piersi osiąga poziom identyczny jak w przypadku rodowitych Amerykanek.

Czy zatem nastąpiły u nich drastyczne zmiany w garniturze genetycznym? Oczywiście, że nie! Kobiety te nadal posiadają charakterystyczne cechy urody japońskiej.

Może zatem na amerykańskiej ziemi są poddane działaniu jakichś szczególnie szkodliwych substancji rakotwórczych? Czyżby zanieczyszczenie środowiska w miastach amerykańskich było znacząco wyższe niż w Tokio czy Osace? Nic podobnego!

Co zatem przytrafiło się tym kobietom, że w ciągu zaledwie dwóch pokoleń tak znacząco wzrosło u nich ryzyko zachorowania na raka piersi?

Otóż stało się coś, co związane jest z tematem niniejszej książki. Zmieniły nawyki, w szczególności żywieniowe, i – ku swojej zgubie! – zaczęły się odżywiać po amerykańsku. Istnieje specjalny termin na

określenie tego zjawiska – nazywamy je westernizacją sposobu odżywiania. Wspomniane Japonki zmniejszyły w codziennym jadłospisie ilość ryb, ryżu, owoców i warzyw na rzecz rozmaitych mięs, tłuszczów i słodkości. Wiele z nich przybrało na wadze, pijąc w nadmiarze słodzone napoje gazowane i zwiększając kaloryczność posiłków. Z tymi zmianami w diecie wiąże się dramatyczny wzrost ryzyka rozwoju nowotworu piersi.

Kiedy obejrzymy diagramy ilustrujące rozkład geograficzny ryzyka zapadalności na poszczególne nowotwory, uderzą nas ogromne różnice pomiędzy poszczególnymi państwami.

W Australii i Nowej Zelandii występuje znacznie więcej przypadków zachorowań na raka jelita grubego (w szczególności raka okrężnicy) niż we Francji i Włoszech. Niemcy znacznie rzadziej chorują na raka żołądka niż Japończycy czy mieszkańcy Ugandy. Wyraźna różnica w zapadalności na raka piersi występuje pomiędzy Anglią i Grecją. Nowotwory skóry częściej dotykają mieszkańców Izraela niż Irlandczyków. Podobne przykłady możemy mnożyć w nieskończoność!

Czym wytłumaczyć tak ogromne różnice? To m.in. czynnik genetyczny – mieszkańcy poszczególnych państw różnią się genetycznym dziedzictwem i podatnością na choroby. Również pewne czynniki chorobotwórcze występujące częściej na danym obszarze mogą być potencjalnie kancerogenne i tłumaczyć część obserwowanych różnic.

Kiedy jednak zapoznamy się z epidemiologicznymi badaniami naukowymi, które próbują dociec przyczyn zagadkowego rozkładu geograficznego nowotworów (o czym więcej napiszę później), dojdziemy niechybnie do wniosku, że przyczyną obserwowanego zróżnicowania są nawyki żywieniowe. Same lub w powiązaniu z innymi czynnikami ryzyka, czasem jako najważniejszy, a niekiedy jako marginalny faktor.

Trzeba to powiedzieć wyraźnie: sposób odżywiania ma ścisły związek z rozwojem bardzo wielu nowotworów!

Rozdział 1

LEPIEJ ZAPOBIEGAĆ, NIŻ LECZYĆ

Określone nawyki żywieniowe są przyczyną wielu nowotworów, a w ciągu ostatnich lat rak stał się prawdziwą plagą ludzkości! W krajach zachodnich niemal co drugi mężczyzna i co trzecia kobieta już choruje lub zachoruje w przyszłości na nowotwór. W samym tylko 2000 roku na całym świecie zanotowano 10 milionów nowych przypadków raka, a nowotwory zebrały śmiertelne żniwo w postaci zgonów 6 milionów osób. Światowa Organizacja Zdrowia (WHO) prognozuje, że za niecałe 10 lat, w 2020 roku liczba nowych przypadków raka wzrośnie do 20 milionów, a liczba zgonów spowodowanych przez nowotwory osiągnie 10 milionów[1]. Rak zabija na całym świecie więcej ludzi niż łącznie AIDS, gruźlica i malaria[2].

W przeciwieństwie do tego, co zwykło się uważać, to właśnie nowotwory są główną przyczyną śmierci osób dorosłych również w biednych krajach[3].

We Francji każdego roku z powodu AIDS umiera 300 osób[4], natomiast różne odmiany raka zabijają aż 150 tysięcy ludzi.

Rozdział 3

CZY ABY NA PEWNO ZDRÓW JAK RYBA?

Przegląd pokarmów zaczniemy od ryb.

Jak mogłoby być inaczej? Ryby z definicji są uznawane za pożywienie korzystne dla zdrowia. Przeciwstawia się je mięsu i przypisuje im niezwykłe własności odżywcze: bogactwo białka i kwasów omega-3, czyli wielonienasyconych kwasów tłuszczowych o udowodnionym działaniu antydepresyjnym[1]. A wszystko to przy stosunkowo niskiej kaloryczności.

Tabela 5. Klasyfikacja ryb według zawartości tłuszczów w ich mięsie

	Procentowa zawartość tłuszczów	Gatunki ryb
Ryby tłuste	> 5%	Łosoś surowy lub wędzony, makrela, śledź atlantycki, sardynka, sardela (anchois), halibut, włócznik, gardłosz atlantycki
Ryby półtłuste	1–5%	Labraks, turbot, skorpena, tuńczyk, barwena, czarniak
Ryby chude	< 1%	Dorsz atlantycki, sola, wątłusz wędzony (słynny angielski haddock), dorada, morszczuk, molwa, płaszczka

Źródło: Afssa, *Gras ou pas gras mon poisson?*, 2009; dostępny na stronie: http://www.afssa.fr/Poisson/Documents/AFSSA-Fi-Poisson-F9.pdf (data dostępu: 29 marca 2010).

Czy ryba działa antyrakowo?

Kiedy myślimy o rybach, wyobrażamy sobie zazwyczaj ławice żyjące w naturalnych warunkach, pływające w bezmiarze nieskażonego oceanu i spożywające wybrane przez siebie morskie żyjątka i rośliny. Nie kojarzymy ich ani z modyfikacjami genetycznymi, ani z szaloną eksploatacją gospodarczą zasobów morskich przez człowieka.

Wyidealizowana wizja tego rodzaju pożywienia spowodowała, że roczna konsumpcja ryb przypadająca na jednego mieszkańca wzrosła (we Francji) z 12 kg w 1950 roku do 26 kg w roku 2006. W ciągu 50 lat podwoiła się zawartość rybiego mięsa w naszym menu! Obecnie dla 2,6 miliarda ludzi (43% całej światowej populacji) ryby są podstawą wyżywienia, a rybołówstwo – w mniejszym lub większym stopniu – głównym źródłem ich utrzymania[2].

Spoglądając na zestawienie składników odżywczych ryb, z pewnością odniesiemy wrażenie, że to naturalne pożywienie o najwyższej jakości. Ale czy regularne spożywanie ochroni nas przed powstaniem raka?

Niezupełnie. Kiedy przejrzymy wyniki wszystkich dotychczasowych badań mających wytropić dobroczynny wpływ obfitej konsumpcji ryb na zapobieganie rozwoju niektórych typów nowotworów, tylko w nielicznych znajdziemy potwierdzenie, że bogata w rybie mięso dieta może zmniejszyć o 3–4% ryzyko powstania raka okrężnicy[3].

Zatem pożytek z ryby w diecie antyrakowej będzie mniej niż skromny!

Moim zdaniem wypadałoby jednak w dzisiejszych czasach zadać zupełnie inne pytanie: czy aby na pewno obserwowana zwiększająca się konsumpcja ryb nie niesie ze sobą ryzyka dla zdrowia?

Częściową odpowiedź na to pytanie znajdziemy w specjalnym raporcie[4] Francuskiej Agencji ds. Bezpieczeństwa Sanitarnego Żywności (Afssa – Agence française de sécurité sanitaire des aliments). Ta szacowna instytucja opublikowała w 2006 roku opracowanie odważnie przełamujące „rybne stereotypy”. Wynika z niego, że ryby i owoce morza są głównym źródłem trwałych zanieczyszczeń organicznych (POPs – *persistent organic pollutants*) wnikających do naszych organizmów drogą pokarmową. Odpowiadają one za naszą ekspozycję pokarmową na dioksyny w 30%, a w przypadku polichlorowanych bifenyli (PCB) – aż w 75%! W przypadku arsenu – jest to 50% (średnia światowa) i 95% (we Francji) – w tej dziedzinie Francja dzierży niechlubną palmę pierwszeństwa!

W innym raporcie Światowej Organizacji Zdrowia (WHO) czytamy, że 99% ogólnej ilości metylortęci[5] (najbardziej toksycznego organicznego związku rtęci) wnikającej codziennie do organizmów całej naszej światowej populacji pochodzi z pożywienia, głównie z ryb[6]. Podobnie rzecz się przedstawia w przypadku kadmu i ołowiu (patrz: tabela 7).

Niektóre ryby bywają tak bardzo skażone wymienionymi metalami (później podam jakie i dlaczego), że właściwie mogłyby być uznane za ich złoża!

Międzynarodowa Agencja Badania Raka (IARC – International Agency for Research on Cancer) przy WHO sklasyfikowała te kumulujące się w rybach trucizny jako czynniki o udowodnionym działaniu kancerogennym na organizm ludzki[7] (patrz: tabela 6).

Stężenie rakotwórczych związków w niektórych owocach morza osiąga nieprawdopodobne wartości: pewnego razu w próbce ośmiornic wyłowionych w okolicach Tulonu stwierdzono aż 4200 µg arsenu na 100 g mięsa[8]!

Jeśli konsumujemy ryby nieznanego pochodzenia, często nieświadomie pochłaniamy wraz z nimi ogromne ilości metali ciężkich!

Na szczęście stopień zanieczyszczenia w znacznej mierze zależy od gatunku ryby i miejsca jej połowu[9] (patrz: tabela 9). Wystarczy dokonać przemyślanego wyboru, aby uniknąć zatruwania siebie i swoich dzieci.

Zanieczyszczenia mórz

Ustalmy wspólnie, jakie rakotwórcze zanieczyszczenia wchodzą w grę w przypadku mórz. Część z nich została wymieniona wcześniej: rtęć, ołów, kadm, dioksyny, PCB i arsen.

Tabela 6. Klasyfikacja czynników i substancji rakotwórczych według Międzynarodowej Agencji Badania Raka (IARC) – lista niepełna

Klasyfikacja IARC	Zaklasyfikowane czynniki i substancje
Substancje i czynniki rakotwórcze dla człowieka (grupa 1)	Arsen, azbest, kadm, bakterie *Helicobacter pylori*, alfatoksyny, solone ryby, dym tytoniowy, benzen, benzo-α-piren, chrom (VI), hormonalna terapia zastępcza (HTZ), estrogeny niesterydowe, etanol, wirusy zapalenia wątroby typu B i C, wirus HPV, radon, promieniowanie słoneczne, betel, smoła, spalanie węgla w gospodarstwach domowych
Substancje i czynniki prawdopodobnie rakotwórcze dla człowieka (grupa 2A)	Akrylamid, ołów nieorganiczny, PCB, smażenie w wysokiej temperaturze, gorący napar mate, androgeny, 5-metoksypsoralen, azotany i azotyny, promieniowanie UVA, UVB i UVC, insektycydy bez arsenu
Substancje i czynniki możliwie rakotwórcze dla człowieka (grupa 2B)	Kawa, herbicydy będące pochodnymi kwasów chlorofenoksy, ołów, nikiel, przetwory marynowane w occie (pikle)
Substancje i czynniki niemożliwe do zaklasyfikowania jako rakotwórcze dla człowieka (grupa 3)	Akroleina, błękit Evansa, kofeina, naturalny karagen, cholesterol, chlorowana woda pitna, wełna szklana, rtęć i jej minerały, paracetamol, kwercetyna, sacharyna, siarczyny, herbata
Substancje i czynniki prawdopodobnie nierakotwórcze dla człowieka	kaprolaktam

Źródło: J.-C. Leblanc (red.), *Étude Calipso. Consommations alimentaires de poissons et produits de la mer et imprégnation aux éléments traces, polluants et oméga-3*, Afssa-Inra, 2006.

Tabela 7. Stopień skażenia różnych gatunków ryb

Ryba	Arsen [µg/100 g]	Metylortęć [µg/100 g]	Kadm [µg/100 g]	Ołów [µg/100 g]	PCB [µg/100 g]
Sardela (*anchois*)	94	2	3	0,8	0,4
Węgorz	71	31,5	0,3	2,1	0,5
Labraks	190	14,9	0,1	1,2	1,1
Dorsz atlantycki	525	5,9	0,04	0,2	0,3
Dorada	330	9,8	0,02	0,1	0,5
Włócznik	100	94,4	6,7	0,02	1,9
Halibut	569	8,2	3,4	10	2,3
Makrela	241	7,2	0,02	0,2	0,9
Płaszczka	218	9,7	3,9	2,7	0,3
Barwena	161	13	0,1	0,4	0,1
Sardynka	602	9,9	0,2	1,9	0,6
Łosoś	166	3,8	0,02	0,1	0,6
Rekin (koleń)	343	23,2	41,8	1,1	0,6
Sola	143	12,6	0,1	0,4	0,2
Tuńczyk biały	245	33	1,3	0,04	0,7

Źródło: J.-C. Leblanc (red.), *Étude Calipso. Consommations alimentaires de poissons et produits de la mer et imprégnation aux éléments traces, polluants et oméga-3*, Afssa-Inra, 2006.

Lista zanieczyszczeń obecnych w rybim mięsie zawarta w tabeli 7 nie jest oczywiście kompletna. Ludzie zanieczyszczają oceany od dziesiątków lat, ryby wchłaniają szkodliwe substancje i kumulują je w sobie, a później nafaszerowane nimi trafiają na nasze stoły. Substancji i związków szkodliwych jest w dzisiejszym świecie właściwie nieskończenie wiele.

Główny problem związany z toksynami wchłanianymi drogą pokarmową polega na tym, że gromadzą się one w naszym ciele i zalegają w nim przez dłuższy czas.

Na przykład biologiczny okres półtrwania kadmu wynosi 13 lat[10], natomiast dioksyn – od 7 do 11 lat[11], czyli wystarczająco długo, aby mogły w pełni rozwinąć swoje kancerogenne działanie[12].

Polichlorowane bifenyle (PCB) wymagają dokładniejszego omówienia. Zaczęły być wytwarzane przemysłowo na dużą skalę w latach 30. XX wieku. Po wielu latach uznano je za skrajnie szkodliwe i ostatecznie w 1987 roku całkowicie zaprzestano ich produkcji. Ponieważ polichlorowane bifenyle są niepalne, były niegdyś szeroko używane przy produkcji kondensatorów i transformatorów oraz jako materiały izolacyjne, plastyfikatory i impregnaty. Istnieje ponad 200 rodzajów związków PCB o różnym stopniu toksyczności[13]. Ich specyfika polega na tym, że są właściwie nielotne oraz nierozpuszczalne w wodzie.

Dobrze natomiast rozpuszczają się w tłuszczach, co wyjaśnia, dlaczego gromadzą się w rybim mięsie i tłuszczu.

W związku z kumulacją toksyn w kolejnych etapach łańcucha pokarmowego ryby drapieżne i mięsożerne zawierają też więcej PCB[14].

Zjawisko to obserwowane jest w przypadku większości trwałych zanieczyszczeń organicznych (POPs), które podlegają biodegradacji jedynie w znikomym stopniu.

Mamy zatem wyjaśnienie, dlaczego spośród wielu gatunków ryb to właśnie łososie, tuńczyki czerwone i włóczniki są najbardziej niebezpieczne dla naszego zdrowia.

Być może podobnie jak ja, znacie dramatyczną historię miasta Anniston w amerykańskim stanie Alabama, gdzie w latach 1929–1971 zdeponowano na publicznym składowisku odpadów pod gołym niebem aż 32 tysiące ton PCB. W efekcie Anniston jest obecnie jednym z najbardziej zanieczyszczonych miast w USA, a wśród jego mieszkańców notuje się tysiące przypadków zachorowań na nowotwory złośliwe[15].

Najnowsza historia dostarcza kolejnych przykładów masowych zanieczyszczeń środowiska związkami PCB spowodowanych przez ludzi. W 1968 roku w Japonii oraz w 1979 roku na Tajwanie doszło do dużych wycieków PCB na skutek awarii w zakładach produkcji oleju ryżowego. Wprowadzone do środowiska toksyny trafiły do łańcucha pokarmowego, a następnie wchłonięte wraz z pożywieniem naraziły tysiące osób na zatrucie i rozwój nowotworów[16].

Tabela 8. Zawartość PCB w poszczególnych grupach produktów pochodzenia morskiego

Produkty	Zawartość PCB [ng/100 g produktu surowego]
Głowonogi (ośmiornice, kalmary, mątwy)	450
Mięczaki	730
Skorupiaki	180
Średnie skażenie wszystkich owoców morza	**420**
Ryby słodkowodne (z wyjątkiem węgorza)	3020
Tłuste ryby słodkowodne (> 2% tłuszczu)	5570
Chude ryby słodkowodne (< 2% tłuszczu)	1960
Węgorz	24 100
Ryby hodowlane	1120
Tłuste ryby morskie (> 2% tłuszczu)	2880
Chude ryby morskie (< 2% tłuszczu)	760
Średnie skażenie wszystkich ryb	**1890**

Źródło: Afssa, *Avis de l'Agence française de sécurité sanitaire des aliments relatif à l'établissement de teneurs maximales pertinentes en polychlorobiphényles qui ne sont pas de type dioxine (PCB „non dioxin-like" PCB-NDL) dans divers aliments*, 2007, odpowiedź na zapytanie nr 2006-SA-0305.

Kumulacja toksyn

Jakiekolwiek jest pochodzenie zanieczyszczeń, metali ciężkich lub związków POP, działają one tak samo toksycznie na nasz organizm i poważnie zwiększają ryzyko rozwoju raka[17].

Jak jednak zdążyliście się dowiedzieć, większość tego rodzaju toksyn pochłaniamy wraz z produktami spożywczymi pochodzenia morskiego.

Trzeba mieć świadomość, że poza przypadkami spektakularnych skażeń, których przykłady przytoczyłem wcześniej, nasza ekspozycja na produkty toksyczne jest zazwyczaj długotrwała i powtarzalna, ma miejsce dzień po dniu. Niewielkie dawki szkodliwych substancji rakotwórczych kumulują się w naszych ciałach po spożyciu każdej potrawy rybnej.

Z każdym posiłkiem związki te, tak mało podatne na biodegradację, gromadzą się w wątrobie, mózgu, tkance tłuszczowej i krwi.

Dostarczane regularnie do organizmu grożą dezorganizacją naszych procesów metabolicznych i po dłuższym czasie mogą spowodować powstanie zmian nowotworowych.

Badanie przeprowadzone w 2004 roku przez ekipę szpitala uniwersyteckiego w Barcelonie wykazało, że polichlorowane bifenyle (PCB) odgrywają znaczącą rolę w zapoczątkowaniu procesu nowotworzenia w przypadku raka okrężnicy[18].

Inne badanie, tym razem szwedzkie, przynosi potwierdzenie, że bardziej złośliwe odmiany raka trzustki rozwijają się pod wpływem narażenia organizmu na kontakt z PCB[19].

Któż jednak czyta wyniki badań, kto o nich głośno i często mówi? Jeszcze jedno badanie wydaje mi się ciekawe w kontekście naszych rozważań. Zrealizowane zostało przez francuskie Stowarzyszenie „Zdrowie-środowisko" (ASEF – Association santé environnement France) i polegało na zbadaniu zawartości PCB w próbkach krwi pobranych od 52 ochotników zamieszkałych w pobliżu zakładów przemysłowych w dolinie Rodanu. U regularnych konsumentów lokalnych ryb odnotowano bardzo wysokie stężenie PCB we krwi (osiągające nawet tak zatrważające wartości jak 93 pg/g!)[20].

Czy musimy całkowicie zrezygnować z ryb?

Ależ skąd! Kierujmy się wynikami badań. Pokazują one, że skażenie zależy od miejsca połowu i gatunku ryby. Jeśli chodzi o wpływ obszaru bytowania ryb, jego znaczenie zostało potwierdzone m.in. we francuskim badaniu, w którym porównano cztery strefy połowów: Lorient, Hawr, La Rochelle i Tulon[21] (patrz: tabela 9). Dowiedziono, że stopień toksyczności poławianych ryb, mięczaków i skorupiaków różni się w każdej z nich. Najbardziej skażone były, zwłaszcza arsenem, ryby pływające w morzu w okolicach Lorient, natomiast największą ilość toksyn wśród skorupiaków i mięczaków zgromadziły okazy odłowione w pobliżu Hawru.

Tabela 9. Średnie skażenie ryb, mięczaków i skorupiaków w różnych siedliskach

		Arsen [µg/100 g]	Metylortęć [µg/100 g]	Kadm [µg/100 g]	Ołów [µg/100 g]	PCB [µg/100 g]
Hawr	Ryby	767	14	8	0,6	0,8
	Mięczaki i skorupiaki	719	8	63	6,9	1,6
Lorient	Ryby	778	17	2	0,9	0,4
	Mięczaki i skorupiaki	1090	5	120	4	0,3
La Rochelle	Ryby	640	18	1	1	0,6
	Mięczaki i skorupiaki	590	3,4	28	6	0,4
Tulon	Ryby	829	22	1,3	2	0,8
	Mięczaki i skorupiaki	836	5	12	5	0,4

Źródło: J.-C. Leblanc (red.), *Étude Calipso. Consommations alimentaires de poissons et produits de la mer et imprégnation aux éléments traces, polluants et oméga-3*, Afssa-Inra, 2006.

Kiedy rozpatrujemy stopień skażenia poszczególnych gatunków z określonej strefy połowu, okazuje się, że najwięcej toksyn zawierają ryby tłuste[22] (patrz: tabela 8). W tej sytuacji mamy nie lada dylemat, ponieważ głównym tłuszczem tych ryb są dobroczynne kwasy omega-3.

Jeśli ktoś Was przekonuje, że spożywanie dużych ilości omega-3 zapobiega powstawaniu nowotworów, co zresztą nie zostało nigdzie dowiedzione, zmusza Was do trudnego wyboru. Czy jeść więcej ryb bogatych w omega-3, jednocześnie podtruwając się rakotwórczymi metalami ciężkimi oraz trwałymi zanieczyszczeniami organicznymi? Czy może unikać skażonych ryb i jakoś obejść się bez omega-3?

Na szczęście wiedza pozwala odnaleźć „złoty środek". Skoro wiadomo, że gatunkami najbardziej skażonymi związkami rtęci są ryby drapieżne, takie jak włócznik, gardłosz atlantycki, łosoś, marlin, czerwony tuńczyk, węgorz, rekinek psi, koleń[23], unikajcie ich jak ognia, nawet jeśli zawierają pewne pożądane składniki. Na szczęście są inne gatunki ryb bogate w kwasy omega-3 i jednocześnie znacznie mniej podatne na skażenie rtęcią, takie jak makrela, sardela (anchois) czy sardynka. Opieram się na wnioskach z raportu końcowego badań Calipso[24] (badania pod egidą Afssa i Inra dotyczące spożycia ryb oraz owoców morza w powiązaniu z dostawą i zawartością w ustroju pierwiastków śladowych, zanieczyszczeń i kwasu omega-3; więcej szczegółów w ramce).

DLA DOCIEKLIWYCH: Badanie Calipso

Calipso: badanie spożycia ryb i owoców morza w powiązaniu z dostawą i zawartością w ustroju pierwiastków śladowych, zanieczyszczeń i kwasu omega-3

Badanie Calipso zostało zrealizowane w latach 2003–2006 przez francuskie instytucje badawcze Afssa (Agencję ds. Bezpieczeństwa Sanitarnego Żywności) oraz Inra (Narodowy Instytut Badań Agronomicznych). Polegało na analizie dostarczanej ilości kwasu omega-3 oraz zanieczyszczeń fizykochemicznych u osób spożywających dużo ryb i owoców morza. Przebadano 1000 dorosłych mieszkańców miast portowych we Francji (Hawr, Lorient, La Rochelle, Tulon), którzy co najmniej 2 razy w tygodniu jedzą posiłki na bazie ryb, mięczaków i skorupiaków.

Kupując ryby i owoce morza do przygotowania posiłków, bierzcie zawsze pod uwagę ich pochodzenie i decydujcie się częściej na gatunki kumulujące mniej zanieczyszczeń. W trosce o własne zdrowie bądźcie na stoisku rybnym znacznie bardziej wybredni niż dotychczas. Musicie również wiedzieć, że według najnowszej oficjalnej rekomendacji Francuskiej Agencji ds. Bezpieczeństwa Sanitarnego Żywności kobiety w ciąży nie powinny spożywać więcej niż 1 porcję (150 g) ryb drapieżnych tygodniowo, a dzieci do ukończenia 2,5 roku – nie więcej niż 60 g w tygodniu[25].

Skoro ten rodzaj ryb nie jest wskazany dla kobiet ciężarnych i najmłodszych dzieci, jakim cudem miałyby działać prozdrowotnie u pozostałych osób?

Ryby hodowlane i ryby poławiane w warunkach naturalnych

9 stycznia 2004 roku prof. Ronald A. Hites opublikował niezwykle kontrowersyjne wyniki badań na łamach „Science", jednego z najpoważniejszych pism naukowych na świecie[26].

Naukowiec przeprowadził analizę 700 próbek mięsa łososi, zarówno hodowlanych, jak i pochodzących z połowów, zakupionych w 40 różnych miejscach naszej planety. Zaznaczmy, że trzy porcje ryby pochodziły z Paryża. Prof. Hites doszedł do wniosku, że skażenie tego jadalnego gatunku jest tak wielkie, iż nadaje się on wyłącznie do sporadycznej konsumpcji. Według niego łososia można jeść bezpiecznie nie częściej niż raz w miesiącu!

Wspomniana już wcześniej Francuska Agencja ds. Bezpieczeństwa Sanitarnego Żywności (Afssa) przyznała, że wyniki uzyskane przez prof. Hitesa są zbliżone do danych dotyczących Francji, będących w jej posiadaniu (według badań na zlecenie Agencji łososie dostępne na francuskim rynku zawierają nieco więcej dioksyn i mniej PCB). Niestety, niemożliwe było zweryfikowanie tą samą metodą danych z „Science" na temat skażenia mięsa łososia toksafenem, szkodliwym pestycydem wycofanym z światowego rynku, ponieważ nigdy nie prowadzono we Francji tego rodzaju testów[27].

Efektem „łososiowych badań" były stosowne rekomendacje brytyjskich i kanadyjskich instytucji nadzoru nad bezpieczeństwem żywności. Natomiast Amerykańska Agencja ds. Żywności i Leków FDA skrytykowała metodę badawczą prof. Hitesa ze względu na to, że analizowane dzwonka łososia nie zostały obrane ze skóry i nie poddano ich obróbce termicznej. Dokonanie tych dwóch zabiegów zdaniem Agencji zmniejszyłoby liczbę toksyn w mięsie i doprowadziło do uzyskania bardziej wiarygodnych wyników[28].

Przekażcie koniecznie tę uwagę wielbicielom modnych japońskich specjałów sushi i sashimi z surowego łososia oraz shake maki na bazie łososia ze skórą, opieczonego na ruszcie!

Wracając do kontrowersji wokół łososia, Parlament Europejski zdecydował się zlecić Europejskiemu Urzędowi ds. Bezpieczeństwa Żywności (EFSA) stosowne badanie[29]. Objęło ono takie gatunki ryb, jak łosoś, pstrąg, karp, śledź, sardela, tuńczyk, makrela i sardynka[30].

W jednym z rozdziałów końcowej opinii czytamy, że w związku z postępem badań w tej dziedzinie stwierdzono „zmniejszenie" różnic między rybami hodowlanymi i poławianymi w warunkach naturalnych. EFSA informuje nas również, że najwięcej związków rtęci zawiera tuńczyk złowiony na pełnym morzu, natomiast największe skażenie PCB wykazują śledzie pochodzące z połowu w Morzu Bałtyckim i łososie hodowlane. Ogólny wniosek z raportu potwierdza, że na bezpieczeństwo spożywanego mięsa ryb nie ma większego wpływu ich pochodzenie: czy są z hodowli, czy z połowu.

Podobny wniosek podsuwa nam również zdrowy rozsądek. Jak wiadomo, morskie organizmy są zanieczyszczane toksynami pochodzącymi głównie ze skażonej wody. Logiczne zatem, że mięso ryb złowionych na wolności w morskiej toni oraz ryb pochodzących z marikultury (hodowli w wodzie morskiej) będzie miało podobny stopień zanieczyszczenia.

Mamy więc wybrać dietetyczne bezrybie?

Oczywiście, że nie!

Sam jestem smakoszem dań rybnych. Mimo wszystko ten rodzaj pożywienia jest ważnym źródłem fosforu, jodu, fluoru, cynku, miedzi, selenu, żelaza, witamin z grupy B oraz witaminy D[31].

Wszystkie te składniki są niezbędne w pełnowartościowej diecie, ponieważ skutecznie chronią przed chorobami degeneracyjnymi, w tym przed rakiem. Jem ryby, ale nie są to pierwsze lepsze ryby i to samo Wam doradzam.

Tabela 10. Moja rekomendacja dotycząca ryb i owoców morza

	Gatunki, których należy unikać	Polecane gatunki
Ryby	Włócznik Gardłosz atlantycki Marlin Łosoś czerwony Czerwony tuńczyk Węgorz Rekinek psi Koleń	Makrela Sardela Sardynka Dorada Labraks Sola
Owoce morza	Trąbiki Kraby	Krewetki Małże

Całkowicie zrezygnowałem z jedzenia tuńczyka i włócznika częściowo ze względu na znaczące skażenie ich mięsa, ale również z powodu zagrożenia tych gatunków nadmiernym komercyjnym połowem. Unikam w moich posiłkach łososia i kolenia. Jeśli sporadycznie decyduję się na węgorza, wybieram osobniki niepochodzące z połowu w zanieczyszczonych wodach Rodanu.

Wolę bezpieczne krewetki i małże od trąbików i krabów, które zbyt często bywają skażone[32].

Jeśli chcę zjeść smaczną rybkę ze stawu, staram się najpierw sprawdzić jej pochodzenie. Zwykle jednak pierwszeństwo mają u mnie gatunki chudych morskich ryb, wciąż niemal nieskażonych.

Teraz już wiecie, że ogólnie – owszem – ryby to zdrowie, ale nie zanieczyszczone ryby, będące w najwyższym stopniu szkodliwe!

Mieliście okazję wcześniej przeczytać o przyczynach skażenia rybiego mięsa i ryzyku, jakie wiąże się z jego spożywaniem.

Mam nadzieję, że nauczyłem Was dokonywania przemyślanych wyborów w czasie zakupów na stoisku rybnym, aby niepotrzebnie nie narażać siebie i swojej rodziny na wchłanianie substancji rakotwórczych, zalegających w organizmie przez dziesiątki lat.

W obłąkańczym pędzie, ignorując wszelkie ostrzeżenia, zatruwaliśmy przez tyle lat wody morskie. Teraz zbieramy skażone owoce (morza) tej krótkowzrocznej polityki!

Musimy zaprzestać degradacji środowiska, w którym żyjemy, a wtedy pewnego dnia włóczniki i czerwone tuńczyki znów staną się jadalne. Może przynajmniej będą mogły ich bezpiecznie skosztować nasze wnuki.

Czekając na ten moment, dbajmy o zdrowie i dokonujmy mądrych wyborów żywieniowych. Więcej praktycznych wskazówek znajdziecie w ostatnim rozdziale tej książki zatytułowanym „Praktyczne wskazówki antyrakowe".

Rozdział 4

NIE TAKIE MIĘSO STRASZNE

Mięso: jeść czy nie jeść? Oto jest pytanie!

Oto temat budzący gorące spory: czerwone mięso!

Afery mięsne, o których było głośno ostatnimi laty, sprawiły, że coraz częściej miewamy poważne wątpliwości dotyczące pochodzenia mięsa i jego jakości oraz sposobu chowu zwierząt rzeźnych.

Skutkiem tego jest spadająca średnia konsumpcja czerwonego mięsa. We Francji zmniejszyła się w ciągu lat 2004–2007 z 52 g do 46 g na dzień i na obywatela[1].

Tendencja spadkowa utrzymuje się od wielu lat.

Dodatkowo niedawna epidemia „choroby szalonych krów" (BSE) wywołała reakcję lękową i doprowadziła do masowej rezygnacji z befsztyków.

Na szczęście afera związana z BSE podziałała jak terapia szokowa na konsumentów oraz, co ważniejsze, na producentów, instytucje sanitarne i weterynaryjne. W konsekwencji wypracowano metody hodowli zwierząt oraz standardy przygotowania i dystrybucji mięsa zapewniające niemal stuprocentowe bezpieczeństwo.

DLA DOCIEKLIWYCH: INCA 2

Narodowe badanie nawyków żywieniowych 2006–2007

Badania INCA zrealizowane przez Francuską Agencję ds. Bezpieczeństwa Sanitarnego Żywności (Afssa) polegały na analizie nawyków żywieniowych reprezentatywnej grupy Francuzów od 3 roku życia wzwyż. Pierwsze badanie oznaczone symbolem INCA 1 wykonano w 1999 roku. Kontynuowano je w roku 2006 pod nazwą INCA 2, co pozwoliło na prześledzenie zmian zachodzących w sposobie odżywiania oraz ocenę ryzyka i korzyści zdrowotnych związanych ze współczesnymi nawykami żywieniowymi. Raport końcowy INCA 2 zawiera analizę odpowiedzi 4 tysięcy dzieci i dorosłych.

Zaraz jednak przyszedł kolejny atak, tym razem w znacznej mierze nieuzasadniony, rujnując z trudem odzyskaną reputację mięsnych składników menu. Otóż według niektórych ekspertów spożywanie czerwonych mięs zwiększa ryzyko rozwoju raka okrężnicy[2].

Postaram się udowodnić, że w przypadku moich rodaków tego rodzaju wnioski są nieuprawnione.

Skąd się wzięła przytoczona opinia o rakotwórczym działaniu mięsa?

Cóż to za raport lub jego wycinek, który kilka miesięcy temu podchwyciły i uznały za pewnik wszystkie media?

Nikt nie wysilił się, aby sprawdzić wiarygodność informacji u źródła! Przyjrzyjmy się zatem wspólnie, jak autorzy antymięsnego raportu doszli do cytowanego wyżej wniosku. Naukowcy ci oparli się na wynikach siedmiu różnych badań opublikowanych w latach 1990–2004. Aż sześć z nich wykazało, że nie ma istotnej statystycznie zależności między spożywaniem czerwonego mięsa a ryzykiem rozwoju raka okrężnicy, a tylko jedno badanie z 1994 roku dowiodło czegoś przeciwnego. Twórcy raportu wyprowadzili jednak zaskakujący zbiorczy wniosek, że regularna konsumpcja mięsa zwiększa o 43% ryzyko zachorowania na raka okrężnicy w porównaniu ze sporadycznym włączaniem mięsnych potraw do diety[3]. Nie poprzestali na zagadnieniu częstości spożycia, ale „przeanalizowali" również wpływ ilości zjadanego mięsa. W tym celu posłużyli się trzema badaniami, przy czym dwa z nich wykazały niemożność określenia wpływu ilości mięsa w diecie na ryzyko rozwoju raka okrężnicy, a tylko jedno wykazało taki związek w przypadku kobiet. Trzymajcie się teraz mocno foteli! W tajemniczy sposób owi naukowcy doszli do wniosku, że codzienne spożycie 100 g czerwonego mięsa zwiększa ryzyko zachorowania na raka okrężnicy aż o 29%[4]!

Zaraz, zaraz! Gdyby to była prawda, wszyscy mielibyśmy raka okrężnicy! Kto mógłby się przed nim uchronić? Chyba jedynie bezkompromisowi wegetarianie, chociaż nawet i oni nie mogą się czuć w pełni bezpieczni (wyjaśnię to później)!

Co o tym wszystkim sądzić? Czy rzeczywiście zjedzenie paru plasterków szynki lub kilku małych porcji mięsa tygodniowo sprowadza na nas aż tak poważne ryzyko?

Oczywiście, że nie!

Ale, uwaga, nie zamierzam Was również przekonywać, że ryby mogą być toksyczne, a z mięsem rzekomo wszystko jest w porządku.

Przejdźmy zatem do dokładniejszego omówienia różnych elementów związanych z wpływem czerwonego mięsa na nasze zdrowie.

Jak to się stało, że można było dojść do tak daleko idących wniosków o roli mięsa w rozwoju raka i jak dowiedziemy nieprawdziwości podobnych stwierdzeń w odniesieniu do europejskich konsumentów?

Musimy przeanalizować kilka spraw.

Skupmy się na badaniach

Przydatne będą dwa typy badań: kliniczno-kontrolne oraz kohortowe (patrz: rozdział 1).

Jak dobrze wiecie, badania kliniczno-kontrolne są znacznie mniej wiarygodne. Na szczęście przeprowadzono całkiem sporo bardziej miarodajnych badań kohortowych na temat związku między spożyciem mięsa a rozwojem raka okrężnicy. Przejdźmy zatem od razu do ich wyników.

Posłużymy się słynnym Nurses' Health Study (NHS), badaniem przeprowadzonym na grupie 90 tysięcy pielęgniarek obserwowanych od roku 1980.

W pierwszym wstępnym raporcie z 1990 roku (tak, wiem, że należy traktować cząstkowe dane z rezerwą), podsumowującym 10 lat badań, naukowcy stwierdzili, że kobiety codziennie jedzące mięso wykazują 2,5 raza większe ryzyko rozwoju raka okrężnicy[5]. Zwróćcie uwagę, że są to wnioski jedynie w odniesieniu do kobiet.

W raporcie końcowym z 2004 roku z tego samego badania z udziałem 90 tysięcy pielęgniarek znajdziemy jednak sprostowanie: wniosek o wzroście ryzyka rozwoju raka okrężnicy u „bardziej mięsożernych" pań z 1990 roku był przedwczesny i okazał się błędem[6]! Spożywanie mięsa „mniej niż 3 razy w miesiącu" lub „5 lub więcej razy w tygodniu" nie ma żadnego związku z ryzykiem zachorowania na raka okrężnicy.

Za chwilę omówimy kilka innych badań, które doprowadziły do podobnych wniosków. Jeśli ktoś nie chce wchodzić w szczegóły, może przejść bezpośrednio do następnego podrozdziału.

Drugim badaniem na kohorcie o dużej liczebności jest Health Professionals Follow-up Study (HPFS). Przebadano 46 tysięcy pracowników służby zdrowia płci męskiej, którzy wyrazili zgodę na regularne obserwacje od roku 1986. Raport końcowy HPFS z 2004 roku wykazał, że częste spożywanie posiłków mięsnych nie zwiększa ryzyka rozwoju raka okrężnicy u badanych mężczyzn. Podobnie jak w badaniu NHS, oceniano tutaj zdrowie osób jedzących mięso „mniej niż 3 razy w miesiącu" oraz „5 lub więcej razy w tygodniu"[7].

Trzecie badanie warte zacytowania to obserwacja kohortowa 120 852 osób prowadzona od 1986 roku. Obejmowało ono Holendrów obojga płci mających w momencie rozpoczęcia badania 55–69 lat. We wnioskach końcowych stwierdzono brak związku między konsumpcją czerwonego mięsa i ryzykiem rozwoju raka okrężnicy u badanych. Porównywano osoby o różnej dziennej dawce mięsa w diecie[8].

Czwarte badanie wykonano w Finlandii na grupie 9990 osób, które w momencie rozpoczęcia obserwacji w 1972 roku mieściły się w przedziale 15–99 lat. I znowu nie wykryto powiązania między zawartością mięsa w diecie a rakiem okrężnicy[9]. (Natomiast poczyniono obserwację dotyczącą wzrostu ryzyka zachorowania na raka piersi u kobiet jadających mięso smażone w tłuszczu. Pewną trudność stanowi tutaj ocena, czy rakotwórcze działanie wykazuje mięso jako takie, czy tłuszcz ze smażenia. Warto też przy okazji wspomnieć, że we Francji właściwie nie jadamy mięsa smażonego).

Piąte badanie, po którego wyniki teraz sięgniemy, to obserwacje prowadzone przez 11 lat i 4 miesiące na grupie nieco ponad 50 tysięcy Norwegów. W podsumowaniu czytamy, że „częstość spożycia mięsa ogółem, mięsa duszonego, pieczeni, pulpetów nie ma związku ze wzrostem ryzyka zachorowania na raka okrężnicy[10]".

Na koniec zostawiłem najważniejsze badanie EPIC (European Prospective Investigation into Cancer and Nutrition, czyli europejskie prospektywne badanie wpływu diety na rozwój nowotworów). Objęto nim 478 040 kobiet i mężczyzn z 10 krajów europejskich (w przypadku Francji – wyłącznie kobiet). Ochotników wybrano w latach 1992–1998. Obserwacja każdej z osób trwała 5 lat, a zbiorczy raport końcowy opracowano w roku 2005. Został on opublikowany w piśmie „Journal of National Cancer Institut". Na stronie 911 artykułu przeczytamy, że nie istnieją żadne dowody na związek konsumpcji czerwonego mięsa (porównywano osoby o różnej dziennej konsumpcji) ze zwiększonym ryzykiem rozwoju różnych typów raka jelita grubego[11].

Jak widać, jest coraz więcej poważnych, rzetelnych, międzynarodowych badań naukowych, z których wynika, że nie należy się dopatrywać związku przyczynowo-skutkowego między dietą bogatą w mięso a rozwojem raka okrężnicy.

Pouczające może być również przyjrzenie się zachorowalności na ten typ raka u wegetarian.

Pięć różnych badań kohortowych (prospektywnych) miało za zadanie porównanie sytuacji osób przed i po przejściu na wegetarianizm lub zestawienie wegetarian i „mięsożernych". Dwa badania objęły członków Kościoła Adwentystów Dnia Siódmego w Kalifornii, którzy ze względów religijnych są ścisłymi wegetarianami i abstynentami. Dwa następne badania wykonano w Anglii, a jeszcze jedno dodatkowe – w Niemczech. Łącznie we wszystkich pięciu badaniach wzięło udział 76 tysięcy ochotników. Okazało się, że wegetarianie są mniej narażeni na zawał mięśnia sercowego, ale ryzyko rozwoju raka w ich okrężnicy jest dokładnie takie samo jak w przypadku ludzi jedzących mięso[12].

W ten oto sposób wchłonęliście dawkę wiedzy, jaką ma onkolog na temat wyników badań naukowych w omawianej kwestii. Widać czarno na białym, że nie ma mowy o wzroście ryzyka rozwoju raka okrężnicy w powiązaniu z mięsem w diecie.

Co ciekawe, od czasu do czasu w różnych publikacjach próbuje się nas przekonywać, że wyniki badań są jakoby inne...

Dobrze, zatem może spróbujmy teraz przeprowadzić pewien eksperyment myślowy: „co by było, gdyby...", jak go nazywają moje córki. Załóżmy, że badania z Finlandii (te ze smażonym mięsem), USA, Holandii i Norwegii dały odmienny wynik niż w rzeczywistości. Czy wnioski z obserwacji kohortowych w wymienionych krajach moglibyśmy tak po prostu przełożyć na warunki francuskie?

Nie jesteśmy Amerykanami

Większość badań dotyczących relacji między mięsem w jadłospisie a ryzykiem rozwoju raka okrężnicy została wykonana w Stanach Zjednoczonych. Zarówno kohortowych (opisanych wyżej), jak i kliniczno-kontrolnych. Jedne nie wykazały poszukiwanego wpływu (większość), inne (bardzo nieliczne) ten wpływ wykazały[13].

Weźmy teraz jedno z głównych badań nad związkiem ilości spożywanego mięsa a zachorowalnością na raka okrężnicy, opierające się przede wszystkim na danych z USA[14]. Zestawiono w nim wyniki 19 obserwacji: 9 było prowadzone w Stanach, 8 – w Europie oraz po jednej – w Japonii i Australii. Autorzy przedstawiają potem uogólniony wniosek Europejczykom jako rzekomo adekwatny do ich nawyków żywieniowych, ponieważ kilka badań cząstkowych pochodzi z tego kontynentu.

Badania wykonano w Finlandii, Norwegii, Szwecji i Holandii. Czyżbyśmy jedli to samo we Francji i Finlandii lub Norwegii? Czy nasze jadłospisy są w jakiś sposób podobne?

Nie, wcale albo prawie wcale nie są. Czy to, że większość badań wykonano w USA, wpłynie na ich prawdziwość w przypadku innych nacji z innych kontynentów?

Tak, na pewno.

Pod hasłem „mięso" kryje się inny jakościowo produkt w Ameryce i we Francji. Dziwnym trafem 100 g polędwicy wołowej we Francji dostarcza tylko 150 kcal[15], a ta sama porcja w USA – aż 300 kcal[16]. Francuski befsztyk zawiera 28% białka[17], a jego amerykański odpowiednik – zaledwie od 16 do 18%[18]. W przypadku tłuszczów jest na odwrót: francuski befsztyk zawiera ich 4%[19], a befsztyk *made in USA* 6 razy więcej, czyli 24,9%[20]. Różnica jest ogromna!

Nasze mięsne posiłki po obu stronach Atlantyku poza nazwą mają niewiele wspólnego.

Oto pierwszy zaobserwowany problem. Wyobraźcie sobie, że tłuszcze decydują o szkodliwości kawałka mięsa – z pewnością efekt, jaki wywrze na organizm 100 g amerykańskiej hiperkalorycznej i hipertłustej wołowiny będzie nieporównywalny z wynikami analogicznych badań we Francji.

Drugi problem dotyczy zakresu stosowalności wyników badań nad ewentualnym powiązaniem ilości spożywanego tygodniowo mięsa z ryzykiem rozwoju raka okrężnicy.

Jeśli Francuz decyduje się na obiad, którego podstawą jest mięso, czy aby na pewno skomponuje go tak jak Amerykanin? Z pewnością nie.

Tabela 11. Różnice pomiędzy wartością odżywczą mięsa pochodzącego z Francji i USA

Rodzaj mięsa		Kraj pochodzenia	Wartość energetyczna [kcal]	Białka [g]	Węglowodany [g]	Tłuszcze [g]	W tym: JNNKT* [g]	W tym: WNNKT** [g]	Cholesterol [mg]
Wołowina	befsztyk	USA	295	17	10	25	11	1	70
		Francja	148	28	2	4	2	1	55
	pieczeń	USA	297	17	10	25	11	1	70
		Francja	134	28	0,6	2	0,7	0,3	50
Wieprzowina	kotlet	USA	282	16	9	24	11	2	81
		Francja	175	19	4	11	5	1	54
Cielęcina	łopatka (golonka)	USA	132	19	2	5	2	0,4	82
		Francja	134	19	3	7	3	0,3	81
Kurczak	pierś	USA	114	23	0,4	2	0,4	0,4	58
		Francja	118	22	0,8	3	1	0,6	61
	udko	USA	187	18	3	12	5	3	83
		Francja	231	26	4	14	6	3	122

* JNNKT – jednonienasycone kwasy tłuszczowe

** WNNKT – wielonienasycone kwasy tłuszczowe

Źródło: Afssa, *Table CIQUAL 2008. Composition nutritionnelle des aliments*; dostępny na stronie: http://www.afssa.fr/TableCIQUAL/ (data dostępu: 20 marca 2010).

USDA, *National Nutrient Database for Standard Reference*; dostępny na stronie: http://www.nal.usda.gov/fnic/foodcomp/search/ (data dostępu: 20 marca 2010).

Tabela 12. Przeciętna wielkość porcji we Francji i w USA

Kraj	Przeciętna porcja
Francja	Mięso czerwone: 49,7 g/dzień Drób i dziczyzna: 31,9 g/dzień
USA	Mięso czerwone: 140 g/dzień Drób i dziczyzna: 82 g/dzień

Źródło: Afssa, *Étude individuelle nationale des consommations alimentaires 2 (INCA 2) 2006-2007*, 2009; dostępny na stronie: http://www.afssa.fr/Documents/PASER-Ra-INCA2.pdf (data dostępu: 15 marca 2010).
USDA, *USDA Economis Research Service*; dostępny na stronie:
http://www.ers.usda.gov/Browse/view.aspx?subject=AnimalProducts (data dostępu: 29 marca 2010).

Przeciętny Francuz zjada codziennie nieco mniej niż 50 g mięsa (była już o tym mowa na początku tego rozdziału)[21], Amerykanin zaś pałaszuje w tym samym czasie 140 g[22].

Prawie trzy razy więcej! Najwyraźniej w obu krajach jesteśmy przyzwyczajeni do zupełnie innych porcji. Podsumowując, Francuzi spożywają mniej tłuste i mniej kaloryczne mięso w mniejszych porcjach niż Amerykanie.

Na tym jednak nie koniec różnic!

Czyżbyśmy podobnie przyrządzali mięso w USA i we Francji?

Zdecydowanie nie. Amerykanie preferują mięso z grilla lub rożna, silnie przypieczone. W czasie tego rodzaju obróbki powstaje wiele rakotwórczych substancji (m.in. węglowodory aromatyczne), a mocno spieczone kawałki mięsa zawierają jeszcze więcej tego rodzaju trucizn.

Francuski kucharz zwykle roztapia niewielką ilość tłuszczu na rozgrzanej patelni, przez co proces smażenia nie jest tak gwałtowny i powstaje przy okazji mniej szkodliwych produktów spalania węgla. Poza tym Francuzi preferują steki słabo lub co najwyżej średnio wysmażone. Badania konsumenckie pokazują, że bardzo dużą popularnością cieszy się we Francji tatar i carpaccio z surowego mięsa.

We Francji jada się również mięso duszone i gotowane (np. boeuf bourguignon, czyli wołowina duszona po burgundzku, pot-au-feu, czyli sztuka mięsa z rosołu), często po odtłuszczeniu sosu z duszenia.

Stosujemy bardziej zróżnicowane i zdrowsze metody przyrządzania, w czasie których powstaje mniej związków rakotwórczych.

Warto w tym momencie przypomnieć naszą obserwację z pierwszego rozdziału tej książki: nigdy nie jemy samego mięsa, ale łączymy je na talerzu z różnymi dodatkami.

Czy całościowa kompozycja naszego dania zmodyfikuje wpływ składników kawałka mięsa na nasz metabolizm?

Oczywiście, że tak!

Proszę, oto stosowny przykład.

W niedawno przeprowadzonym we Francji narodowym badaniu stwierdzono, że 20% populacji zjada codziennie więcej niż 70 g mięsa, co daje ok. 500 g na tydzień, natomiast 56% Francuzów konsumuje mniej niż 45 g na dzień[23].

W przypadku pierwszej grupy zagorzałych zwolenników diety mięsnej nie możemy wykluczyć, że ich niezrównoważone menu może mieć własności rakotwórcze. Dlaczego?

Rozejrzyjcie się uważnie wokół siebie i poobserwujcie tych „mięsożerców". Szybko zrozumiecie, że nabrali oni przy okazji bardzo szkodliwych nawyków. Niestety, żadne z badań na temat wpływu mięsa nie wzięło tego czynnika pod uwagę. Fani mięsa są zwykle niechętnie nastawieni do pożywienia bogatego w błonnik potrzebnego naszym jelitom do prawidłowej pracy. W stołówce omijają szerokim łukiem warzywa gotowane na parze i surówki, ale nie odmówią sobie w żadnym wypadku dużej porcji frytek nafaszerowanych zgubnymi nasyconymi kwasami tłuszczowymi. Ponadto z reguły gardzą produktami zbożowymi i jedzą zbyt mało owoców zawierających antyoksydanty.

Tutaj dobrze widać, że każda przesada jest niewskazana. Powtórzę to jeszcze kilkakrotnie w tej książce przy różnych okazjach. Wiedzieli o tym instynktownie nasi przodkowie i jedli znacznie zdrowiej.

Nigdy nie przesadzajmy, chyba że okazjonalnie, aby sprawić sobie przyjemność!

Jeśli uwielbiacie od czasu do czasu zjeść befsztyk z grilla, nie odmawiajcie sobie tego!

Jednak poza tymi krótkimi chwilami zapomnienia, warto kierować się zdrowym rozsądkiem i wybierać mięso o sprawdzonym pochodzeniu, najlepiej z ekologicznej hodowli (praktyczne wskazówki zebrane są na końcu książki). Smażcie mięso możliwie krótko. Przyrządzajcie je na różne sposoby. Unikajcie mięs z grilla. Odtłuszczajcie sosy do mięsa i rosoły. Podawajcie i jedzcie mięso ze zdrowotnymi dodatkami (o tym więcej za chwilę).

Od zarania dziejów ludzie jedli mięso. Nasi praprzodkowie przez wieki żywili się tym, co zebrali (owocami, jagodami, warzywami różnego rodzaju), oraz tym, co upolowali. Na początku nie znali uprawy i hodowli. Kiedy badamy szczątki ludzkie pochodzące sprzed setek tysięcy lat, nie stwierdzamy u nich aż tylu nowotworów co dzisiaj (porównując osoby w podobnym wieku). Średnia długość życia była wtedy co prawda krótsza niż dzisiaj, ale z innych powodów niż rak. Ludzie ci jednak byli na tyle żywotni i pomysłowi, że ujarzmili ogień, nauczyli się obróbki brązu, wynaleźli koło i pług, rozwinęli wspaniałe cywilizacje.

Pora jednak wrócić do współczesności.

Tradycja w służbie profilaktyki

Chciałbym zwrócić uwagę na pewien ważny element profilaktyki antynowotworowej związany z czerwonym mięsem. Najpierw jednak zastanówmy się, jakie przesłanki sprawiły, że zachodzi konieczność weryfikacji hipotezy o rakotwórczym wpływie mięsa.

Niektórzy badacze sugerują, że szkodliwie może działać hemoglobina z krwi zawartej w mięsie. Funkcją tego czerwonego barwnika jest przenoszenie tlenu – przyłączanie go w płucach i uwalnianie w tkankach, gdzie jest potrzebny do przemian metabolicznych (spalania). Prześledziliśmy ten proces w rozdziale drugim.

Cząsteczka hemoglobiny składa się z trzech elementów: hemu, białka globiny i atomu żelaza.

Zostało udowodnione, że hem sprzyja tworzeniu się związków N-nitrozowych, potencjalnie toksycznych i kancerogennych[24], żelazo zaś prowokuje powstawanie wolnych rodników mogących uszkodzić DNA i wywołać mutację w genach[25].

Żelazo pobudza również wydzielanie substancji prozapalnych[26] i tworzenie nowych naczyń włosowatych, które mogą zasilać rozrastający się nowotwór.

Sposobem na uniknięcie ryzyka wydaje się upuszczanie krwi z ciał zabitych zwierząt praktykowane tradycyjnie u Żydów i muzułmanów. Zresztą wielu niegdysiejszych kucharzy czyniło podobnie, odstawiając mięso po ugotowaniu, a przed podaniem. Takie leżakowanie sprawiało, że podczas stygnięcia mięso oczyszczało się z wyciekającej krwi. Może warto powrócić do tego rodzaju praktyki, jak się okazuje antynowotworowej.

Rakotwórcze działanie hemoglobiny z krwi zawartej w mięsie zostało zaobserwowane w wielu badaniach eksperymentalnych na zwierzętach[27,28].

Czytałem wiele artykułów naukowych na ten temat i teoria hemoglobinowa wydaje mi się najbardziej prawdopodobnym wyjaśnieniem związku między mięsem w diecie a ryzykiem rozwoju raka.

Mogę w odniesieniu do tej teorii udzielić dodatkowej wskazówki profilaktycznej, dość radykalnej, ale wzorowanej na zachowaniu zwierząt. Rozwinięciu rakotwórczego działania przez spożyte mięso może przeszkodzić... zażycie po posiłku tabletki wapnia[29]! Ten prosty sposób zapobiegania kancerogennemu działaniu hemoglobiny z mięsa na śluzówkę jelit został udowodniony w badaniach naukowców francuskich.

Jeśli nie macie ochoty na usuwanie krwi z mięsa, pomyślcie o tym sposobie!

Czy wędliny muszą iść w odstawkę?

Wszystkie badania, które wykazują wpływ spożywania wędlin na zwiększone ryzyko rozwoju raka okrężnicy, zostały wykonane w USA[30] i na północy Europy[31].

Mam pytanie – czy ktoś z Was widział kiedyś amerykańskie lub skandynawskie wędliny? Ktoś je jadł? Zapoznał się z ich składem?

Muszę zatem wyjaśnić, że większość wędlin analizowanych we wspomnianych badaniach pochodzi z seryjnej przemysłowej produkcji. Są niczym innym jak tłustą i słoną chemiczną mieszanką, sztucznie barwioną i aromatyzowaną, zakonserwowaną przez dodatek azotanów i azotynów. Wiadomo, że znaczna część składników tego rodzaju wędlin ma działanie rakotwórcze, w szczególności tłuszcze, azotany i azotyny.

Co jednak mają wspólnego tego rodzaju wyroby z tradycyjnymi wędlinami z Francji? Czy plaster amerykańskiej szynki, pocięty i zapakowany maszynowo w folię, jest tym samym co plaster francuskiej szynki ugotowanej z kością tradycyjną techniką *au torchon**?

Nie ma porównania.

To dwie różne rzeczy.

Znowu okazuje się, że wyniki badań z innego kraju niekoniecznie mogą się odnosić do nas.

Ale ogólnie, czy możemy spożywać wędliny bez obaw o ich związek z rakiem?

Należy unikać zbyt częstej ich konsumpcji i wyrobów niskiej jakości.

Warto wybierać wędliny od producentów stosujących tradycyjne, naturalne metody hodowli i wyrobu. Spożywane w rozsądnej ilości nie wykazują szkodliwego działania rakotwórczego.

---

* Tradycyjna francuska metoda przyrządzania szynki. Szynkę najpierw odciska się i moczy się przez kilka dni w solance, po wypłukaniu soli zaszywa się ją ciasno w bawełniany, gęsto tkany materiał i gotuje w wodzie z dużą ilością białego wina, warzyw i przypraw (przyp. tłum.).

Tabela 13. Porównanie składu szynek amerykańskich i francuskich

Kraj	Rodzaj wędliny	Skład
USA	Szynka gotowana, plasterkowana	Szynka, woda, sól, syrop kukurydziany utwardzony, cukier, modyfikowana skrobia kukurydziana, fosforan sodu, erytroban sodu, azotyn sodowy
	Szynka gotowana w całości	Szynka, woda, cukier, mleczan potasu (≤ 2 %), sól, fosforan sodu, chlorek potasu, dwuoctan sodu, kwas askorbinowy, azotyn sodu, przyprawy
Francja	Szynka z kością tradycyjna z południowo--zachodniej Francji	Szynka wieprzowa, sól, pieprz
	Szynka bez kości z Owernii	Szynka wieprzowa, sól, cukier, pieprz, przyprawy, saletra potasowa

A białe mięso i drób?

Białe mięso i drób (mięso z prosięcia, indyka, kurcząt, królika itp.) jest mniej tłuste, zwłaszcza po usunięciu skóry, i mniej zasobne w hemoglobinę. Żadne badanie nie wykazało jego wpływu na rozwój nowotworów[32].

Nie będziemy zatem poddawać tego rodzaju mięs szczegółowej analizie. Pozostają neutralne z punktu widzenia profilaktyki antynowotworowej. Możecie je jeść bez obaw.

W tym rozdziale zdemaskowaliśmy taktykę osób, które by przekonać innych do swoich poglądów, gotowe są dokonywać nie zawsze uczciwej żonglerki rozmaitymi danymi. Zachowajcie krytycyzm wobec ich manipulacji.

Jedynie zgodne wyniki kilku niezależnie prowadzonych badań mogą nas przekonać do przyjęcia danej prawdy.

Uśrednianie danych pozytywnych i negatywnych, porównania odmiennych produktów o tej samej nazwie z różnych stron świata, zapominanie o tradycyjnej mądrości, która wspierała od wieków harmonijny rozwój ludzkości – tego należy się wystrzegać w konstruowaniu zaleceń dietetycznych.

Rozdział 5

CZY NABIAŁ I JAJKA SŁUŻĄ PROFILAKTYCE?

Wychwycenie powiązań między produktami pochodzenia mlecznego a nowotworami nie jest bynajmniej bułką z (mlecznym) masłem!

Z wielu powodów. Przede wszystkim dlatego, że mianem „produktów mlecznych" określamy różne rodzaje pokarmów, począwszy od mleka świeżego (może być tłuste, półtłuste i chude), a skończywszy na serach, których wpływ na nasze zdrowie zależy od czasu ich dojrzewania. Nie zapominajmy również o jogurtach mogących zawierać szczepy bakterii o zróżnicowanym oddziaływaniu. Ponadto nabiał obejmuje zarówno produkty na bazie mleka surowego (z zawartością naturalnych enzymów), jak i wytworzone z mleka pasteryzowanego (wprowadza się do niego zwykle ponownie po pasteryzacji wybrane kultury bakterii).

Co więcej – jak później zobaczymy – różnimy się genetycznie zdolnością trawienia mleka. Zdolność ta zależy od pochodzenia geograficznego – mieszkańcy północy przyswajają ten produkt znacznie łatwiej niż południowcy.

Aby wyjaśnić rolę produktów mlecznych w diecie antynowotworowej, będziemy musieli wprowadzić dwa pojęcia: prebiotyków i probiotyków.

Czy możemy zadowolić się stwierdzeniem, że od kiedy człowiek zaczął doić zwierzęta i zapewniać sobie regularną dostawę mleka, ten odżywczy napój i jego przetwory przyczyniają się do rozwoju ludzkości, szybszego wzrostu dzieci i poprawy zdrowia dorosłych?

Czy z tego, że mleko jest dobre dla naszych dzieci, możemy wysnuć prosty wniosek, że jest tak samo korzystne dla nas, dorosłych?

Na końcu tej książki znajdziecie wskazówki, jak zapobiegać nowotworom, i po ich przeczytaniu zrozumiecie, że niestety nie ma prostej zależności między spożyciem nabiału a ryzykiem raka!

Zacznijmy od opisu trzech pojęć, które posłużą nam do wyjaśnienia owej zależności. O prebiotykach i probiotykach z pewnością słyszeliście nieraz w mediach, ale prawdopodobnie oba te pojęcia mylą się Wam ze sobą. Trzeci element mlecznej układanki to enzym laktaza wytwarzany w jelicie cienkim niektórych z nas. Od niego zależy, czy mleko jest przyswajane także przez dorosłych.

Zacznijmy od prebiotyków i probiotyków

Probiotyki to żywe bakterie, które przyjmujemy z pokarmem, potrafiące zneutralizować pewne szkodliwe czynniki. Usuwają liczne toksyny obecne w jelicie cienkim[1] powstające w wyniku procesów trawiennych oraz przyjęte razem z pokarmem. Usprawniają trawienie i wchłanianie laktozy[2] u osób cierpiących na nietolerancję cukru mlecznego. Pobudzają system odpornościowy i w związku z tym zapobiegają mutacjom komórkowym oraz działają przeciwrakowo. Probiotyki mają też zdolność niszczenia tych mikroorganizmów bytujących we florze jelitowej, które są podejrzewane o wytwarzanie substancji kancerogennych[3].

Warto wiedzieć, że probiotyki – chociaż są ogólnie korzystne dla zdrowia – nie wszystkie równie skuteczne pomagają zapobiegać rozwojowi nowotworów.

Pewne pokarmy (topinambur – słonecznik bulwiasty, czosnek, banany, cykoria, cebula, kasza jęczmienna, szparagi) przyspieszają przesuwanie się pokarmu przez jelita, ponieważ zawierają bioskładniki nietrawione w ludzkim przewodzie pokarmowym (włókna, oligosacharydy itp.). Nazywamy je prebiotykami. Gdy prebiotyk trafia do jelita cienkiego, pobudza bakterie obecne w przewodzie pokarmowym do intensywnej fermentacji i produkcji dobroczynnych probiotyków[4]. Dzięki tej fermentacji w okrężnicy lokalnie powstaje duża ilość enzymu, o którym już mówiliśmy, S-transferazy glutationowej. Enzym ten jest w stanie unieszkodliwić większość substancji rakotwórczych[5]. W wyniku tej fermentacji powstaje też inny produkt – wspomnieliśmy o nim we wprowadzeniu – ester kwasu masłowego hamujący genotoksyczne działanie dwu silnie rakotwórczych związków: nitrozamidów i nadtlenku wodoru[6].

Jak widać, prebiotyki i probiotyki mają wielkie znaczenie w zapobieganiu rakowi okrężnicy, przy czym skuteczniej działają w duecie[7] jako synbiotyki.

Laktaza – ochronny enzym

Inny ważny „mleczny" element, któremu poświęcimy więcej uwagi, to laktaza. Laktaza jest enzymem produkowanym w dwunastnicy, początkowym odcinku jelita cienkiego[8], trawiącym laktozę (patrz: tabela 14). Laktoza jest dwucukrem (disacharydem) zawartym w mleku i jego przetworach.

Laktaza rozkłada laktozę na dwa cukry proste: glukozę i galaktozę, wchłaniane później z jelit. Niedostateczna produkcja laktazy lub całkowita niezdolność jej wytwarzania uniemożliwia trawienie laktozy. Niestrawiona laktoza zalega w okrężnicy i tamtejsza flora bakteryjna zamienia ją w kwas mlekowy[9]. Kwas ten podrażnia ścianki przewodu pokarmowego i po pewnym czasie wywołuje miejscowy stan zapalny. Efektem tego jest stres oksydacyjny – powstające wolne rodniki tlenowe mogą uszkodzić DNA i doprowadzić do zmiany zapisu genetycznego, a to może z kolei skutkować wytworzeniem komórek rakowych.

Tabela 14. Zawartość laktozy w wybranych produktach mlecznych

Produkt	Zawartość laktozy [w g na 100 g]
Ser camembert	0,1–1,8
Świeża śmietana (ok. 36% tłuszczu)	2
Ser edamski lub ementaler	2
Ser owczy	0,1
Twaróg (ser biały)	2–4
Mleko odtłuszczone	5
Jogurt naturalny	3
Mleko kozie	4
Mleko owcze	5

Źródło: *Teneur en lactose de différents aliments*; dostępny na stronie: http://www.sanslactose.com/pg,teneur-en-lactose-de-differents-aliments,teneur,0,1.jsp (data dostępu: 29 marca 2010).

Kwestia trawienia mleka

Laktaza jest wytwarzana u właściwie wszystkich dzieci aż do okresu dojrzewania, a potem zaczyna u większości z nich zanikać[10]. Zdolność trawienia mleka przydaje się, ponieważ jest ono źródłem wapnia i witaminy D niezbędnych do prawidłowego wzrostu. Niedobór tych składników grozi poważną chorobą – krzywicą. Alternatywą dla spożywania witaminy D ułatwiającej mineralizację kości jest jej wytwarzanie przez skórę pod wpływem słońca. W wyniku ewolucji ludzie żyjący pod szerokościami geograficznymi o większym nasłonecznieniu stopniowo wykształcali taką zdolność i stawali się coraz mniej zależni od dostawy witaminy D wraz z mlekiem. Powoli tracili umiejętność wytwarzania laktazy i rezygnowali z mleka w diecie, ponieważ coraz gorzej je trawili. Opisane zjawisko dotyczy południowców. Mieszkańcy północy przeciwnie – żyjąc w miejscach, gdzie słońca jest niewiele, utrzymali zdolność produkcji enzymu trawiącego laktozę, chroniącego przed krzywicą. Możemy to zaobserwować na następującym przykładzie: obecnie aktywną laktazę ma 80% Belgów, 25–50% mieszkańców basenu Morza Śródziemnego (w zależności od kraju) i niecałe 20% Afrykanów[11] (patrz: tabela 15). Nie można zatem pominąć roli pochodzenia etnicznego, kiedy analizuje się wpływ produktów mlecznych na nasze zdrowie. Również dlatego nie warto iść pod prąd nawyków i tradycji żywieniowych danego obszaru.

Tabela 15. Nietolerancja laktozy na świecie (rozkład północ-południe)

	Odsetek populacji z nietolerancją laktozy
Azjaci	95–100%
Indianie amerykańscy	80–100%
Czarnoskórzy Afrykanie	60–80%
Żydzi aszkenazyjscy	60–80%
Latynoamerykanie	50–80%
Hindusi z Indii Południowych	60–70%
Hindusi z Indii Północnych	20–30%
Środkowoeuropejczycy	9–23%
Biali Amerykanie	6–22%
Północnoeuropejczycy	2–15%

Źródło: D.L. Swagerty Jr, A.D. Walling, R.M. Klein, *Lactose intolerance*, „Am. Fam. Physician", 2002, 65 (9), s. 1845–1850.

Produkty mleczne a ryzyko raka

Pora powrócić do tematu nowotworów.

Co mówią liczne badania naukowe na temat wpływu konsumpcji mleka i jego przetworów na częstość występowania raka?

Duże spożycie produktów mlecznych wyraźnie (według kilku różnych badań) zwiększa ryzyko zachorowania na raka prostaty[12]! Nie zapominajmy, że jest to najczęstszy nowotwór wśród mężczyzn[13]! Zatem chyba nie warto pogarszać sytuacji, prawda?

Podobne następstwa ma spożywanie zwiększonej dawki wapnia pochodzącego z produktów mlecznych (co ciekawe, wapń przyjmowany w tabletkach nie przynosi takich skutków). W przypadku mężczyzny przyjmującego dziennie 2 g wapnia pochodzącego z mleka i jego przetworów ryzyko zachorowania na raka prostaty w porównaniu z innym mężczyzną, który spożywa mniej niż 1 g wapnia na dzień, jest zwiększone o 30%[14]. Oczywiście to problem dotyczący wyłącznie panów!

Czy należy zatem unikać produktów mlecznych w wieku dorosłym? Niekoniecznie, ponieważ mogą mieć one korzystne działanie profilaktyczne ograniczające zachorowalność na raka okrężnicy. Druga strona mlecznego medalu to prewencja raka!

Tabela 16. Zawartość wapnia w porcji wybranych produktów mlecznych

	Porcja	Zawartość wapnia [mg]	Ilość, jaką należałoby spożyć, aby przekroczyć 2 g wapnia/dobę
Mleko owcze tłuste	1 filiżanka 125 ml	188	11 filiżanek = 1,3 l
Mleko kozie tłuste	1 filiżanka 125 ml	120	17 filiżanek = 2,1 l
Mleko krowie półtłuste UHT	1 filiżanka 125 ml	115	18 filiżanek = 2,2 l
Zsiadłe mleko	1 kubeczek 125 g	97,3	21 kubeczków = 2,6 kg
Jogurt naturalny z mleka tłustego	1 kubeczek 125 g	126	16 kubeczków = 2 kg
Serek biały petit-suisse o zawartości 20% tłuszczu	2 gałki	117	35 gałek serka
Twarożek 20% tłuszczu	100 g	123	17 porcji po 100 g = 1,7 kg
Ser ementaler	30 g	1055	2 porcje
Ser camembert	30 g	456	5 porcji
Ser roquefort	30 g	608	3,5 porcji
Ser topiony	30 g	346	6 porcji

Źródło: Afssa, *Table CIQUAL 2008. Composition nutritionnelle des aliments*; dostępny na stronie: http://www.afssa.fr/TableCIQUAL/ [data dostępu: 20 marca 2010].

Nie jest to jednak w 100% pewne. Nie wszystkie badania dają podobne wyniki. Poza tym trudno uogólniać, kiedy musimy brać pod uwagę różnorodność produktów mlecznych spożywanych zarówno w poszczególnych krajach, jak i przez poszczególne osoby w odniesieniu do ich poziomu tolerancji laktozy.

Nawet jeśli przejrzymy wyniki jedynego jak do tej pory wielkiego badania zrealizowanego na terenie Francji oceniającego ryzyko jednej tylko populacji z jej określonym genetycznym przystosowaniem do trawienia laktozy i przyzwyczajeniami w dziedzinie konsumpcji produktów mlecznych, wnioski nadal nie są jednoznaczne. Wyniki badania o nazwie E3N-EPIC poznaliśmy pod koniec 2005 roku. Porównywano w nim dwie grupy osób: 172 osoby dotknięte rakiem okrężnicy oraz 67 312 osoby niecierpiące na tę chorobę. Pytano je o nawyki żywieniowe, szczególnie dotyczące konsumpcji nabiału. Badacze nie otrzymali jednoznacznego wyniku: ogólnie spożywanie mleka nie zmniejsza znacząco ryzyka zachorowania na raka okrężnicy, nawet jeśli zmniejsza ryzyko rozwoju łagodnych polipów jelita, które mogłyby potencjalnie zezłośliwieć. Jak już mówiłem, nie ma prostej zależności – taki też jest wniosek badaczy[15].

Sprawa komplikuje się jeszcze bardziej po lekturze wyników badań amerykańskich. U osób spożywających znaczne ilości mleka w porównaniu z tymi, które go unikają (odpowiednio: „więcej 200–300 ml/dzień" oraz „mniej niż 70 ml/dzień"), zaobserwowano zmniejszone ryzyko zachorowania na nowotwór okrężnicy (o 10%). Ten pozytywny efekt dotyczy jednak tylko końcowego odcinka okrężnicy[16]!

Przyjrzyjmy się uważnie tabeli 17. Pokazuje ona brak zależności między średnim spożyciem nabiału w danym państwie a ryzykiem zachorowania na raka okrężnicy. Na przykład w Szwajcarii, która ma najwyższą konsumpcję produktów mlecznych na obywatela, zachorowalność na nowotwory jelita grubego jest wyższa niż we Włoszech (gdzie spożywa się o 26% mniej nabiału) i Japonii (67% mniej).

Tabela 17. Zależność między spożyciem nabiału i występowaniem raka okrężnicy

Państwo	Średnie spożycie produktów mlecznych przez obywatela [kg/rok]	Odsetek ludności z niską aktywnością laktazy (nietolerancją laktozy) [%]	Wskaźnik śmiertelności z powodu raka jelita grubego [na 100 000 mieszkańców]	
			Mężczyźni	Kobiety
Szwajcaria	133	10	17,8	10,5
Kanada	122	6	16,9	11,2
Francja	116	37	17,4	10,1
Australia	110	6	20,2	13,7
Hiszpania	109	23	14,6	9,4
Niemcy	102	15	21,3	15,1
Włochy	98	50	15,3	9,9
Japonia	43	93	15,7	9,8

Źródło: A. Szilagyi, U. Nathwani, C. Vinokuroff, J.A. Correa, I. Shrier, *Evaluation of relationships among national colorectal cancer mortality rates, genetic lactase non-persistence status, and per capita yearly milk and milk product consumption*, „Nutrition and Cancer", 2006, 55 (2), s. 151–156.

Co myśleć o tym wszystkim?

Uważam, że jak w każdej kłopotliwej sytuacji należy spróbować „ugryźć" problem z drugiej strony. Trzeba zatem zadać pytanie: czy potrzebujemy dużo produktów mlecznych w diecie?

Dzieci z pewnością tak, to oczywiste. Potrzebują mleka do prawidłowego wzrostu. Nie należy wykluczać nabiału z ich jadłospisu, ponieważ w tym wieku kłopoty z prostatą zdecydowanie nie występują.

Ale czy jakaś grupa dorosłych może nadal potrzebować mleka? Oczywiście, kobiety! Zwłaszcza po menopauzie, ponieważ z powodu wygasania produkcji hormonów rozrodczych zagraża im osteoporoza. Schorzenie to prowadzi do demineralizacji kości i zwiększonej ich łamliwości. Wszystkie panie potrzebują sporej dawki witaminy D i wapnia, a co za tym idzie – produktów mlecznych, szczególnie w okresie ciąży i karmienia, menopauzy i premenopauzy (okres kilku lat przed ustaniem miesiączkowania). Mogą one spożywać mleko bez obaw, ponieważ nie grozi im wyłącznie męski nowotwór – rak prostaty.

Przykładowe zestawy dzienne zawierające 3 produkty mleczne:

- 1 jogurt 125 g, filiżanka mleka 150 ml, 250 g ryżu na mleku,
- 60 g twarożku, 30 g sera szwajcarskiego gruyère, 2 małe porcje serka z owocami,
- 2 serki petit-suisse po 30 g, 50 g sera roquefort, filiżanka 150 ml płynnej czekolady mlecznej,
- 1 shake lub koktajl mleczny (150 ml), 1 deser typu flan, 80 g sera camembert.

Co radzę panom? Powinni być ostrożniejsi, unikać mleka i dostarczać sobie wapnia wraz z bogatszymi w niego serami. Nie dotyczy to jedynie mężczyzn z rodzin, w których z racji położenia geograficznego z pokolenia na pokolenie spożywało się dużo nabiału. Mężczyźni powinni wybierać raczej jogurty zawierające dwa dobroczynne szczepy bakterii: *Lactobacillus bulgaricus* oraz *Streptococcus thermophilus*[17]. Wymienione kultury bakterii są żywotne do daty podanej na opakowaniu jako termin przydatności do spożycia. Jeśli mężczyźni chcą koniecznie spożywać produkty mleczne, powinni je łączyć z dużą ilością ułatwiających trawienie prebiotyków – dobre zestawienie tego typu to shake mleczny z bananami. Warto też zadbać o zakończenie posiłku mlecznego porcją warzyw i owoców bogatych w antyoksydanty, które są w stanie naprawić potencjalne szkody powstałe w DNA komórek prostaty. Znakomity pomysł to zjedzenie pomidora, wypicie soku z granatów lub filiżanki zielonej herbaty.

Jajka

Jeszcze kilka słów o jajkach. Nie tylko Anglicy nie wyobrażają sobie bez nich śniadania.

Jajka zapewniają kompletny i zrównoważony zestaw składników odżywczych i jak dotąd wyniki żadnych badań nie wykazały związku między ich spożywaniem a zwiększonym ryzykiem nowotworów[18]. Zaliczymy je zatem do pokarmów neutralnych z punktu widzenia profilaktyki i dlatego wartych polecenia. Jedzcie je na zdrowie, o ile nie macie problemów z podwyższonym poziomem cholesterolu!

Rozdział 6

OWOCE I WARZYWA: SĄ KORZYŚCI, NIE MA PEWNOŚCI

Czas najwyższy porozmawiać o owocach i warzywach.

Od kilku lat stały się obiektem powszechnej kampanii promocyjnej, którą można streścić ogólnym hasłem: „Owoce i warzywa chronią przed rakiem". I tak w ramach programu PNNS (*Programme national nutrition santé* – Narodowy Program Promocji Zdrowego Żywienia) pod patronatem francuskiego Ministerstwa Zdrowia wydrukowano setki plakatów mających nas przekonywać, że należy jeść codziennie 400 g lub 5 porcji owoców i warzyw[1].

Tego rodzaju zalecenia to woda na młyn przemysłu rolno-spożywczego wypuszczającego na rynek coraz to nowsze produkty oparte na owocach i warzywach reklamowane jako „prozdrowotne". Cały czas oczywiście podkreśla się, że są skarbnicą antyoksydantów.

Czy w postaci owoców i warzyw odnaleźliśmy w końcu upragnione panaceum? Czy rzeczywiście chronią one przed rakiem?

W najnowszym raporcie poważnej organizacji World Cancer Research Fund z 2007 roku wspomina się co prawda o pewnym profilaktycznym działaniu owoców i warzyw w zapobieganiu raka (patrz: tabela 18), ale końcowe wnioski z analizy tego zagadnienia są następujące:

„Eksperci WCRF po analizie wszystkich badań poświęconych efektowi antynowotworowemu owoców i warzyw, zrealizowanych od roku 1995, doszli do wniosku, że dowody na wspomniane działanie są znacznie skromniejsze, niż można było oczekiwać”[2].

Tabela 18. Wnioski WCRF dotyczące roli owoców i warzyw w profilaktyce nowotworów

Czynnik	Zmniejszenie ryzyka zachorowania na określone rodzaje raka	Stopień pewności działania antynowotworowego
Warzywa nieskrobiowe	Jama nosowo-gardłowa, krtań, gardło, przełyk, żołądek	prawdopodobne
Owoce	Jama nosowo-gardłowa, krtań, gardło, przełyk, żołądek, płuco	prawdopodobne
Produkty spożywcze zawierające karotenoidy	Jama nosowo-gardłowa, krtań, gardło, płuco	prawdopodobne
Produkty spożywcze zawierające beta-karoten	Przełyk	prawdopodobne
Produkty spożywcze zawierające likopen	Prostata	prawdopodobne

Houston, mamy problem!

Z jednej strony zewsząd słyszymy, że mamy się codziennie zajadać owocami i warzywami dowolnego rodzaju, a z drugiej strony – najlepsi światowi specjaliści stwierdzają, że nie sposób udowodnić działania przeciwnowotworowego takiej diety.

Jak się w tym wszystkim odnaleźć? Skąd tyle wątpliwości wokół produktów roślinnych?

Moim zdaniem przyczyna jest prosta. W owocach i warzywach znajduje się ponad 100 tysięcy fitoskładników, m.in. włókien pokarmowych oraz niezbędnych i uzupełniających składników odżywczych.

Warzywa i owoce możemy ponadto spożywać na wiele sposobów: surowe lub gotowane, całe lub rozdrobnione, ze skórką lub bez, solo lub jako dodatek do innych potraw (np. fasolka szparagowa ze stekiem).

Jadają je o różnych porach dnia zarówno kobiety, jak i mężczyźni, dorośli i dzieci. Produkty roślinne mogą być ekologiczne lub zanieczyszczone pozostałościami pestycydów. W przeciwieństwie do innych rodzajów pokarmów jest takie bogactwo owocowo-warzywne, że ludzie bez specjalistycznej wiedzy w dziedzinie dietetyki czują się zagubieni w tym „owocowym raju" i nie wiedzą, jaką postawę przyjąć.

Jak zawsze przychodzę z pomocą oraz przystępnymi informacjami, które ułatwią wyprowadzenie konkretnych wskazań w zakresie diety przeciwnowotworowej (zebranych na końcu książki). Pewnie jednak na początek wielu z Was chciałoby się dowiedzieć czegoś więcej na temat właściwości owoców i warzyw.

Oto podstawy wiedzy o własnościach odżywczych tej grupy produktów żywnościowych pozwalające się nieco zorientować w retoryce dietetyczno-naukowej.

Składniki niezbędne i uzupełniające

Niezbędne (inaczej egzogenne) składniki odżywcze – chociaż w bardzo małych ilościach – są konieczne do prawidłowego przebiegu wielu podstawowych procesów życiowych. Muszą być dostarczane wraz z pożywieniem, gdyż organizm sam nie jest w stanie ich wytworzyć. Przykładem składników egzogennych są witaminy i minerały.

Składnikami uzupełniającymi określamy natomiast związki chemiczne znajdujące się w niewielkich ilościach w pożywieniu. Prawidłowe funkcjonowanie organizmu nie jest od nich uzależnione. Do grupy składników uzupełniających należą m.in. niektóre antyoksydanty (antyutleniacze, przeciwutleniacze) takie jak polifenole czy antocyjany.

Te dwa rodzaje antyoksydantów mogą odgrywać kluczową rolę w zapobieganiu nowotworom, dlatego jeszcze do nich wrócimy.

Dlaczego antyoksydanty, ściśle związane z owocami i jarzynami, są takie ważne?

W ogromnym uproszczeniu możemy powiedzieć, że antyoksydanty naprawiają w naszym organizmie szkody spowodowane przez wolne rodniki. Reaktywne i toksyczne wolne rodniki są produktem ubocznym procesów biochemicznych związanych z oddychaniem zachodzących w milionie miliardów naszych komórek. Jak już wcześniej wspomniałem, codziennie DNA każdej z naszych komórek podlega 10 tysiącom mutacji!

Oddziaływanie tlenu i promieniowania słonecznego, skądinąd niezbędnych do życia organizmu, prowadzi do powstawania wolnych rodników. Ich łupem padają składowe komórek, w tym nici DNA i zapisane na nich geny.

Agresywne wolne rodniki, zdolne w ułamku sekundy uszkodzić białka i DNA w komórkach, są w znacznej mierze odpowiedzialne za starzenie i degenerację komórek.

Tabela 19. Owoce i warzywa o najsilniejszym działaniu antyoksydacyjnym

Owoce		Warzywa	
Nazwa	**Potencjał antyoksydacyjny [ORAC/100 g]**	**Nazwa**	**Potencjał antyoksydacyjny [ORAC/100 g]**
Śliwki suszone	5770	Jarmuż	1770
Rodzynki	2830	Szpinak	1260
Borówki czarne	2400	Brukselka	980
Jeżyny	2036	Kiełki lucerny (alfalfa)	930
Truskawki	1540	Brokuł	890
Maliny	1220	Burak czerwony	840
Śliwki	949	Czerwona papryka	710
Pomarańcze	750	Cebula	450
Ciemne winogrona	739	Kukurydza	400
Wiśnie	670	Bakłażan	390
Kiwi	602		
Czerwone grejpfruty	483		

Tlen jest bronią obosieczną. Potrzebujemy go przecież do produkcji energii niezbędnej do rozwoju, odnowy i przetrwania komórek[3].

Na szczęście organizm ludzki jest genialną biologiczną maszynerią i posiada strategię ochrony przed wolnymi rodnikami powstającymi w procesie „oddychania" (metabolizmu) komórkowego. Czujny system nadzoru antyrodnikowego stale tropi uszkodzenia spowodowane przez wolne rodniki i „stres oksydacyjny". Możemy sobie wyobrazić, że nasze komórki są powleczone czymś w rodzaju antykorozyjnej powłoki (porównanie to jest jak najbardziej uprawnione, ponieważ rdzewienie metalu jest niczym innym jak skutkiem jego utleniania).

Antyoksydanty takie jak witamina C, witamina E i likopen (poprzestańmy na wymienieniu trzech z całej gamy) neutralizują wolne rodniki[4]. Ich działanie dopełniają enzymy, które naprawiają uszkodzenia komórek i zapobiegają w ten sposób ich transformacji nowotworowej.

Jest to system bardzo skuteczny, ale wymaga znakomitego skoordynowania współpracy między antyoksydantami a enzymami.

Działanie antyoksydacyjne może się objawiać w sposób bezpośredni lub pośredni. Pewne mikroelementy (takie jak cynk, selen, mangan) zawarte w pożywieniu wykazują działanie bezpośrednio przeciwrodnikowe, witaminy C i E, karotenoidy i polifenole oraz czosnkowo-cebulowe związki siarkowe oddziałują bezpośrednio na elementy komórki, takie zaś biopierwiastki jak chrom i magnez pełnią rolę pośrednią. Pierwszy z nich poprawia wrażliwość na insulinę, co ma związek z zachowaniem prawidłowej wagi i automatycznie wpływa na ryzyko rozwoju raka (patrz: rozdział 11). Magnez, drugi z pośrednio działających pierwiastków, niweluje efekt kancerogenny procesów zapalnych[5]. Ponieważ rozważamy równocześnie przeciwnowotworowy lub rakotwórczy wpływ określonych składników pożywienia, muszę koniecznie wspomnieć, że nie należy spożywać antyoksydantów bezrefleksyjnie, dowolnego rodzaju i o każdej porze. Istotne jest dobranie odpowiedniej kompozycji zróżnicowanych fitoskładników dopasowanej do potrzeb konkretnej osoby.

Kolory dają ochronę

Aby ułatwić Wam życie, zdecydowałem się pogrupować owoce i warzywa kolorystycznie, a następnie dokonać analizy każdego z kolorów.

Dlaczego podział kolorystyczny?

Być może niektórzy z Was poczuli w tym momencie, jak zapala im się w mózgu czerwona lampka ostrzegawcza. Sam sugerowałem wcześniej ostrożność wobec dziwnych antyrakowych wskazówek żywieniowych, a teraz nagle zaczynam mówić o barwnym spektrum owoców i warzyw.

Tabela 20. Związki fitochemiczne zawarte w owocach i warzywach o określonym kolorze

Kolor	Związek fitochemiczny	Główne źródło
Zielony	Glukozynolany (glukozynolaty)	Brokuł, kapusta
Pomarańczowy	Alfa-karoten i beta-karoten	Marchew, mango, dynia
Czerwony	Likopen	Pomidory
Niebieski	Antocyjany (antocyjaniny)	Winogrona, jeżyny, maliny, borówka czarna, borówka brusznica
Żółtopomarańczowy	Flawonoidy	Melon miodowy (żółty), brzoskwinia, papaja, pomarańcza, mandarynka
Żółtozielony	Luteina i zeaksantyna	Szpinak, kukurydza, awokado, melon
Biały i kremowy	Allicyna i fitoestrogeny	Czosnek, cebula, soja, rzodkiewka

Źródło: EUFIC, *La Couleur des fruits et légumes et la santé*; dostępny na stronie: http://www.eufic.org/article/fr/rid/la-coleur-des-fruits-legumes-et-sante (data dostępu: 20 marca 2010).

W tym wypadku jednak możecie spokojnie zaufać kolorom. Fitoskładniki, które są w stanie korygować uszkodzenia genów, gwarantując stabilność DNA, to w przeważającej większości barwniki owoców i warzyw. Niektóre z nich mogą blokować kancerogenny wpływ różnych czynników poprzez działanie antyoksydacyjne, pobudzanie metylacji DNA (hamuje ekspresję niebezpiecznych genów; patrz: podrozdział „Wpływ składników odżywczych" w rozdziale 2) lub efekt antyrozrostowy (hamujący proliferację komórek). Istnieją nawet pewne barwniki roślinne potrafiące skutecznie modulować nasz system immunologiczny.

Dlaczego zatem nie pogrupować owoców i warzyw, przyjmując jako kryterium przeciwnowotworowe własności związane z określonymi fitoskładnikami, które – tak się składa – nadają im kolor? Natura sprawiła, że każdy kolor jest wyznacznikiem specyficznych zalet.

Kolor zielony

Związki nadające kolor zielony należą do grupy glukozynolatów – związków glikozydowych, w skład których wchodzi siarka[6]. Mogą się przekształcić w izotiocyjaniany i indole. Udało się ustalić korzystny wpływ niektórych z tych związków na zmniejszenie ryzyka zachorowania na raka jamy ustnej i części ustnej gardła, przełyku, żołądka oraz płuc[7].

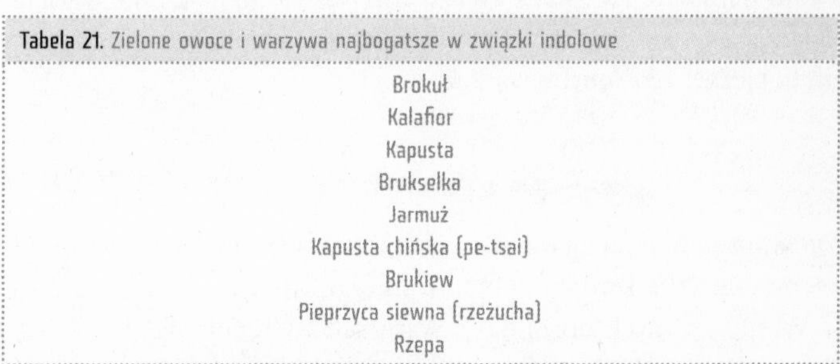

Tabela 21. Zielone owoce i warzywa najbogatsze w związki indolowe
Brokuł
Kalafior
Kapusta
Brukselka
Jarmuż
Kapusta chińska (pe-tsai)
Brukiew
Pieprzyca siewna (rzeżucha)
Rzepa

Źródło: EUFIC, *La Couleur des fruits et légumes et la santé*; dostępny na stronie: http://www.eufic.org/article/fr/rid/la-coleur-des-fruits-legumes-et-sante (data dostępu: 20 marca 2010).

Profilaktyczne działanie zasadza się w tym przypadku na aktywacji enzymów odpowiedzialnych za unieszkodliwianie czynników rakotwórczych (patrz: podrozdział „Wpływ składników odżywczych" w rozdziale 2), blokowaniu enzymów modyfikujących metabolizm kancerogennych hormonów sterydowych lub ochronie przed oksydacyjnymi uszkodzeniami DNA[8].

Związki indolowe, obecne głównie w warzywach kapustnych, mają, jak się okazuje, istotne znaczenie w zapobieganiu rozwojowi raka żołądka, płuca, przełyku, odbytu i pęcherza moczowego[9].

W jednym z najnowszych badań stwierdzono, że u mężczyzn spożywających warzywa kapustne co najmniej raz w tygodniu ryzyko zachorowania na raka trzustki ulega zmniejszeniu o 40%[10]. Poza tym zielone warzywa charakteryzują się szczególnie wysoką zawartością kwasu foliowego i chlorofilu[11]. Pierwszy z tych związków chroni przed rakiem trzustki[12], a drugi zapobiega szkodliwemu działaniu hemoglobiny ze spożywanego mięsa (ponieważ posiada niemal identyczną strukturę jak hemoglobina zawarta w czerwonych krwinkach wykazująca działanie potencjalnie kancerogenne w przypadku spożywania w nadmiarze kaszanki i mięs bez upuszczenia krwi i procesu leżakowania)[13]. Chlorofil, znany jako – obok dwutlenku węgla i światła – jeden z najważniejszych elementów procesu fotosyntezy roślin, powinien zawsze towarzyszyć posiłkom mięsnym, zwłaszcza wieczorem. Zostało to wykazane w wielu badaniach na zwierzętach[14,15]. Postarajcie się zatem zawsze spożywać mięso łącznie z zielonymi warzywami.

Kolor pomarańczowy

Pomarańczowe owoce i warzywa charakteryzuje wysoka zawartość karotenoidów (alfa-karotenu i beta-karotenu) nadająca im żywy kolor.

W spożywanych przez nas pokarmach występuje ok. 40–50 różnych karotenoidów. Podlegają w przewodzie pokarmowym przemianom, których efektem jest powstanie witaminy A. Witamina ta, nazywana wzrostową, uczestniczy w różnicowaniu komórek, reguluje ich podział, wpływa na funkcjonowanie układu odpornościowego i syntezę hormonów. Karotenoidy są silnymi antyoksydantami[16]. Ich przyswajanie poprawia przygotowanie warzyw i owoców w formie purée, gotowanie i dodatek tłuszczu, ponieważ są to związki rozpuszczalne w tłuszczach[17].

Tabela 22. Pomarańczowe owoce i warzywa zawierające najwięcej beta-karotenu
Mango
Marchew
Pataty (słodkie ziemniaki)
Morela
Dynia olbrzymia
Brzoskwinia
Dynia zwyczajna

Źródło: EUFIC, *La Couleur des fruits et légumes et la santé*; dostępny na stronie: http://www.eufic.org/article/fr/rid/la-coleur-des-fruits-legumes-et-sante (data dostępu: 20 marca 2010).

Karotenoidy chronią przed rakiem jamy ustnej i części ustnej gardła oraz płuc i przełyku[18]. Są przydatne w profilaktyce raka szyjki macicy, ponieważ zwiększają odporność organizmu na atak wirusa brodawczaka ludzkiego (HPV)[19] odpowiedzialnego za tę chorobę. Mogą również odgrywać pewną rolę w zapobieganiu rakowi prostaty.

Kolor żółtopomarańczowy

Za jasnopomarańczową barwę owoców i warzyw, przechodzącą w rozmaite odcienie żółcieni, odpowiadają bioflawonoidy z dodatkiem beta-kryptoksantyny.

Bioflawonoidy działają antywirusowo, przeciwzapalnie i antyoksydacyjnie. Hamują utlenianie tłuszczów do kancerogennych nadtlenków oraz wyłapują wolne rodniki.

Bioflawonoidy są grupą polifenoli potrafiących przyspieszyć proces metabolizmu i wydalania substancji rakotwórczych[20].

Jeden z flawonoidów roślinnych o nazwie kwercetyna, zawarty w dużej ilości w lubczyku oraz w żółtej papryce, kaparach i kakao, blokuje cytochromy i enzymy fazy I stymulujące proces nowotworzenia (patrz: podrozdział „Wpływ składników odżywczych" w rozdziale 2). Kwercetyna potrafi również osłabić rakotwórczy wpływ palenia tytoniu[21].

Tabela 23. Żółtopomarańczowe owoce i warzywa najbardziej zasobne w bioflawonoidy

Pomarańcza
Grejpfrut
Cytryna
Mandarynka
Klementynka
Morela
Brzoskwinia
Nektarynka
Papaja
Gruszka
Ananas
Jasne winogrona
Żółta papryka

Źródło: EUFIC, La Couleur des fruits et légumes et la santé; dostępny na stronie: http://www.eufic.org/article/fr/rid/la-coleur-des-fruits-legumes-et-sante (data dostępu: 20 marca 2010).

Kolor czerwony

Czerwony kolor owoce i warzywa zawdzięczają likopenowi, antyoksydantowi z rodziny karotenoidów. Likopen bywa także prekursorem innych karotenoidów obecnych w naszym pożywieniu.

W przeciwieństwie jednak do innych karotenoidów likopen nie przekształca się w witaminę A[22]. Uczestniczy natomiast w systemie komunikacji międzykomórkowej, która odgrywa ważną rolę w procesie reagowania komórek na czynniki wzrostu stymulujące podziały. Udowodniono, że likopen, najobficiej występujący w pomidorach, zapobiega zachorowaniu na raka prostaty, zmniejszając ryzyko rozwoju tego rodzaju nowotworu o 30%[23]. Prawdopodobne jest również jego działanie profilaktyczne w przypadku raka jamy ustnej i części ustnej gardła oraz raka przełyku, żołądka i płuca[24].

Warto wiedzieć, że produkty powstałe na bazie przetworzonych pomidorów są znacznie lepszym źródłem likopenu niż pomidory jedzone na surowo[25].

Tabela 24. Czerwone owoce i warzywa dostarczające największych ilości likopenu i antocyjanów

Najbogatsze źródła likopenu wśród czerwonych owoców i warzyw	Najbogatsze źródła antocyjanów wśród czerwonych owoców i warzyw
Sok pomidorowy	Maliny
Zupa pomidorowa	Truskawki
Pomidory jedzone na surowo	Żurawina
Arbuz	Czerwona kapusta
Guajawa	Czerwona fasola
Czerwony grejpfrut	Wiśnie
	Buraki czerwone
	Czerwone jabłka
	Czerwona cebula

Źródło: EUFIC, *La Couleur des fruits et légumes et la santé*; dostępny na stronie: http://www.eufic.org/article/fr/rid/la-coleur-des-fruits-legumes-et-sante (data dostępu: 20 marca 2010).

Przyrządzenie pomidorów w formie dodatku do spaghetti, soku, sosu lub keczupu poprawia przyswajanie z nich likopenu (cztery razy lepsza przyswajalność w stosunku do surowych pomidorów). Jeszcze lepszy efekt uzyskamy, dodając do nich oliwę, np. w przypadku spaghetti z pomidorami albo pizzy! Niech żyje kuchnia włoska!

Kolor niebieski

Niebieski odcień nadają owocom i warzywom związki z rodziny antocyjanów i fenoli. Związki te są jednocześnie silnymi antyoksydantami zdolnymi do zneutralizowania szkodliwego działania wolnych rodników powstających w trakcie procesów metabolicznych komórek.

Antocyjany działają antynowotworowo, a konkretnie – proapoptycznie[26], czyli wywołując samobójstwo (apoptozę) komórek z uszkodzonym materiałem genetycznym.

Antocyjany chronią przed rakiem również dlatego, że tworzą naturalny filtr słoneczny, pochłaniając potencjalnie rakotwórcze promieniowanie UV[27].

Owoce bogate w antocyjany są wskazane w dużej ilości dla osób często przebywających na słońcu oraz dla tych, które przeszły raka skóry.

Tabela 25. Niebieskie owoce i warzywa najbogatsze w antocyjany i polifenole

Najbogatsze źródła antocyjanów wśród niebieskich owoców i warzyw	Najbogatsze źródła polifenoli wśród niebieskich owoców i warzyw
Borówka czarna	Suszone śliwki
Czerwone winogrona	Rodzynki
Jeżyny	Bakłażan
Czarna porzeczka	Śliwki
Owoce czarnego bzu	

Źródło: EUFIC, *La Couleur des fruits et légumes et la santé*; dostępny na stronie: http://www.eufic.org/article/fr/rid/la-coleur-des-fruits-legumes-et-sante (data dostępu: 20 marca 2010).

Badania wykazały przydatność antocyjanów w profilaktyce raka okrężnicy, ponieważ wykazują efekt hamujący namnażanie komórek wyściółki jelita grubego[28]. Jeden z antocyjanów o nazwie delfinidyna prawdopodobnie zapobiega rozwojowi raka wątroby[29]. Ponadto antocyjany są w stanie zablokować receptory czynników stymulujących podziały komórkowe, a w szczególności receptory epidermalnego czynnika wzrostu (EGFR)[30].

Kolor żółtozielony

Natura pokolorowała niektóre warzywa i owoce na żółtozielono za pomocą luteiny i zeaksantyny. Są to barwniki roślinne należące do rodziny ksantofili tworzących podgrupę karotenoidów[31].

Luteina potrafi zablokować cykl komórkowy i namnażanie uszkodzonych komórek oraz sprowokować ich samobójstwo[32]. Udało się prześledzić ten proces w badaniach prowadzonych na komórkach nowotworowych raka skóry i trzustki oraz w przypadku komórek białaczkowych[33]. Podobne działanie antynowotworowe luteiny zaobserwowano również podczas badań na komórkach ludzkiego raka prostaty wszczepionych myszom[34].

Tabela 26. Żółtozielone owoce i warzywa o najwyższej zawartości luteiny
Jarmuż
Szpinak
Sałata rzymska
Brokuły
Groszek zielony
Melon miodowy (żółty)
Kiwi
Liście gorczycy i rzepy

Źródło: EUFIC, *La Couleur des fruits et légumes et la santé*; dostępny na stronie: http://www.eufic.org/article/fr/rid/la-coleur-des-fruits-legumes-et-sante (data dostępu: 20 marca 2010).

Kolor biały i kremowy

Trzy grupy produktów roślinnych o białym kolorze, które zaraz omówimy, to:

- czosnek i cebula,
- rzodkiewka, chrzan i cykoria,
- soja.

Zacznijmy od soi. Spożywanie nasion tej rośliny, bogatych w fitoestrogeny, zdaje się wykazywać działanie profilaktyczne w przypadku raka piersi[35]. Stwierdzono taki efekt w badaniach prowadzonych na ludziach i wniosek badaczy wydaje się logiczny. Podobnie tłumaczy się zjawisko rzadszego występowania nowotworów piersi u Japonek spożywających, jak wiadomo, znacznie więcej soi i produktów sojowych niż Europejki czy Amerykanki[36] (przeciętnie 4 kg tofu na osobę w Japonii w porównaniu ze 150 g na osobę w Europie i USA w latach 90. XX wieku[37]). Wygląda również na to, że znaczna konsumpcja soi może przeciwdziałać zachorowaniu na raka jelita grubego w przypadku kobiet po menopauzie[38]. Ponadto soja może zapobiec rozwojowi raka żołądka[39], a mleczko sojowe wystąpieniu raka prostaty[40]. Działanie antynowotworowe najprawdopodobniej wynika z zawartości w soi saponin i genisteiny[41]. Są to związki hamujące wydzielanie enzymów fazy I odpowiedzialnych za powstawanie pewnych kancerogennych związków (patrz: podrozdział „Wpływ składników odżywczych" w rozdziale 2). Saponiny i genisteina z soi potrafią również zatrzymać rozrost naczyń włosowatych odżywiających guz i doprowadzić tym samym do głodowej śmierci komórki nowotworowe[42].

Przejdźmy do drugiej grupy białych warzyw, do której włączyłem rzodkiewkę, chrzan i cykorię. Wszystkie one zdają się znacząco zmniejszać ryzyko zachorowania na raka żołądka, nawet o 30–40%[43]. Poza tym są niskokaloryczne. Jedzcie je na zdrowie!

Pozostały nam do omówienia warzywa cebulowe, w tym czosnek i cebula. Zawierają one związek o nazwie allicyna o wszechstronnym działaniu: antyoksydacyjnym, antywirusowym, antynowotworowym i odtruwającym[44]. W przypadku czosnku allicyna powstaje dopiero po jego roztarciu pod wpływem wyzwolonego wtedy enzymu allinazy. Jeśli wrzucimy do gotującej się potrawy całe ząbki czosnku, allinaza pozostanie nieaktywna. Zachowuje natomiast swoje własności podczas dalszej obróbki i konserwacji zgniecionego lub drobno posiekanego czosnku[45].

Warzywa cebulowe pełnią ważną rolę w zapobieganiu rakowi żołądka – zmniejszają o 40% ryzyko zachorowania na ten rodzaj nowotworu w przypadku osób często dodających do swoich potraw czosnek i cebulę. Podobny efekt wymienione warzywa mogą mieć w przypadku raka okrężnicy[46], dlatego jedzcie cebulę i czosnek tak często, jak to możliwe!

Jak mieliście okazję się przekonać z opisów poszczególnych owoców i warzyw, istnieje złożony związek między konsumpcją produktów roślinnych a ryzykiem rozwoju określonych rodzajów raka.

Czuję się uprawniony do wyciągnięcia ogólnego wniosku o przydatności warzyw i owoców w profilaktyce antynowotworowej. Przy czym produkty roślinne, poza omówioną wcześniej zawartością fitoskładników o określonym wpływie na proces nowotworzenia komórki, mają jeszcze dwie dodatkowe zalety.

Po pierwsze są niskokaloryczne. Ich spożywanie nie grozi przybraniem na wadze, ponieważ wypełniają żołądek i dają uczucie sytości.

Zawierają cukry o niskim indeksie glikemicznym, takie jak fruktoza, która nie pobudza apetytu, gdyż nie wywołuje „skoku insulinowego". W efekcie warzywa i owoce skutecznie chronią przed nadwagą będącą (jak zobaczymy później) jednym z podstawowych czynników ryzyka rozwoju nowotworów.

Drugą dodatkową zaletą jarzyn i owoców jest wysoka zawartość włókien pokarmowych. Wiele badań wykazało, że pożywienie bogate w błonnik zmniejsza ryzyko rozwoju raka okrężnicy, co prawda nieznacznie, ale w sposób pewny[47].

Po rozważeniu opisanych zalet warzyw i owoców możemy chyba uznać, że większość z nich jest dobra dla zdrowia.

Zaraz, czyżby ów optymistyczny wniosek zamykał sprawę?

Nie ma żadnej rysy na tym idealnym obrazku przedstawiającym martwą naturę z owocami? Może coś przeoczyliśmy?

Azotany, pestycydy, toksyny

Niestety, jeszcze raz musimy powściągnąć nasz entuzjazm. Okazuje się, że owoce i warzywa są dla większości z nas głównym źródłem substancji kancerogennych wchłanianych drogą pokarmową. Poza metalami ciężkimi i PCB z niektórych ryb, arsenem i innymi związkami szkodliwymi znajdywanymi w wodzie kranowej i butelkowanej, to właśnie w warzywach i owocach czai się najwięcej potencjalnych kancerogenów: azotanów, azotynów, pestycydów, fungicydów oraz innych chemikaliów. 70% azotanów trafiających do naszych organizmów drogą pokarmową pochodzi z warzyw. Weźmy dodatkowo pod uwagę, że 5–20% tych azotanów zostanie przekształcone przez florę bakteryjną przewodu pokarmowego w azotyny, które następnie zamienią się w wysoce rakotwórcze N-nitrozwiązki. Bez wątpienia w przypadku pokarmów roślinnych wskazana jest zasada ograniczonego zaufania[48].

Ale to nie wszystko.

Niedawno przeprowadzone kanadyjskie badanie wykazało, że ok. 15% warzyw i owoców obecnych na rynku zawiera pozostałości pestycydów[49].

Następnie organizacja badawcza Environmental Working Group (EWG) opublikowała wyniki badania zawartości pestycydów w 47 rodzajach owoców i warzyw przeprowadzonego w latach 2000–2007 na podstawie 87 tysięcy próbek. Wnioski z badania są alarmujące! (patrz: tabela 27). Osoba spożywająca dziennie 12 owoców i warzyw o największym stopniu skażenia, pochłania wraz z nimi aż 10 różnych pestycydów. Natomiast zjedzenie 15 owoców i warzyw o najniższym stopniu skażenia naraża organizm na kontakt ze średnio nieco mniej niż 2 pestycydami dziennie[50].

Tabela 27. Wyniki badania zawartości pestycydów w owocach i warzywach zrealizowanego w 2004 roku

Produkt spożywczy	Liczba przebadanych próbek	Odsetek próbek o przekroczonym maksymalnym dopuszczalnym stężeniu pozostałości pestycydów [%]	Odsetek próbek bez pozostałości pestycydów [%]
Łodygi selera	11	27	45
Truskawki	112	13	30
Bakłażan	30	10	73
Ziemniak	107	7	50
Pomarańcza	103	5	15
Marchew	127	2	68
Jabłka	295	1	18
Śliwki	108	1	44
Cukinia	79	1	86
Kiwi	30	0	83

Źródło: Ministerstwo Gospodarki, Finansów i Przemysłu we Francji; omówienie wyników wprowadzenia planu nadzoru i okresowej kontroli pozostałości pestycydów w produktach pochodzenia roślinnego, dane z 2004 roku, aneks 2, plan kontroli owoców i warzyw: prezentacja wyników.

W 2007 roku DGCCRF, czyli urząd antymonopolowy francuskiego Ministerstwa Gospodarki, Finansów i Przemysłu, zrealizował kosztowne badanie 3742 próbek owoców, warzyw i nasion zbóż dostępnych w sprzedaży na krajowym rynku. Również tutaj wyniki są zatrważające: przekroczenie dopuszczalnych norm zawartości pestycydów stwierdzono w 7,2% próbek warzyw oraz 8,5% próbek owoców. Najwięcej potencjalnie toksycznych związków wykryto w papryce, pomidorach, porach, sałacie, truskawkach, mandarynkach i winogronach[51].

Tabela 28. Wyniki kontroli zawartości pozostałości pestycydów w produktach spożywczych pochodzenia roślinnego

	Brak pozostałości	Norma nieprzekroczona	Norma przekroczona	Produkty o największej zawartości pestycydów	Produkty najmniej skażone pestycydami
Warzywa	58,7%	34,1%	7,2%	Papryka Papryka chili Pomidory Pory Sałata Szpinak	Marchew Ziemniaki Endywia Ogórki
Owoce	29,7%	61,8%	8,5%	Truskawki Mandarynki Winogrona	Brzoskwinie Banany Jabłka

Źródło: DGCCRF, *Surveillance et contrôle des résidus de pesticides dans les produits d'origine végétale en 2007*, 2009; dostępny na stronie: http://www.dgccrf.bercy.gouv.fr/actualites/breves/2009/brv0109_pesticides.htm (data dostępu: 24 marca 2010).

Higiena spożywania owoców i warzyw

Co począć z tymi nieszczęsnymi owocami i warzywami?

Na pewno lepiej spożywać produkty roślinne pochodzące z rolnictwa ekologicznego. Warto dokładnie i długo płukać owoce i warzywa, nawet jeśli zabieg ten jedynie zmniejsza ilość pestycydów, a nie eliminuje ich całkowicie. Niestety, woda z mydłem też niespecjalnie poprawia efekt, ponieważ większość tych związków jest rozpuszczalna w tłuszczach, a nie w wodzie.

Pozostałości pestycydów pozwala natomiast usunąć niemal całkowicie obranie warzyw i owoców, chociaż przy okazji pozbawia pożywienie roślinne sporej ilości witamin i soli mineralnych[52]. Na pewno jednak nie ma się co wahać przed usunięciem zewnętrznych liści sałaty i kapusty. W przypadku niektórych owoców i warzyw skuteczne może się okazać ich wyszczotkowanie, oczywiście wykluczamy z tej grupy delikatne truskawki i maliny.

Rozdział 7

TŁUSZCZE I SPOSOBY PRZYRZĄDZANIA POTRAW

Przed Wami bardzo ważny rozdział. Przygotowałem na początek zagadkę, która uświadomi wagę problemu. Otóż Chinki żyjące w Hongkongu mają jeden z najwyższych w świecie wskaźników zapadalności na raka płuc[1]. Ogromną liczbę zachorowań na ten rodzaj nowotworu złośliwego notuje się w większości chińskich metropolii oraz wśród kobiet pochodzenia chińskiego zamieszkujących Singapur, Malezję, Hawaje i Japonię. Co zaskakujące, badania epidemiologiczne pokazują wyraźnie, że jedynie 36% Chinek chorujących na raka płuc w Hongkongu i zaledwie 24% chorych z Szanghaju to palaczki[2]. Jak to możliwe? Czym zasłużyły na tego rodzaju karę od losu owe biedne kobiety, w przeważającej większości niepalące?

Rozwiązanie tej zagadki jest całkiem proste i znajduje potwierdzenie w badaniach: chodzi o sposób przyrządzania posiłków.

Jakkolwiek wydaje się to dziwne, przyczyna nowotworowej hekatomby Chinek nie ma związku z paleniem papierosów i zanieczyszczeniem środowiska. Jest natomiast bez wątpienia rezultatem nawyku przyrządzania potraw w woku przez tzw. smażenie w ruchu!

Później wyjaśnię to dokładniej, ponieważ jestem pewien, że większość z Was nie miała pojęcia o negatywnych skutkach tego rodzaju obróbki termicznej.

Tłuszcze i rak

Zacznijmy od sformułowania podstawowych pytań.

Czy tłuszcze w diecie przyczyniają się do wzrostu ryzyka zachorowania na nowotwory? Jeśli tak, to o jakie rodzaje raka chodzi? Czy sposób przyrządzania posiłków (z tłuszczem lub bez) ma wpływ na proces kancerogenezy związany z oddziaływaniem niektórych składników pożywienia?

Trudne wyzwanie przede mną, ponieważ literatura naukowa na ten temat jest niezwykle obfita, a rozmaite sugestie napływające ze wszystkich stron bywają mylące. Spróbujmy jednak wspólnie rozgryźć ten medyczno-dietetyczny problem.

Z pewnością tłuszcze są tym składnikiem pożywienia, o którym wiecie stosunkowo niewiele. Kiedy słyszę dyskusje o tłuszczach w diecie, często mam wrażenie, że włącza się do tej rodziny pokarmów mnóstwo rzeczy i miesza pojęcia.

Mówi się, że najlepiej spożywać oleje roślinne bogate w nienasycone kwasy tłuszczowe, ponieważ są zdrowsze[3]. Tutaj pojawia się pierwsze nieporozumienie: zapewne wyciągacie wniosek, że tego rodzaju tłuszcze spożywcze są niskokaloryczne i można śmiało jeść ich więcej. Nic podobnego! Wszelkie oleje składają się w 100% z tłuszczów i muszą być spożywane w rozsądnej ilości, zwłaszcza że konsumpcja produktów tłuszczowych dowolnego typu, co prawda z różną zawartością nienasyconych i nasyconych kwasów tłuszczowych, ale w każdym przypadku wysokokalorycznych, prowadzi do przybierania na wadze, a otyłość jest bardzo ważnym czynnikiem ryzyka w przypadku raka (o tym więcej za chwilę).

Drugi błąd wynika z przypisywania tłuszczom roślinnym prozdrowotnych właściwości z racji tego, że są… roślinne (nic bardziej mylnego, ponieważ wśród roślin znajdziecie najsilniejsze trucizny np. tytoń!)

i z automatycznego założenia, że mają przewagę nad tłuszczami pochodzącymi z mleka i mięsa zwierząt. To nieprawda. W rzeczywistości wiele olejów roślinnych ma zawartość nasyconych kwasów tłuszczowych zbliżoną do tłuszczu pochodzenia zwierzęcego (patrz: tabela 29).

Tabela 29. Porównanie różnych rodzajów produktów tłuszczowych

Produkt tłuszczowy	Wartość kaloryczna [kcal/100 g]	Zawartość tłuszczów [g/100 g]	W tym:			
			Nasycone kwasy tłuszczowe [g/100 g]	JNNKT [g/100 g]	WNNKT [g/100 g]	Cholesterol [mg/100 g]
Olej (przeciętnie)	899	99,9	12,7	57,6	27,7	0
Masło	748	82,6	57	21,7	3,1	226
Tłuszcz gęsi	896	99,6	27,3	57,1	11	100
Margaryna	736	81,6	19,4	17	41,6	śladowe ilości
Smalec	900	100	46,7	37,8	9	95

Źródło: Afssa, *Table CIQUAL 2008. Composition nutritionnelle des aliments*; dostępny na stronie: http://www.afssa.fr/TableCIQUAL/ (data dostępu: 20 marca 2010).

Czy możemy się pokusić o zalecenie całkowitego unikania tłuszczu w diecie? Tak radykalne posunięcie byłoby nierozsądne, ponieważ w tłuszczach rozpuszczają się niektóre witaminy i sole mineralne, w tym pewne substancje pełniące ważną rolę w profilaktyce antynowotworowej. Bez tłuszczu nie mogłyby zostać przyswojone przez organizm. Z korzyścią dla zdrowia 30–35% dziennego zapotrzebowania energetycznego powinno zostać zaspokojone przez spalanie tłuszczów[4].

Teraz pora na odpowiedź na pytanie, jakie tłuszcze wybierać.

Musicie przede wszystkim wiedzieć, że istnieją cztery typy kwasów tłuszczowych:

1. **wielonienasycone kwasy tłuszczowe** (WNNKT), które znajdziemy w wielu olejach roślinnych (sojowym, kukurydzianym, słonecznikowym), w tłustych rybach (łosoś, makrela, stynka, śledź) i w ostrygach

oraz w tranie, nasionach lnu i słonecznika, w soi i niektórych orzechach (orzechy włoskie);

2. **jednonienasycone kwasy tłuszczowe** (JNNKT), w które obfituje oliwa z oliwek, olej rzepakowy i słonecznikowy (wszystkie trzy o znacznej zawartości kwasu oleinowego), owoce awokado i różne rodzaje orzechów (orzechy nerkowca, orzechy pekanowe, migdały i arachidy);
3. **nasycone kwasy tłuszczowe** obecne w znacznej ilości w oleju kokosowym i palmowym, oleju z palmy olejowej, tłuszczach zwierzęcych (wieprzowym i wołowym), maśle, serach;
4. **kwasy tłuszczowe trans** naturalnie obecne w małych ilościach w produktach mleczarskich, wołowinie i jagnięcinie; powstają również w trakcie rafinacji oleju rzepakowego i sojowego oraz w procesie utwardzania olejów do postaci margaryny.

Tabela 30. Zawartość kwasów tłuszczowych w różnych rodzajach olejów

Rodzaj oleju	Wartość energetyczna [kcal/100 g]	Zawartość tłuszczów [g/100 g]	W tym:		
			Nasycone kwasy tłuszczowe [g/100 g]	JNNKT [g/100 g]	WNNKT [g/100 g]
Olej arachidowy	899	99,9	19,8	45,2	30,1
Oliwa z oliwek	898	99,8	15,1	77,2	7
Olej rzepakowy	900	100	7,6	58,9	29,7
Olej z orzechów włoskich	899	99,9	9,3	17	69
Olej z pestek winogron	900	100	9,6	18,2	67,8
Olej sojowy	899	99,9	14,1	20,5	60,5
Olej słonecznikowy	900	100	11,5	20	64,4
Olej do smażenia (mieszanka przemysłowa)	899	99,9	10,5	42,4	44,9

Źródło: Afssa, *Table CIQUAL 2008. Composition nutritionnelle des aliments*; dostępny na stronie: http://www.afssa.fr/TableCIQUAL/ (data dostępu: 20 marca 2010).

Produkty żywnościowe z dodatkiem tłuszczu lub olejów o wysokiej zawartości kwasów tłuszczowych nasyconych lub trans mają zwykle aksamitną konsystencję i smak.

Oleje roślinne bogate w jednonienasycone i wielonienasycone kwasy tłuszczowe wykazują dużą zawartość kwasów omega-3, omega-6 i omega-9.

Jak być alfą i omegą w sprawie omega-3?

Teraz kiedy już się zorientowaliście nieco w tematyce tłuszczów, pewnie zadacie mi pytanie: jakie produkty tłuszczowe warto włączyć do jadłospisu?

Bardzo mi przykro, ale niektórych z Was za moment gorzko rozczaruję. Otóż nie ma żadnych naukowych dowodów na to, że kwasy omega-3 (lub omega-6 czy omega-9) chronią przed rakiem[5]. Brak wystarczająco przekonujących wyników badań potwierdzających hipotezę o antyrakowym działaniu tych związków.

Co prawda pewne badania niebezpośrednio wykazały, że spożycie ryb bogatych w kwasy omega-3 może mieć wpływ profilaktyczny w przypadku niektórych rodzajów raka, ale zaraz pojawiły się kolejne, dowodząc braku takiego oddziaływania[6]. Nawet w słynnym raporcie World Cancer Research Fund z 2007 roku w rozdziale omawiającym przeciwnowotworowy wpływ składników pożywienia nie znalazła się najmniejsza wzmianka o omega-3[7].

Kwasy tłuszczowe omega-3 mogą się wręcz okazać niebezpieczne. Pod wpływem światła kwasy omega-3 i omega-6 przekształcają się w substancje wybitnie szkodliwe dla zdrowia. W wyniku takiej przemiany powstają wolne rodniki i nadtlenki lipidowe mogące uszkodzić materiał genetyczny komórek[8]. Ponieważ oleje zawierające kwasy omega-3 i omega-6 są nieodporne na działanie światła i łatwo jełczeją, tym samym ich dobroczynne nienasycone kwasy tłuszczowe zamieniają się po pewnym czasie w składniki rakotwórcze. Niestety, często dodajemy do potrawy teoretycznie zdrowy olej, a on pod wpływem światła jełczeje i staje się źródłem kancerogenów w postaci nadtlenków lipidowych. Stąd moja rada: przechowujcie oleje i oliwę w ciemnym miejscu i w nieprzepuszczalnym dla światła opakowaniu. Kupujcie mniejsze butelki i zużywajcie ich zawartość możliwie szybko.

Obecnie prowadzonych jest wiele badań interwencyjnych na ludziach, które mają zweryfikować hipotezę o profilaktycznym działaniu kwasów omega-3, ale jak dotąd żadne z nich nie udowodniło pozytywnego efektu, natomiast w 2006 roku prof. D. MacLean, jeden z największych znawców tematu, w artykule opublikowanym na łamach amerykańskiego pisma „Journal of American Medical Association" („JAMA") zaznaczył sceptycznie, że są nikłe szanse na to, by konsumpcja kwasów omega-3 mogła chronić przed rakiem[9].

Podgrzewanie oleju

Poza światłem również wysoka temperatura może wyzwolić toksyczne właściwości olejów. Zależność jest prosta. Im bardziej olej jest niestabilny (jak w przypadku olejów bogatych w jedno- i wielonienasycone kwasy tłuszczowe), tym mniej odporny na działanie gorąca. Zjawisko to związane jest z oddziaływaniem tlenu zawartego w powietrzu powodującym zmianę koloru oleju, wzrost jego lepkości i pojawienie się piany na jego powierzchni.

Temperaturę, w której określony olej ulega degradacji, tworząc szkodliwe substancje, nazywamy punktem dymienia (patrz: tabela 31). Glicerol (pierwszy produkt rozpadu tłuszczów) przechodzi pod wpływem silnego nagrzania w akroleinę, czemu towarzyszy drażniący zapach. Powstają liczne nadtlenki lipidowe zagrażające zdrowiu komórek[10] i tym sposobem olej staje się rakotwórczy. W gorących olejach wykryto ponad 50 lotnych związków organicznych, w tym silne mutageny (działające na DNA i wywołujące mutacje genetyczne) oraz kancerogeny takie jak benzen, benzo-α-piren, antracen, akroleina i formaldehyd[11] (patrz: tabela 6).

Tabela 31. Punkt dymienia różnych olejów

Rodzaj oleju	Punkt dymienia [°C]
Olej migdałowy	216
Olej arachidowy	227
Olej arachidowy z pierwszego tłoczenia	160
Olej rzepakowy rafinowany	204
Olej rzepakowy częściowo rafinowany	177
Olej rzepakowy z pierwszego tłoczenia	107
Olej z orzechów makadamii	199
Olej z orzechów laskowych	221
Olej z orzechów włoskich z pierwszego tłoczenia	160
Oliwa z oliwek z pierwszego tłoczenia	160
Olej palmowy	240
Olej z pestek winogron	216
Olej sezamowy z pierwszego tłoczenia	177
Olej sojowy z pierwszego tłoczenia	160
Olej ze słonecznika oleistego z pierwszego tłoczenia	160
Olej ze słonecznika jadalnego z pierwszego tłoczenia	107

Źródło: The Culinary Institute of America, *The New Professional Chef*, John Wiley & Sons, 1996.

Nawet jeśli nie orientujecie się zbyt dobrze w chemii, zapewne przeczuwacie, że nie kryje się pod wymienionymi nazwami nic dobrego. I słusznie! Są to potwornie szkodliwe potencjalne kancerogeny zdolne w ciągu kilku minut zainicjować proces nowotworzenia w jednej z Waszych komórek! Kiedy taka nowotworowa komórka się pojawi, będzie już za późno, aby powstrzymać jej lawinowe podziały. Powstaną z niej kolejno dwie komórki potomne, potem cztery, osiem, szesnaście, trzydzieści dwie, sześćdziesiąt cztery, sto dwadzieścia osiem itd. i niepostrzeżenie w ciele zagnieździ się rak.

Dlatego właśnie Światowa Organizacja Zdrowia zakwalifikowała smażenie w wysokiej temperaturze do grupy 2 A jako czynnik prawdopodobnie rakotwórczy dla człowieka[12] (patrz: tabela 6). Wystąpienie i nasilenie tego działania będzie oczywiście zależne od rodzaju oleju i temperatury smażenia. Sytuację pogarsza także wielokrotne używanie tego samego oleju, a nie jest to wcale rzadkie zjawisko. Według kontroli przeprowadzonej w 2358 restauracjach na zlecenie DGCCRF (czyli wspomnianego przy okazji badań owoców urzędu antymonopolowego francuskiego Ministerstwa Gospodarki, Finansów i Przemysłu)[13] w średnio co szóstej placówce gastronomicznej były w (najwidoczniej wielokrotnym) użyciu zdegradowane i zagrażające zdrowiu oleje. Powinny one być dużo wcześniej wylane i wymienione na nowe.

Uwaga na patelnię i wok!

Kiedy nałożycie na płaską patelnię z olejem świeże produkty spożywcze, wtedy wysączy się z nich woda. Zjawisko to w powiązaniu z równomiernym nagrzewaniem powierzchni naczynia sprawia, że temperatura tłuszczu błyskawicznie poszybuje w kierunku niebezpiecznych wartości.

Jeśli natomiast zastosujecie dalekowschodni wok o stożkowatym kształcie, wtedy temperatura składników potrawy na środku naczynia z pewnością przekroczy 240°C[14] i spowoduje powstanie kancerogennych policyklicznych amin aromatycznych (kilka ich nazw wymieniłem wcześniej).

Są dziesiątki dowodów pochodzących z badań eksperymentalnych na zwierzętach i badań interwencyjnych u ludzi potwierdzających powyższe stwierdzenia. Wiemy, że za zjawisko większej zapadalności na raka płuca z zagadki na wstępie tego rozdziału odpowiada smażenie w woku. Można nawet zmierzyć ryzyko rozwoju raka płuc u Azjatek w zależności od tygodniowej liczby posiłków usmażonych w woku lub liczby lat, w ciągu których smażyły one potrawy tym sposobem[15]. W wyniku analizy wyników badania personelu 23 azjatyckich restauracji udało się również wykazać, jak bardzo ryzyko zachorowania było zwiększone w przypadku chińskich kucharzy.

Olej olejowi nierówny?

Rodzaj oleju ma znaczenie. Oleje pozyskane z różnych roślin mają różne punkty dymienia, co mogliście prześledzić w tabeli 31. Decydujący jest stopień wysycenia kwasów tłuszczowych. Powstawanie rakotwórczych policyklicznych węglowodorów aromatycznych w oleju poddanym działaniu wysokiej temperatury zaobserwowano w przypadku oleju rzepakowego, oleju perilla (stosowanego w kuchniach azjatyckich) oraz oleju z nasion konopi[16].

Udowodniono, że wszystkie rodzaje olejów używane do smażenia w woku będą miały efekt kancerogenny (w wyniku oddziaływania wysokich temperatur nagrzewania wnętrza naczynia), jednak o różnym nasileniu. Jeśli uznamy smażenie w woku z użyciem oleju z nasion lnu za punkt odniesienia (jako najmniej szkodliwe), to zastosowanie oleju rzepakowego w tym samym naczyniu zwiększy ryzyko rozwoju raka o kolejne 65%, a oleju perilla lub oleju z nasion konopi aż o 325%. Natomiast stosunkowo mało szkodliwy wydaje się olej arachidowy[17].

Uwaga, moim celem nie jest agitacja na rzecz wprowadzenia zakazu używania woka i oleju rzepakowego! Chcę tylko, żebyście mieli odpowiednią wiedzę, aby wybierać olej najlepiej dostosowany do danego sposobu przygotowania potrawy oraz potrafili unikać kumulacji wielu czynników ryzyka, np. palenia i regularnego smażenia w woku, które mają wpływ na rozwój raka płuca.

Warto wiedzieć, że w pewnych przypadkach istnieje możliwość zniwelowania mutagennego i kancerogennego działania policyklicznych węglowodorów aromatycznych na nasz organizm. Niedawne badania tajwańskich specjalistów wykazały, że wspomnianemu negatywnemu działaniu może przeszkodzić spora dawka kwercetyny (wspominaliśmy o niej przy okazji składników warzyw, lecz zostanie jeszcze dokładniej omówiona w rozdziale o suplementach diety), co wskazuje interesujący trop w dziedzinie profilaktyki antynowotworowej[18].

Pewnie jesteście porządnie wystraszeni tym, że tłuszcze poza powodowaniem otyłości (już samo to jest istotnym czynnikiem ryzyka) mogą się stać bezpośrednim źródłem kancerogennych związków pod wpływem światła i wysokiej temperatury.

Nie raczmy się rakotwórczym akrylamidem

Niestety, przyjdzie mi jeszcze bardziej podsycić Wasze obawy, ponieważ muszę wspomnieć o jeszcze jednym silnie kancerogennym związku chemicznym powstającym podczas obróbki termicznej niektórych rodzajów pożywienia.

Tabela 32. Zawartość akrylamidu w poszczególnych grupach produktów dostępnych w handlu pochodzących z produkcji przemysłowej

Rodzaj produktów żywnościowych	Średnia zawartość akrylamidu [μg/kg]
Kawa i jej zamienniki	485
Solone przekąski	428
Frytki i czipsy	395
Ciastka i inne wyroby cukiernicze	191
Śniadaniowe produkty zbożowe	127
Chleb tostowy, sucharki i krakersy	91
Czekolada i batony czekoladowe	75
Żywność dla niemowląt	41
Dania gotowe	35
Produkty mleczne	13

Źródło: Afssa, *Acrylamide: point d'information n° 2*, 2003; dostępny na stronie: http://www.afssa.fr/Documents/RCCP2002sa0300.pdf (data dostępu: 19 marca 2010).

Akrylamid, bo o nim mowa, został oficjalnie uznany przez WHO za czynnik rakotwórczy dla człowieka[19] (patrz: tabela 6). Zaczyna ów akrylamid skutecznie spędzać sen z powiek władzom sanitarnym różnych krajów. Agencja ds. Bezpieczeństwa Sanitarnego Żywności (Afssa)

we Francji[20] i BPIC w Kanadzie[21] rozpoczęły akcję pobierania próbek na zawartość tego związku. Akrylamidem zainteresował się również Europejski Urząd ds. Bezpieczeństwa Żywności (EFSA)[22]. Dlaczego?

Pod wpływem temperatury w gotowanych potrawach może zajść reakcja chemiczna łączenia zawartych w nich cukrów z aminokwasami. Nazywamy ja reakcją Maillarda i jeśli bierze w niej udział aminokwas asparagina, wtedy produktem takiej reakcji będzie rakotwórczy akrylamid[23]. Logiczne jest, że kiedy podgrzewamy danie o dużej zawartości asparaginy, powstaje dużo akrylamidu. Asparagina stanowi 40% aminokwasów obecnych w czipsach, 14% aminokwasów w mące pszennej i 18% aminokwasów w produktach zbożowych na bazie żyta (bogatego w proteiny)[24].

Ostatnio Afssa opublikowała raport oparty na danych uzyskanych na podstawie analizy 200 próbek artykułów przemysłu rolno-spożywczego, które codziennie kupujecie w supermarketach[25]. Nie chodziło o konkretne marki produktów, ale o ogólne wnioski, które – jak zobaczycie – mrożą krew w żyłach.

Tabela 33. Niepełna lista produktów o znikomej zawartości akrylamidu

Rodzaj produktu żywnościowego	Kraj pochodzenia	Średnia zawartość akrylamidu [µg/kg]
Sucharki	Francja	10
Ciastka zbożowe	Francja	< 10
Gorzka czekolada	Szwajcaria	< 10
Desery mleczne	Francja	< 10
Frytki mrożone wstępnie podsmażone	Francja	< 50
Lasagne	Szwajcaria	< 20
Ciastka magdalenki	Francja	< 10
Deser moelleux (muffin z płynnym nadzieniem)	Francja	< 10
Ciasta czekoladowe	Francja	32
Produkty mleczne fermentowane	Francja	< 10

Źródło: Afssa, *Acrylamide: point d'information n° 2*, 2003; dostępny na stronie: http://www.afssa.fr/Documents/RCCP2002sa0300.pdf (data dostępu: 19 marca 2010).

Tabela 34. Niepełna lista produktów o zwiększonej zawartości akrylamidu

Rodzaj produktu żywnościowego	Kraj pochodzenia	Średnia zawartość akrylamidu [μg/kg]
Ciastka	Francja	550
Kawa rozpuszczalna	Szwajcaria	567
Płatki zbożowe z miodem	Francja	410
Kawa zbożowa	Szwajcaria	1300
Krakersy	Francja	250
Czipsy kukurydziane (croustilles)	Francja	245
Frytki	Szwajcaria	2600
Piernik	Francja	300
Prażynki ziemniaczane	Francja	900
Słone przekąski ekstrudowane	Francja	600

Źródło: Afssa, *Acrylamide: point d'information n° 2*, 2003; dostępny na stronie: http://www.afssa.fr/Documents/RCCP2002sa0300.pdf (data dostępu: 19 marca 2010).

W przebadanych próbkach produktów mlecznych wykryto niewielkie, ok. 10–35 μg/kg, ilości akrylamidu. Dla porównania niektóre frytki i czipsy zawierają nawet 2600 μg/kg tego szkodliwego związku, płatki zbożowe z miodem – 410 μg/kg, a prażynki ziemniaczane – 850 μg/kg. Jeśli chodzi o produkty na bazie kawy rozpuszczalnej i prażonej cykorii, zwłaszcza pochodzące ze Szwajcarii, to miały one zawartość akrylamidu przeważnie ok. 1000 μg/kg[26]! Jak na tak kancerogenny składnik, to doprawdy niemało!

Tak oto rozważyliśmy ryzyko związane ze spożywaniem niektórych smażonych potraw, olejów i produktów żywnościowych. Jaki ogólny wniosek możemy wyciągnąć na temat związku spożywania tłuszczów i ryzyka rozwoju nowotworów? Co z innymi sposobami przyrządzania potraw?

Muszę zaznaczyć, że jeśli chodzi o inne produkty tłuszczowe (poza olejami), takie jak np. masło, nie ma żadnych przekonujących dowodów (poza ryzykiem przybrania na wadze) na ich ewentualne kancerogenne lub ochronne działanie.

W końcu jakaś dobra wiadomość!

Druga uwaga będzie jednak kolejnym ostrzeżeniem i dotyczy opiekania jedzenia na grillu i ruszcie. Była już o nim mowa w rozdziale na temat mięs. W powszechnej opinii to jeden z najzdrowszych sposobów przyrządzania ryb i mięsa. Zdecydowanie należy się jednak wystrzegać tego sposobu obróbki termicznej, ponieważ powierzchnia grillowanej ryby czy mięsa ma kontakt ze strefą płomienia o temperaturze nawet ponad 500°C, a pod wpływem takiego gorąca tworzą się silnie rakotwórcze aminy heterocykliczne i policykliczne węglowodory aromatyczne. Dlatego Francuska Agencja ds. Bezpieczeństwa Sanitarnego Żywności (Afssa) zaleca ograniczyć opiekanie na ruszcie do specjalnych okazji i układać składniki w trakcie przyrządzania w odległości co najmniej 10 cm od płomienia[27].

Kolejny raz zaznaczam, że i tutaj nie chodzi o radykalne posunięcia – wyrzucenie grilla na śmietnik i całkowite zaniechanie przyjęć typu *barbecue*. Wystarczy zmniejszyć liczbę tego rodzaju biesiad do zaledwie kilku w roku i zrezygnować z opiekania swoich codziennych posiłków na grillu.

Kiedy macie możliwość, wybierajcie raczej tatara (wybór 28% Francuzów) lub potrawę na bazie surowej ryby (wybór co ósmego Francuza), przy czym w przypadku ryb unikajcie czerwonego tuńczyka, włócznika i łososia[28].

A jeśli już smażycie mięso, zróbcie sobie półkrwisty lub co najwyżej średnio wypieczony befsztyk (tak jak 60% moich rodaków).

Rozdział 8

JAK OSŁODZIĆ SOBIE ŻYCIE

Jakiś czas temu mój przyjaciel, znany satyryk, w trakcie kolacji zagadnął mnie tak: „Chyba zgodzisz się ze mną, że rafinowany biały cukier jest silnie rakotwórczy? Słyszałem, że w trakcie jego rafinacji używa się składników uzyskanych z psich kości".

Oczywiście myślałem, że żartuje. Jakież było moje zdziwienie, kiedy okazało się, że większość towarzystwa w pełni podziela jego obawy.

Właśnie dlatego uznałem, że temat słodkości w diecie wymaga wyjaśnień i zdecydowałem poświęcić mu cały rozdział. Przede wszystkim do rafinacji cukru w żadnym wypadku nie używa się mączki z psich kości!

Ach, ten cukier! Wystarczy, że ktoś gdzieś wypowie to magiczne słowo, a zaraz rozmarzone myśli większości z nas powędrują w stronę cukierkowych, czekoladowych i deserowych smakołyków. Co ciekawe, rzadko tak się rozczulamy na myśl o kalafiorze lub befsztyku!

Słodki smak nas uspokaja, wprawia w dobry nastrój i sprawia, że mamy nieodpartą ochotę na kolejny kęs, jeszcze jedną porcję... Do tego stopnia, że jeśli zawsze ulegalibyśmy pokusie i nie nakładali na siebie żadnych ograniczeń, to cukiernicy musieliby pracować ze zdwojoną mocą. Słodkości kojarzymy z dzieciństwem, tradycyjnymi domowymi konfiturami, chwilami bliskości z rodziną.

Skąd to powiązanie? Odczuwanie smaku, jeden z naszych pięciu zmysłów, zawdzięczamy receptorom usytuowanym na języku i w jamie ustnej. Niemowlęta mają aż 7 tysięcy tych receptorów, niestety ich liczba zmniejsza się z wiekiem i po 60 roku życia kurczy się do zaledwie 2 tysięcy. Istnieją cztery rodzaje receptorów smakowych odpowiadające czterem głównym smakom odczuwanym przez człowieka: słonemu, słodkiemu, kwaśnemu i gorzkiemu. Najwięcej receptorów służy do wykrywania smaku słodkiego i rozwijają się one jako pierwsze jeszcze przed naszymi narodzinami, w okresie płodowym[1].

Tabela 35. Słodkość względna różnych środków słodzących

Produkty słodzące	Słodkość względna
Acesulfam (E 940)	130–200
Aspartam (E 951)	200
Fruktoza	110–120
Glukoza	70
Laktoza	30
Miód	100
Sacharyna	300–500
Sacharoza – główny składnik cukru trzcinowego i buraczanego (wzorzec smaku przyjęty do porównania)	100
Cukier inwertowany	100–110

Spożywanie cukrów a ryzyko nowotworów

Czy można odnaleźć zależność między spożyciem cukru i słodzików a ryzykiem zachorowania na raka[2]?

Odpowiedź może nam podsunąć zerknięcie do globalnego raportu World Research Cancer Fund na temat wpływu nawyków żywieniowych na ryzyko rozwoju raka, do którego często odwołuję się w tej książce. Opracowanie liczy bite 600 stron, z czego ani jedna nie została poświęcona tematyce cukru i słodzików[3]!

Podejrzewam jednak, że jeśli już ktoś kupił moją książkę o prawdziwej diecie antyrakowej, oczekuje informacji również i na temat ryzyka związanego z łakociami. Zapewne chcecie na podstawie lektury przefiltrowanej przez własny rozsądek wyrobić sobie zdanie o słodyczach i ewentualnie zmodyfikować przyzwyczajenia żywieniowe, mając na względzie ochronę siebie i swoich bliskich przed chorobą.

Zacznijmy analizę problemu od cukrów naturalnych.

Jakimi przesłankami kierują się pseudospecjaliści wmawiający, że cukier jest rakotwórczy, skoro z najważniejszego raportu dotyczącego powiązań diety z rakiem wypływa zupełnie inny wniosek?

Najwyraźniej zależy im na tym, aby Was zastraszyć i w tym celu manipulują uogólnieniami bez żadnych naukowych podstaw.

Wpływ insuliny i insulinopodobnego czynnika wzrostu (IGF-1)

Co na pewno wiadomo na temat cukru? Tylko tyle i aż tyle, że cukier przyczynia się do otyłości, a nadwaga sprzyja rozwojowi raka. Poświęcę temu zagadnieniu więcej miejsca w jednym z kolejnych rozdziałów.

Jak na podstawie tego jednego naukowego pewnika niektórzy doszli do wniosku o konieczności rezygnacji ze spożywania słodkich rzeczy? Otóż pokusili się o dość zawiłą metodę rozumowania, którą zaraz Wam przedstawię. Zacznijmy od tego, że organizm ludzki wytwarza insulinę, czyli hormon odgrywający bardzo ważną rolę w metabolizmie węglowodanów i tłuszczów. Powoduje ona albo odkładanie nadmiaru glukozy w wątrobie i mięśniach w postaci glikogenu (w przypadku zbyt kalorycznego pożywienia i / lub zbyt małej aktywności), albo uwolnienie tych rezerw energetycznych, gdy ponownie wzrośnie zapotrzebowanie. Insulina wpływa również na tworzenie dodatkowego zapasu energii w postaci tkanki tłuszczowej i sięga po jej składniki do odtworzenia glukozy w wypadku szczególnie dużego deficytu energetycznego (np. w czasie przymusowego głodu lub diety odchudzającej).

Tabela 36. Zawartość tłuszczów i cukrów w porcji 100 g wybranych słodkich produktów żywnościowych

Nazwa słodkiego produktu	Wartość energetyczna [kcal/100 g]	Całkowita zawartość węglowodanów [g/100 g]	W tym zawartość cukrów [g/100 g]	Zawartość tłuszczów [g/100 g]
Babka rumowa	277	28,8	23,3	13,4
Herbatniki petit beurre	446	73,8	22,1	13,1
Cukierki (średnio)	339	75,4	75,2	3,5
Ciasteczka czekoladowe brownie	444	47,9	40	25,3
Keks	409	61,2	42,4	16,1
Czekolada mleczna	547	57,5	56,5	32,1
Czekolada gorzka o zawartości 70% kakao	545	33	26,8	42,3
Konfitura (średnio)	220	54,4	54,4	0,27
Ciastka cookie z bakaliowymi lub czekoladowymi „piegami"	511	62,6	34,5	25,9
Deser crumble z jabłek	223	32,8	23,7	9
Ekler	254	31,3	22,6	11,8
Deser jajeczny typu flan	201	27,9	10,3	8,1
Fruktoza	380	95	95	0
Magdalenki	441	54,3	19,2	22,2
Bezy	394	91,6	91,6	0,7
Miód	316	78,6	78,6	0
Ciastko francuskie z nadzieniem	292	43,7	21,1	11,3
Masło kanapkowe czekoladowo-orzechowe	510	57,1	56,5	28,9
Cukier biały	400	100	100	0
Szarlotka	271	37,4	14,8	11,6

Źródło: Afssa, *Table CIQUAL 2008. Composition nutritionnelle des aliments*; dostępny na stronie: http://www.afssa.fr/TableCIQUAL/ (data dostępu: 20 marca 2010).

Jak widać insulina jest bardzo ważnym regulatorem o ogólnoustrojowym działaniu. Niestety, u osób otyłych gospodarka insulinowa organizmu zaczyna poważnie szwankować. W którymś momencie w organizmie strudzonym nieustannym przetwarzaniem nadmiaru składników energetycznych pożywienia na zapasy tłuszczu tkanki przestają prawidłowo reagować na hormon. Jakie będą tego konsekwencje? Trzustka natęża się i zmusza swoje komórki do wydzielania znacznie większej dawki insuliny, aby mimo wszystko udało się wykonać zadanie regulacji poziomu cukru. W efekcie dochodzi do tzw. hiperinsulinemii i we krwi zaczyna krążyć bardzo dużo insuliny.

W konsekwencji gospodarka węglowodanowa zostaje rozstrojona tak dalece, że rozwija się cukrzyca typu II, nazywana czasami cukrzycą dorosłych, ponieważ ta postać choroby dotyka głównie osoby otyłe w wieku dojrzałym. Należy ją odróżnić od cukrzycy typu I (tzw. cukrzycy dziecięcej), w której mamy do czynienia z pierwotnym, niedostatecznym wydzielaniem insuliny przy zachowaniu normalnej wrażliwości tkanek na ten hormon.

W cukrzycy dorosłych insulina produkowana w nadmiernej ilości już nie tylko usiłuje regulować poziom glukozy we krwi (glikemii) i stan rezerwy energetycznej, ale zaczyna sobie śmiało poczynać także na innych polach. Stymuluje wzrost komórek[4], i to zarówno komórek prawidłowych, jak i rakowych.

Ponadto pobudza wątrobę do wydzielania zwiększonej ilości innej substancji o nazwie IGF-1, czyli insulinopodobnego czynnika wzrostu intensyfikującego namnażanie się komórek. Zdarza się nawet, że insulina przejmuje jego funkcję i ze zdwojoną mocą napędza lawinę podziałów komórkowych.

Działanie IGF-1 lub insuliny, która zawłaszczyła jego „obowiązki", może potencjalnie powodować rozwój raka, ponieważ czynnik ten przyspiesza proces przemiany komórki zdrowej w rakową zachodzący pod wpływem czynników kancerogennych. IGF-1 zapobiega samobójczej apoptozie komórek nowotworowych i bezpośrednio napędza ich podziały[5].

Wspomnijmy o jeszcze jednym dodatkowym kancerogennym działaniu czynnika IGF-1 i nadmiernie wydzielanej insuliny, tym razem niebezpośrednim, jakim jest zmuszanie organizmu do intensyfikacji wydzielania hormonów płciowych[6] takich jak estrogeny, które mogą uaktywnić namnażanie się komórek raka piersi, lub androgeny powiązane z rakiem prostaty. Oto rozpracowaliśmy konkretny mechanizm wyjaśniający związek między otyłością i rakiem (więcej na ten temat – w jednym z kolejnych rozdziałów).

„Ale co z cukrem?", zapytacie teraz. Cóż, cukier spożywany w posiłkach nie ma tutaj nic do rzeczy! Usiłuje się nam jedynie wmawiać, że jest inaczej.

Dajemy się nabrać, ponieważ wszyscy odruchowo łączymy ze sobą pojęcia insuliny, cukrzycy i cukru!

Pójdźmy jednak krok dalej. Jak się domyślacie, przeprowadzono mnóstwo badań zmierzających do wykrycia, czy aby na pewno nie ma jakiegoś, choćby niewielkiego powiązania między cukrem w diecie a ryzykiem raka.

Badacze przeprowadzili analizę dla następujących odmian raka: prostaty, okrężnicy, jajnika, piersi, trzustki i macicy. Powiem od razu, że w przypadku raka trzustki[7], prostaty[8], jajnika i macicy[9] żadne poważne badanie nie wykazało związku rozwoju choroby z konsumpcją cukru i słodyczy.

Dwa badania kohortowe dotyczące raka piersi również nie wykryły takiego powiązania. Pierwsza obserwacja prowadzona w ciągu 15 lat objęła 60 tysięcy Szwedek. Okazało się, że 2952 panie, które zachorowały na raka piersi w trakcie prowadzenia badań, nie jadły więcej słodkich produktów żywnościowych niż pozostałe 57 tysięcy kobiet, które uniknęły raka[10].

Natomiast drugie badanie kohortowe trwało 10 lat i objęło podobną liczebnie grupę niemal 60 tysięcy ochotniczek, ale tym razem wyłącznie w wieku pomenopauzalnym. We wnioskach z obserwacji zapisano, że nadwaga i zwiększony obwód talii (potwierdzający nadwagę) nasilały ryzyko zachorowania na raka piersi[11], ale nie odnotowano korelacji między konsumpcją cukru a zapadalnością na raka.

Pora teraz, by rzucić okiem na obszerne badanie podsumowujące wyniki wszystkich obserwacji dotyczących raka piersi zakończonych do roku 2008. Końcowy wniosek jest następujący: nie stwierdzono wyraźnego związku między ilością spożywanego cukru a ryzykiem rozwinięcia raka gruczołu piersiowego zarówno przed, jak i po menopauzie[12].

Pozostaje jeszcze rak okrężnicy. Z dwóch dużych badań kohortowych prowadzonych przez 20 lat[13], które objęły 130 tysięcy osób, wynika jasno brak korelacji między spożyciem cukru a ryzykiem raka jelita grubego u kobiet. Daje się natomiast zauważyć niewielki wzrost ryzyka w przypadku mężczyzn, ale tylko w przypadku znacznej konsumpcji fruktozy oraz sacharozy i wyłącznie ze współistniejącą nadwagą!

Szczerze mówiąc, znając mechanizm ryzyka związany z otyłością, doprawdy trudno osądzić, czy cukier realnie zwiększył prawdopodobieństwo zachorowania na raka w przypadku owych mężczyzn z nadwagą.

Niedawno zostało również wykonane zbiorcze badanie reasumujące wyniki wszystkich obserwacji kohortowych dotyczących raka jelita grubego. Pozwoliło ono jednoznacznie wykluczyć wpływ spożywanych cukrów na wzrost ryzyka tego rodzaju raka[14].

Co więcej, przeprowadzone z niezwykłym rozmachem obserwacje 191 tysięcy dorosłych w ramach Multiethnic Cohort Study dowiodły czegoś przeciwnego, a mianowicie, że w przypadku kobiet większa konsumpcja węglowodanów wydaje się chronić przed rakiem jelita grubego, oczywiście przy jednoczesnym zachowaniu prawidłowej wagi[15].

Słodka alternatywa

Co możemy powiedzieć na temat wpływu słodzików, określanych mianem sztucznych środków słodzących? Już w roku 1996 w internecie zaczęła krążyć plotka o rakotwórczym działaniu aspartamu.

Czy po 15 latach jesteśmy w stanie zweryfikować tę hipotezę? Przede wszystkim możemy sprostować, że rzekomo sztuczny aspartam jest w rzeczywistości związkiem organicznym naturalnego pochodzenia.

Wykryto go w 1965 roku. Tworzy go połączenie dwóch występujących naturalnie reszt aminokwasowych – fenyloalaniny i kwasu asparaginowego. Nie posiada wartości energetycznej (dostarcza zero kilokalorii) i jest prawie 200 razy bardziej słodki niż cukier, dlatego może stanowić jego dobry zamiennik. W 1981 roku nieszkodliwość aspartamu oficjalnie potwierdziły Światowa Organizacja Zdrowia (WHO) i Organizacja Narodów Zjednoczonych ds. Wyżywienia i Rolnictwa (FAO). Obie instytucje zalecają, aby nie przekraczać dawki 40 mg/kg/dzień (natomiast amerykańska agencja rządowa FDA ustaliła wyższy limit na poziomie 50 mg/kg/dzień). Daje to po przeliczeniu dla mężczyzny o wadze 80 kg bezpieczną ilość słodzika 3200 mg/dzień, czyli aż 150 pastylek! Dla porównania diabetycy, którzy słodzą swoje jedzenie wyłącznie aspartamem, nie przekraczają z reguły 10 mg/kg/dzień[16]. Szanse na przedawkowanie są nikłe, możemy zatem odetchnąć z ulgą.

W badaniach nad różnymi rodzajami ludzkich nowotworów nie wykazano nigdy rakotwórczego działania aspartamu. Jestem przekonany, że nie musimy się martwić o potencjalnie negatywne skutki tego słodzika.

Syrop z agawy i stewia

Na koniec pomówmy o „modnych" obecnie środkach słodzących takich jak syrop z agawy i stewia.

Pierwszy z nich jest syropem (nektarem) produkowanym w Meksyku z niektórych gatunków agawy służących również do wyrobu tequili. Panuje opinia, że jest lepszy niż cukier i może go zastąpić. Ale po co, skoro wszystkie badania wykazują, że cukier nie działa kancerogennie? Dlaczego zastępować dobry produkt innym, porównywalnie dobrym? Po drugie – z porównania własności antyoksydacyjnych różnych środków słodzących wynika, że syrop z agawy nie różni się pod tym względem od cukru[17] i na dodatek działa znacznie słabiej antyoksydacyjnie niż syrop klonowy czy miód! Mam w zanadrzu jeszcze jeden mocny argument. Otóż zapytałem mojego przyjaciela, profesora Jaimego de la Garzę, szefującego Instituto National de Cancerología w Meksyku, czy meksykańscy Indianie, którzy tradycyjnie słodzą swoje posiłki syropem z agawy, rzadziej zapadają na raka niż przedstawiciele innych grup etnicznych zamieszkujących ten kraj. Otrzymałem odpowiedź zdecydowanie negatywną!

We Francji ostatnio coraz częściej mówi się o słodkiej nowince – stewii. Używać jej do słodzenia czy nie?

Mam tutaj na myśli susz, wyciąg z liści lub pastylki otrzymywane z pewnej rośliny astrowatej pochodzącej z Ameryki Południowej. Stewia jest słodsza ok. 140–250 razy od cukru[18] (w zależności od odmiany rośliny) i została dopuszczona jako surowiec do wyrobu naturalnych słodzików[19] w Ameryce Południowej, Japonii oraz USA. Jak dotąd roślina ta nie uzyskała statusu środka spożywczego w Unii Europejskiej ze względu na wyniki badań na szczurach sugerujące, że może wywoływać niepłodność[20].

Ponieważ obecnie mamy zbyt mało wyników badań oddziaływania stewii, wolę dmuchać na zimne i nie wypowiadać się wyraźnie ani za, ani przeciw.

Rozdział 9

CO PIĆ NA ZDROWIE

Picie jest ważniejsze dla podtrzymania życia niż jedzenie. Bez dostarczania organizmowi napojów jesteśmy w stanie wytrzymać znacznie krócej niż bez pokarmów stałych. Trzeciego dnia bez picia pojawiają się oznaki krytycznego odwodnienia i bez natychmiastowego podania płynów człowiek umiera w ciągu kilku dni.

Dlaczego? Dzieje się tak, ponieważ nasze ciało składa się w 65% z wody (u dorosłych)[1], a w przypadku dzieci wody w organizmie jest nawet więcej.

Mamy szczęście żyć w państwach wysoko rozwiniętych, gdzie dostęp do wody pitnej o dobrej jakości nie jest problemem. Warto jednak pamiętać, że ok. 20% światowej populacji cierpi z powodu pragnienia i chorób wywołanych spożywaniem zanieczyszczonej wody[2]. Według WHO co roku umiera z tego powodu prawie 1,6 miliona osób[3].

Woda zdrowia doda?

Przyjrzyjmy się bliżej sytuacji we Francji. Panuje powszechne przekonanie, że w naszym kraju woda ogólnie jest zdrowa i bezpieczna, zarówno pochodząca z sieci wodociągowej, jak i butelkowana, na równi pobrana z ujęcia, jak i mineralna. Czy to prawda?

Niekoniecznie. Z raportu opublikowanego w 2008 roku przez Dyrekcję Generalną ds. Zdrowia i Konsumentów Komisji Europejskiej (DG Sanco)[4] wynika, że w roku przeprowadzenia kontroli 5 milionów Francuzów miało w swoich kranach wodę o przekroczonej normie zawartości pestycydów (patrz: tabela 37).

Tabela 37. Wyniki kontroli zawartości pestycydów w wodzie kranowej we Francji w 2008 roku w odniesieniu do norm jakości dla wody pitnej

Sytuacja	Liczba przedsiębiorstw wodociągowych [liczbowo i procentowo]		Liczba zaopatrywanych mieszkańców [w mln osób i procentowo]	
Zgodność zawartości pestycydów z normą	21 618	84%	56,4	91,2%
Przekroczenie zawartości pestycydów niewymagające ograniczeń zastosowania wody	1169	4,5%	4,9	8%
Przekroczenie zawartości pestycydów, wykluczające zastosowanie wody do picia i przyrządzania posiłków	96	0,4%	0,1	0,1%
Brak danych	2858	11,1%	0,5	0,7%

Źródło: Direction générale de la santé, Bureau de la qualité des eaux, *Bilan de la qualité de l'eau au robinet du consommateur vis-à-vis des pesticides en 2008*, 2008; dostępny na stronie: http://www.sante-sports.gouv.fr/IMG/pdf/bilan_national_pesticides_2008.pdf (data dostępu: 17 marca 2010).

Najgorzej przedstawiała się sytuacja w departamentach Seine-et-Marne i Eure-et-Loir. Jest to niepokojące, ponieważ niektóre z wykrytych pestycydów wykazują działanie rakotwórcze. Poza tym ujęcia wody są kontrolowane zaledwie co 5 lat, a najmniejsze – nawet raz na 10 lat!

Co gorsza pestycydy nie są jedynym potencjalnie rakotwórczym związkiem wykrywanym w wodzie wodociągowej. Może być ona zanieczyszczona także arsenem oficjalnie sklasyfikowanym przez WHO jako czynnik kancerogenny[5].

Tabela 38. Ekspozycja na arsen mieszkańców wybranych państw

Państwo	Szacunkowa dzienna dawka
Francja	Dorośli: 62 µg/dzień (nawet do 163 µg/dzień)
	Dzieci: 43 µg/dzień (nawet do 103 µg/dzień)
Kanada, Polska, USA, Wielka Brytania	Dorośli: 17–129 µg/dzień
	Dzieci: 1,3–16 µg/dzień

Źródło: OMS, *L'Arsenic dans l'eau de boisson*, 2001; dostępny na stronie: http://www.who.int/water_sanitation_health/mdg1/fr/index.html (data dostępu: 17 marca 2010).

Zostało jasno wykazane w wielu badaniach, że arsen trafiający do organizmu wraz z wodą może podwoić albo nawet potroić ryzyko zachorowania na raka płuc (potwierdzony w sposób pewny wzrost ryzyka o co najmniej 300%[6]). Prawdopodobny jest wpływ arsenu na rozwój raka pęcherza moczowego i skóry.

Skoro nie możemy być w stu procentach pewni wody kranowej, może lepiej całkowicie przestawić się na wodę mineralną?

Cóż, i tutaj nie zyskamy absolutnej gwarancji. W wyniku kontroli przeprowadzonej przez francuskie władze sanitarne (RNSP) w 1998 roku stwierdzono, że zawartość arsenu w 20 różnych butelkowanych wodach mineralnych nie mieściła się w normie dla wody pitnej (tj. 10 µg/l). Niektóre z nich wykazywały alarmujące skażenie arsenem w ilości ponad 50 µg/l[7]!

Czy od tamtej pory coś zmieniło się na lepsze?

Niestety, nie wiadomo, chociaż to byłaby informacja szczególnie ważna dla naszego zdrowia. Wyniki kontroli po 1998 roku nie zostały udostępnione.

Pomocna może się jednak okazać lista źródeł wód mineralnych o zawartości arsenu przekraczającej normę opublikowana przez Francuską Agencję ds. Bezpieczeństwa Sanitarnego Żywności (Afssa) po spotkaniu roboczym z CSHPF 10 października 2000 roku[8].

Pewnie chcielibyście mnie teraz zapytać, czy modne obecnie filtry dzbankowe radzą sobie ze wspomnianymi zanieczyszczeniami wody i w jaki sposób? Niestety, nie są przydatne do usuwania metali ciężkich, pestycydów, azotanów i innych związków organicznych.

Tabela 39. Porównanie właściwości naturalnej wody mineralnej oraz wody kranowej oczyszczonej w filtrze dzbankowym

Parametr	Woda kranowa z dzbanka filtrującego	Naturalna woda mineralna
Skład mineralny	Nieznany lub zmieniony, zależny od własności wody kranowej przed filtracją i stopnia zużycia wkładu filtrującego	Stały, podany na etykiecie
Zawartość azotanów	Niezmieniona w wyniku filtracji	< 10 mg/l, stała, podana na etykiecie
Wartość wskaźnika pH	Zmodyfikowana, zmienna	Stała, podana na etykiecie
Zawartość chloru	Zmniejszona o ok. 50%, zmienna	Brak
Smak i zapach	Zależne od stopnia wypełnienia filtra	Stałe, rozpoznawalne
Zawartość pestycydów	Zmniejszona o ok. 65%, zmienna	Teoretycznie brak
Zawartość zanieczyszczeń mechanicznych	Wychwycone przez filtr	Stały poziom, 30 razy mniejszy niż w wodzie kranowej
Obecność patogenów	Ryzyko przeniknięcia z używanego filtra do porcji wody	Brak
Zawartość srebra	Wychwycone przez filtr	Niewykrywalne
Zawartość oligoelementów	Wyeliminowane lub zawartość zmienna	Stała zawartość
Zawartość związków organicznych	Zmienna, nieznacznie zmniejszona	Naturalna, stała, niewielka: < 0,5 mg/l
Metale ciężkie	Częściowo usunięte	Ołów, rtęć, miedź i cynk niewykrywalne

Azotany i azotyny

Muszę jeszcze osobno wspomnieć o kancerogennych azotanach i azotynach[9] wykrywanych niekiedy w wodzie pitnej. Bardzo wymowne są dane na temat francuskiej wody wodociągowej pochodzące z publikacji Dyrekcji Generalnej ds. Zdrowia i Konsumentów Komisji Europejskiej z maja 2009 roku[10]. Nie można wykluczyć, że azotany znajdują się również w niektórych wodach mineralnych. Mam zatem dobrą radę – sprawdzajcie od czasu do czasu w internecie wyniki badań jakości wody w Waszej miejscowości (udostępniane we Francji przez regionalne placówki DRASS i DDASS).

Tabela 40. Jakość wody w większych miastach Francji

Miasto	Parametry jakościowe wody	
	Zawartość chloru [mg/l]	Zawartość azotanów [mg/l]
Paryż, część zachodnia	0,16	36
Brest	0,20	25
Lille	0,06	23
Nantes	0,23	14
Paryż, część północno-wschodnia	0,13	11
Strasburg	0,1	11
Rennes	0,20	10
Bordeaux	0,16	9
Lyon	0,07	6

Źródło: DGS, *Résultats du contrôle sanitaire de la qualité de l'eau potable*, 2009; dostępny na stronie: http://www.sante-sports.gouv.fr/resultats-du-controle-sanitaire-de-la-qualite-de-l-eau-potable.html (data dostępu: 17 marca 2010).

Jeśli woda kranowa jest dobra, nie musicie niepotrzebnie wydawać pieniędzy na dzbanki filtrujące czy wodę butelkowaną. Jeśli jednak okaże się, że woda wodociągowa w Waszym mieście ma podwyższone stężenie szkodliwych związków, przestawcie się na wodę oligoceńską lub mineralną z pewnego źródła.

Wino winne czy niewinne?

Innym ważnym napojem konsumowanym przez ludzi od zarania dziejów jest wino uważane od starożytności za synonim cywilizacji.

Na temat wpływu wina na zdrowie krąży wiele błędnych opinii.

Zacznijmy od podstawowej kwestii, tak jak to robiliśmy w poprzednich rozdziałach. Czy wino zatem może być uznane za czynnik ryzyka rozwoju nowotworów?

Podobnie jak w przypadku wody zawierającej pewne ilości arsenu, nie jest szkodliwe spożywanie tej wody lub wina, ale ich picie w nadmiarze!

Rozważcie jedną rzecz. Ze względu na nią podrozdział o wodzie umieściłem przed winem. Arsen jest i był zawsze naturalnie obecny w wodzie (niezależnie od dzisiejszego skażenia środowiska) i już nasi odlegli przodkowie pili wodę z jego niewielką zawartością. Jeśli codzienne spożywanie umiarkowanej ilości takiej wody miałoby nieuchronnie wywołać raka, chorowaliby wszyscy ludzie (pod warunkiem że nasz gatunek wciąż by istniał!).

Z winem jest podobnie. Jeśli wino byłoby rakotwórcze nawet w małej ilości, jak to ostatnio ogłosił francuski Narodowy Instytut Raka (INCa)[11] i co zostało natychmiast sprostowane przez francuskie Ministerstwo Zdrowia[12], pewnie wszyscy mielibyśmy teraz raka jamy nosowo-gardłowej, wątroby albo okrężnicy! Naszych przodków dziesiątkowałyby „epidemie" złośliwych nowotworów zapewne spowodowane tym, że w czasach starożytnych porzucili oni picie zainfekowanej niegdyś wody wywołującej zakażenia układu pokarmowego na rzecz kancerogennego wina!

Nic podobnego! Skończmy jednak z żartami i sprawdźmy, czy istnieją naukowe dowody związku wina z rakiem?

Przejrzymy teraz wyniki dotychczasowych badań i opinię z raportu World Cancer Research Fund z 2007 roku[13].

Zacznijmy od nowotworów złośliwych jamy nosowo-gardłowej. W zbiorczym raporcie podsumowującym wyniki 26 badań kliniczno-kontrolnych (retrospektywnych) tego rodzaju nowotworów znajduje się omówienie 21 badań, które mają związek z tematem naszych rozważań. 16 z nich wskazuje zwiększoną konsumpcję wina jako czynnik sprzyjający rozwojowi raka nosogardła, natomiast 5 pozostałych dowodzi czegoś zupełnie przeciwnego, a mianowicie ochronnej roli tego napoju.

Jeśli uśrednić wyniki wspomnianych 21 badań, otrzymamy informację o zwiększonym o ok. 2% ryzyku rozwoju raka nosogardła pod wpływem regularnego picia wina. Jeśli jednak wspomnimy na wysokie ryzyko błędu w przypadku badań retrospektywnych (była o tym mowa w rozdziale 1), staje się jasne, że nie możemy tak po prostu zignorować tego „zaledwie" dwuprocentowego wzrostu ryzyka[14].

Na dodatek omawiany raport pochodzi z roku 2006 i zawiera analizę badań tylko do roku 2005, podczas gdy w czerwcu 2006 roku ujrzała światło dzienne przełomowa publikacja. Amerykańscy naukowcy ostatecznie potwierdzili coś, co wyzierało z wielu dotychczasowych wyników badań, a mianowicie fakt, że nowotwory jamy nosowo-gardłowej są wywołane wirusem HPV. Tym samym wirusem, który odpowiada za raka szyjki macicy, penisa oraz odbytu i jest przenoszony drogą seksualnych kontaktów oralno-genitalnych[15]. Na szczęście u większości z nas zakażenie wirusami HPV ustępuje samoistnie dzięki naturalnej odpowiedzi immunologicznej organizmu. Zdarza się jednak niekiedy, że organizm pewnych osób nie radzi sobie z wirusem i zakażenie staje się (w połączeniu z dodatkowymi czynnikami ryzyka, takimi jak palenie papierosów) przyczyną rozwoju raka nosogardła.

Warto wspomnieć przy okazji, że wiążemy ogromne nadzieje ze szczepionkami przeciwko wirusowi HPV. Powinny one pomóc w profilaktyce raka nosogardła oraz innych nowotworów mających związek z tego rodzaju zakażeniem wirusowym.

Wróćmy jednak do roli wina w przypadku raka jamy nosowo-gardłowej. Co powinien zrobić rzetelny badacz, który już po zakończeniu badań nad wpływem picia wina uświadomił sobie, że ponad połowa przypadków raka była tak naprawdę wywołana innym czynnikiem, nieuwzględnionym przy doborze osób do grupy badanej i kontrolnej? Powinien odesłać wyniki do lamusa i rozpocząć badanie na nowo! Teraz mogą one jedynie pełnić rolę wspomnieniową pewnego etapu w historii medycyny. Dlaczego? Wyobraźcie sobie, że zupełnie przypadkowo w grupie osób pijących częściej wino było znacznie więcej zakażonych wirusem HPV. Badacz nie znając roli HPV w genezie raka nosogardła, mylnie przypisze nadmiernej konsumpcji wina rolę czynnika wyzwalającego rozwój nowotworu!

Albo inaczej: wyobraźcie sobie, że osoby pijące mniej wina rzadziej miały kontakty oralno-genitalne (*cunnilingus* i *fellatio*). Czyż nie będzie to przyczyną ich rzadszej zapadalności na raka nosogardła? A ryzyko zachorowania w obu grupach różniło się jedynie o 2%...

Teraz omówię bez wdawania się w szczegóły pozostałe wyniki badań nad związkiem picia wina i ryzykiem wystąpienia różnych nowotworów.

W przypadku raka przełyku dysponujemy 10 badaniami kliniczno-kontrolnymi, z których 9 wykazało ryzyko związane z piciem wina. Niestety, w połowie z nich „zapomniano" uwzględnić fakt palenia tytoniu przez badanych, co czyni je w zasadzie bezużytecznymi[16]. Dziś wiemy już na pewno, że palenie jest głównym czynnikiem rozwoju raka. Tak czy inaczej, amerykańscy autorzy raportu doszli do wniosku, że ewentualne ryzyko wynikające z picia wina nie przekracza 4% dla tego rodzaju raka.

Jeśli chodzi o nowotwory okrężnicy, piersi i wątroby, metodologia badań była podobna i nie będę przytaczać ich szczegółów, aby nie zanudzić[17]. Również tutaj badacze doszli do wniosku, że picie większych ilości wina prowadzi do wzrostu ryzyka rozwoju wspomnianych odmian raka o 3–6% w stosunku do umiarkowanej konsumpcji winnego trunku. Moim zdaniem tego rodzaju różnica poziomu ryzyka jest zbyt niska, aby mogła być znacząca.

Jak to się zatem stało, że francuski Narodowy Instytut Raka (INCa) uznał wino za czynnik kancerogenny „już od pierwszej lampki" w ewidentnej sprzeczności ze zdroworozsądkowymi obserwacjami?

Ostatecznie nawet eksperci z World Cancer Research Fund[18] stwierdzili, że dokładne ustalenie ilości wina, od której zaczyna ono wykazywać potencjalnie kancerogenny efekt jest niemożliwe („nie udało się ustalić progu szkodliwości").

Ci sami amerykańscy autorzy tłumaczą w innym miejscu swojego raportu, że najprawdopodobniej dopiero picie wina w ilości dostarczającej ponad 30 g czystego alkoholu dziennie (czyli więcej niż 3 kieliszki) może mieć negatywne skutki dla zdrowia.

Na szczęście nie jestem głosem wołającego w puszczy obrońcy wina, ponieważ w miesiąc po wydaniu opinii przez INCa francuskie Ministerstwo Zdrowia pospieszyło z zapewnieniem (w formie oficjalnego komunikatu), że picie 2 kieliszków dziennie w przypadku kobiet i 3 kieliszków w przypadku mężczyzn sprzyja zachowaniu zdrowia[19].

Własności resweratrolu

Wino spożywane w umiarkowanej ilości jest nad wyraz korzystne dla zdrowia, na dodatek z profilaktyką przeciwnowotworową „w pakiecie". A wszystko to za sprawą antyrakowego składnika – resweratrolu[20]. Łączna zawartość polifenoli w winie czerwonym wynosi 2000 mg/l, czyli 5–10 razy więcej niż w białym winie czy soku z winogron[21]. Należą do nich flawonoidy, flawiny, antocyjany i stilbeny (w tej ostatniej grupie związków mieści się resweratrol).

Resweratrol stał się obiektem setek badań począwszy od lat 90. XX wieku, czyli od czasu jego odkrycia przez japońskich naukowców. Związek ten pomaga winorośli skutecznie chronić się przed skutkami szkodliwego działania promieniowania ultrafioletowego i ozonu. Pierwszą właściwością, jakiej się w nim dopatrzono, było działanie przeciwzapalne. Następnie stwierdzono, że resweratrol jest w znacznej mierze odpowiedzialny za coś, co Serge Renaud określił mianem „francuskiego paradoksu"[22], czyli zagadki stosunkowo rzadkiego występowania chorób układu sercowo-naczyniowego u Francuzów jedzących tłuste potrawy i pijących czerwone wino.

Tabela 41. Zawartość resweratrolu w winach z rocznika 1997 zbadana metodą HPLC*

Szczep, z którego powstało wino	Zawartość trans-resweratrolu [mg/l]	Zawartość cis-resweratrolu [mg/l]	Łączna zawartość obu izomerów resweratrolu [mg/l]
Gamay	40	3	43
Pinot noir	19	6	25
Regent	10	4	14
Gamay rosé	9	3	11
Chardonnay	0,8	1	2

* HPLC – wysokosprawna chromatografia cieczowa

Źródło: T.E. Adrian i in. „Am. J. Enol. Viti c.", 2000, 51, s. 37–41.

Ostatnio badania nad resweratrolem koncentrują się na jego właściwościach antyrakowych. Wydaje się on oddziaływać na wszystkie etapy transformacji komórki prawidłowej w nowotworową (w czasie tzw. inicjacji raka), wykazuje wpływ na proces podziału zmutowanej komórki (w czasie tzw. promocji procesu nowotworowego) oraz na rozplenianie się komórek nowotworowych (w czasie tzw. progresji raka)[23].

W trakcie każdej z tych wstępnych faz procesu nowotworzenia mogących później doprowadzić do wystąpienia objawów klinicznych raka, resweratrol jest zdolny działać hamująco i blokująco. Prowokuje apoptozę (samobójstwo) uszkodzonych komórek i pobudza do działania białko p53 nazywane strażnikiem genomu. Zwiększa sprawność naprawy uszkodzeń genów powstałych zarówno na skutek toksyn chemicznych, szkodliwego promieniowania, jak i węglowodorów aromatycznych[24].

Właściwości te zostały zaobserwowane w wielu badaniach eksperymentalnych na modelu raka skóry[25], prostaty[26], okrężnicy[27], trzustki[28] i przełyku[29]. Obecnie trwają testy z udziałem ludzi mające dostarczyć informacji na temat optymalnych warunków do rozwinięcia przez resweratrol działania antyrakowego.

Napój alkoholowy	Ilość odpowiadająca zawartości 30 g czystego alkoholu
Szampan	2,5 lampki
Likier pastis	2 kieliszki
Rum	5 kieliszków 20 ml
Wino	2 kieliszki 15 cl
Whisky	mniej niż 1 kieliszek 15 cl

Źródło: Afssa, *Table CIQUAL 2008. Composition nutritionnelle des aliments*; dostępny na stronie: http://www.afssa.fr/TableCIQUAL/ (data dostępu: 20 marca 2010).

Czy zatem wino jest szkodliwe dla zdrowia? Oczywiście, że nie. Wręcz przeciwnie – prawdopodobnie niezwykle korzystne, o ile jest pite z umiarem.

Dokonaliśmy wspólnie analizy wody i wina pod kątem profilaktyki raka. Wciąż jednak pozostaje kilka innych napojów do umówienia.

Ten wspaniały sok z granatów!

Soki omawialiśmy w rozdziale poświęconym owocom i warzywom, ale myślę, że warto w tym miejscu dorzucić dwie istotne informacje. Pierwsza dotyczy stosunkowo wysokiej kaloryczności większości soków owocowych. Należy ją brać pod uwagę w tworzeniu swojego jadłospisu, aby uniknąć nadwagi, sprzyjającej rozwojowi wielu nowotworów.

W tabeli 42 znajdziecie porównanie wartości energetycznej i zawartości węglowodanów niektórych soków. Wynika z niej m.in., że sok z winogron jest znacznie bardziej kaloryczny niż ananasowy. Warto zatem wybierać soki z uwzględnieniem ilości cukru i kalorii, jakich nam przy okazji dostarczą.

Czy wszystkie soki owocowe wykazują właściwości przeciwnowotworowe? Niekoniecznie.

Jest nawet jeden taki, szczególnie często spożywany ostatnimi czasy, na którym ciążą podejrzenia o związek z obserwowaną lawiną zachorowań na czerniaka złośliwego.

Tabela 42. Porównanie kaloryczności soków owocowych i zawartości w nich węglowodanów

Sok	Wartość energetyczna [kcal/100 ml]	Zawartość węglowodanów [g/100 ml]
Sok winogronowy	68	15
Nektar z owoców mango	63	15
Sok z granatów	61	12
Nektar morelowy	59	13
Nektar wieloowocowy	50	12
Sok ananasowy	49	12
Sok wieloowocowy	48	11
Sok pomarańczowy	48	10
Sok jabłkowy	44	11
Sok wyciśnięty z pomarańczy	41	9
Sok z grejpfrutów	37	8
Gazowany napój owocowy	44	11

Źródło: Afssa, *Table CIQUAL 2008. Composition nutritionnelle des aliments*; dostępny na stronie: http://www.afssa.fr/TableCIQUAL/ (data dostępu: 20 marca 2010).

Czerniak w początkowej fazie rozwoju zwykle przypomina niewinny pieprzyk, ale w rzeczywistości jest jedną z najbardziej złośliwych odmian raka. Tak poważną, że zaledwie połowa pacjentów z wykrytym czerniakiem o średnicy 4 mm przeżywa 10 lat od stwierdzenia nowotworu[30].

Zapadalność, czyli liczba nowo zdiagnozowanych przypadków tego raka rośnie z roku na rok. W krajach wysoko rozwiniętych podwaja się ona co dekadę, np. w USA w 1935 roku na czerniaka cierpiała zaledwie jedna osoba na 1500 mieszkańców, a w roku 2003 – już jedna osoba na 75[31].

Niestety, nie widać załamania tej tendencji wzrostowej!

Od lat eksperci z całego świata głowią się nad przyczynami „epidemii" czerniaka.

Przez lata sądzono, że jest ona opóźnionym skutkiem ekspozycji małych dzieci na silne promieniowanie słoneczne. Oczywiście jest w tym sporo racji i należy zdecydowanie chronić dzieci przed bezpośrednim nasłonecznieniem, zwłaszcza najmłodsze i szczególnie między godziną 11 a 16.

Z biegiem czasu jednak stało się jasne, że nie jest to jedyna przyczyna czerniaka. Dlaczego? 30 lat temu nastąpiło wiele przemian socjologicznych, które wiązały się ze skróceniem okresu wakacji, potrzebą spędzania ich w sposób wyjątkowy, coraz chętniej na plaży, a najlepiej – na plaży egzotycznej (to z kolei umożliwił boom transportu lotniczego). Skutkiem takiej nasilonej ekspozycji na słońce byłby skokowy wzrost liczby przypadków raka i na pewno zaobserwowalibyśmy go już na początku lat 80., a jednak nie było takiego skoku i tendencja wzrostowa utrzymuje się nadal.

W ubiegłym roku amerykańscy badacze z dziedziny dermatologii z University of Tenessee w Memphis opublikowali bardzo interesujące wyniki badań, w których postawili hipotezę o wpływie spożycia soku pomarańczowego na zwiększone ryzyko zachorowania na czerniaka[32].

Sok pomarańczowy zawiera szczególnie dużo furokumaryn i psoralenów działających w obecności słońca kancerogennie na komórki skóry. Co ciekawe, już 15 lat wcześniej zostały wycofane z użycia produkty ochronne na słońce zawierające wyciąg z pomarańczy bergamoty bogaty w psoraleny.

Naukowcy zauważyli, że wykres wzrostu zapadalności na czerniaka biegnie równolegle z wykresem wzrostu konsumpcji cytrusów. Ponadto z analizy jednego z najnowszych i największych badań kohortowych z udziałem pielęgniarek wynika, że jedynym czynnikiem wykazującym korelację ze wzrostem ryzyka rozwoju czerniaka jest picie dużych ilości soku z pomarańczy[33].

Czy sok pomarańczowy musi pójść od dzisiaj w odstawkę?

Nie widzę takiej konieczności, ale osoby o zwiększonej podatności na czerniaka, czyli posiadacze niebieskich lub zielonych oczu oraz włosów blond lub rudych, osoby ulegające poparzeniom słonecznym, mające dużo pieprzyków oraz już chorujące na czerniaka powinny unikać soku pomarańczowego do czasu jego ewentualnego „oczyszczenia z zarzutów".

Proponuję zastąpić sok z pomarańczy sokiem z granatów, który ma doskonałe własności antyrakowe.

Wiele badań wykazało, że pity w znacznych ilościach był w stanie spowolnić wzrost komórek nowotworowych raka prostaty, a nawet sprowokować ich śmierć poprzez blokowanie tworzenia duetów komórkowych czynników wzrostu z ich receptorami. Hamuje w ten sposób m.in. insulinopodobny czynnik wzrostu IGF-1, który znacie z rozdziału o cukrach[34,35]. Wyciągi z owoców granatowca wykazują dobroczynne działanie również w przypadku hormonozależnych nowotworów piersi (głównie wykrywanych po 50 roku życia). Blokują wydzielanie enzymu aromatazy pełniącego bardzo ważną rolę w biosyntezie estrogenów potencjalnie zdolnych do pobudzania rozwoju komórek rakowych w gruczole piersiowym[36,37].

Poza tym granaty są bardzo zasobne w antyoksydanty, szczególnie ich sok i skórka[38]. Badania wykazały, że działanie antyoksydacyjne granatów jest 3–4 razy silniejsze niż czerwonego wina czy zielonej herbaty[39]. Antyoksydanty zawarte w tych owocach działają synergicznie, nawzajem wzmacniając swoje działanie. Potencjał antyoksydacyjny soku z granatów jest zatem wyższy niż prosta suma potencjałów zawartych w nim detoksykujących tanin i kwasu elagowego[40].

Sok z granatów wykazuje najsilniejsze działanie hamujące podziały komórkowe (o 30–100%[41]) w przypadku linii komórkowej raka okrężnicy wyhodowanej *in vitro*. Podawanie soku z granatów myszom z rakiem płuca spowodowało redukcję rozmiaru guza po ośmiomiesięcznej kuracji o 66% w stosunku do osobników z grupy kontrolnej, którzy nie otrzymywali soku[42]!

Widzicie teraz, jaką moc ma ten owoc – to jeden z najsilniejszych żywieniowych czynników profilaktyki antynowotworowej. Wyniki dotychczasowych badań eksperymentalnych na zwierzętach były na tyle przekonujące, że rozpoczęto testy z udziałem ludzi. Część z nich już przyniosła spektakularne wyniki.

Szczególnie jedno zasługuje moim zdaniem na uwagę. Dotyczyło mężczyzn dotkniętych rakiem prostaty, u których po operacji wystąpiła wznowa[43]. Wskaźnikiem nawrotu choroby jest podwyższony poziom antygenu o nazwie PSA (Prostate Specific Antigen) we krwi pacjentów. Mężczyźni, u których stężenie PSA zaczęło się zwiększać, najpierw byli obserwowani, aby określić tempo rozwoju wznowy, a potem zalecono im codzienne picie soku z granatów. Tym sposobem udało się stwierdzić, jak bardzo zmalała szybkość narastania guza po kuracji sokowej.

Musiałem wspomnieć o testach u ludzi ze względu na to, że nieczęsto udaje się uzyskać zauważalną poprawę w przypadku tak ciężkich nowotworów.

Granaty smakują ciekawie bez dodatków lub w sałatce, ale najkorzystniejsze efekty profilaktyczne daje sok z granatów, najlepiej wyprodukowany metodą przemysłową (!). Tak, metodą przemysłową, to nie pomyłka! Proces produkcji pozwala na uwolnienie do soku tanin ze skórki owocu, rozpuszczalnych w wodzie, i dlatego sok z wytwórni posiada najwyższy potencjał antyoksydacyjny[44].

Kawa czy herbata?

Po omówieniu kwestii soków pora na coś cieplejszego: kawę i herbatę.

Na pierwszy ogień pójdzie kawa. Mam w pamięci badanie z 1981 roku, szeroko wtedy komentowane, zdające się sugerować, że regularne picie kawy może zwiększyć prawdopodobieństwo powstania groźnego raka trzustki[45]. Właśnie, czy udało się zweryfikować to wstępne przypuszczenie w kolejnych testach? Czy mamy powody, aby się obawiać picia kawy?

Już wyjaśniam. Przeprowadzono wiele badań na temat roli kawy i udało się ostatecznie wykluczyć związek między piciem „małej czarnej" a ryzykiem wystąpienia raka trzustki. Taki stan rzeczy potwierdza również raport World Cancer Research Fund[46].

Okazuje się, że kawa nie tylko nie szkodzi, ale być może nawet pomaga! Kiedy przyjrzymy się 30 dotychczasowym badaniom dotyczącym związku między piciem kawy a ryzykiem raka okrężnicy oraz

20 analogicznym badaniom na temat raka wątroby, zauważymy, że kawa wykazuje efekt profilaktyczny w przypadku obu wymienionych rodzajów raka[47,48].

Podobnie jest w przypadku raka piersi, szczególnie u kobiet przed menopauzą. Jedno z badań wykazało wyraźne działanie przeciwnowotworowe kawy na młodsze panie, pod warunkiem że piły więcej niż 4 filiżanki dziennie[49].

Jeszcze inne badanie 1690 kobiet z odziedziczoną mutacją genu sprzyjającą wystąpieniu raka piersi (o nazwie BRCA) ujawniło profilaktyczny wpływ codziennego picia 6 filiżanek kawy[50]. Wyniki zostały opublikowane w 2006 roku na łamach „International Journal of Cancer".

Warto zauważyć, że we wszystkich tych badaniach jest mowa o kawie z kofeiną. Jej bezkofeinowy zamiennik wydaje się być neutralny z punktu widzenia profilaktyki antynowotworowej.

A jeśli wybierzemy herbatę?

Herbata jest jednym z najchętniej pitych napojów świata, bogatym w antyoksydanty. Najskuteczniejsze ochronne działanie wykazuje herbata zielona. Wśród jej licznych składników antyutleniających warto wymienić galusan epigallokatechiny (EGCG) z rodziny polifenoli hamujący rozrost komórek rakowych i stymulujący mechanizm apoptozy (samobójstw) zmutowanych komórek. Ogranicza również tworzenie nowych naczyń włosowatych, które mogłyby potencjalnie zaopatrywać komórki nowotworowe w tlen i cukier. W ten sposób ogranicza groźbę metastazy (przerzutu) raka[51].

W Mayo Clinic w USA prowadzono już „herbaciane testy" z udziałem ludzi. Pacjentom cierpiącym na określone typy białaczki i chłoniaka podawano zieloną herbatę w dużych ilościach z dobrym efektem klinicznym[52]. Nadal trwa w Atlancie badanie wpływu polifenoli z zielonej herbaty na poprawę skuteczności niektórych leków przeciwnowotworowych stosowanych w terapii raka płuc.

Z 2009 roku pochodzą wyniki badania przeprowadzonego z udziałem osób ze zmianami przedrakowymi nosogardła wykazujące, że picie dużych ilości zielonej herbaty przez co najmniej 3 miesiące było w stanie zredukować o połowę ryzyko rozwoju złośliwego nowotworu z już istniejących zmian w jamie ustnej[53].

Jak widać, zarówno kawa, jak i herbata mają korzystny wpływ na zdrowie.

Jest jednak pewien wyjątek, co do którego istnieją niezbite dowody na zwiększanie ryzyka rozwoju raka przełyku i domniemanie wpływu na rozwój raka nosogardła. Chodzi o napar mate (yerba mate) z wysuszonych i sproszkowanych liści ostrokrzewu paragwajskiego z Ameryki Południowej. Jest on tradycyjnie stosowany jako środek pobudzający w Argentynie, Paragwaju i Chile. Gorący napar mate pije się o różnych porach dnia przez metalową rureczkę z małego naczynia przypominającego tykwę. Naukowcy podejrzewają, że kancerogenny wpływ nie wynika z naparu jako takiego, ale ze sposobu picia – powolnego sączenia gorącego napoju przez cały dzień[54]. Niezależnie od nie do końca poznanej przyczyny, pewny jest skutek picia mate w postaci 15% wzrostu ryzyka zachorowania na raka przełyku. Lepiej zatem unikać tego naparu!

Rozdział 10

WITAMINOWO-SUPLEMENTOWY ZAWRÓT GŁOWY

Po omówieniu produktów żywnościowych przygotowałem dla Was suplement na temat… suplementów diety.

Wielu wykorzystuje wiarę w moc rozmaitych „cudownych" preparatów – apteki oferują nam liczne preparaty witaminowo-mineralne, a autorzy pism i książek nieustannie o nich piszą. Chociaż docierają do nas sprzeczne informacje na temat właściwości takiego czy innego suplementu, zwykle ufamy etykiecie zachwalającej jego niezwykły wpływ na urodę, zachowanie młodości i / lub dobrej formy. Jakże często dajemy się uwieść takim obietnicom!

W 2008 roku Francuzi mogli wybierać spośród zawrotnej liczby 28 tysięcy suplementów diety dostępnych na krajowym rynku[1], a co piąty dorosły i co dziesiąte dziecko[2] zastosowało przynajmniej raz jakiś suplement w trakcie roku poprzedzającego ankietę (tj. 2007).

Jak się odnaleźć w gąszczu różnych preparatów i informacji na temat suplementacji? Jak zyskać pewność co do działania wybranego specyfiku, aby nie narażać się niepotrzebnie na łykanie czegoś, co bardziej szkodzi, niż pomaga?

Za chwilę udzielę niezbędnych wskazówek dotyczących doboru suplementów pomocnych głównie w profilaktyce, ale również w pewnym stopniu w walce z rakiem (jeśli chorujecie lub chorowaliście). Po lekturze mojego przewodnika będziecie potrafili z bogatej oferty różnych preparatów wyłowić te, które przysłużą się zdrowiu, nie powodując niepożądanych efektów.

Na samym początku muszę Was uczulić na jedną rzecz – suplementy nie są w żadnym wypadku lekami, nawet jeśli mogą pomóc lepiej znieść chorobę nowotworową (patrz: tabela 43).

Tabela 43. Różnica między lekiem a suplementem diety

Lek	Suplement diety
Leczy chorobę	Wpływa na poprawę samopoczucia i wyglądu
Przeznaczony dla chorych	Przyjmowany, aby zachować dobry stan zdrowia
Zapisywany przez lekarza	Samodzielny wybór osoby, która chce lepiej zadbać o siebie
Własności terapeutyczne	Efekt odżywczy lub inny fizjologiczny

Pamiętajcie, że suplementy nie służą do leczenia! Nie oczekujcie po nich cudów, jakakolwiek jest dawka czy kombinacja preparatów uzupełniających dietę! Z zasady nie ufajcie sprzedawcom panaceów.

Rolą suplementu diety jest utrzymanie dobrego stanu zdrowia i zapewnienie dodatkowych korzyści zdrowotnych. W tym zakresie ewentualnie może się mieścić zapobieganie rozwojowi nowotworów, ale na pewno nie leczenie poważnej i złożonej jednostki chorobowej, jaką jest rak! Kiedy jakiś suplement diety przedstawiany jest jako lek antynowotworowy, powinno to wzbudzić podejrzenia.

Suplementy diety są jednak ważnym wsparciem w trakcie choroby nowotworowej i jej terapii oraz po zakończeniu leczenia.

Suplementy pomocne w trakcie choroby nowotworowej

Zacznijmy od rzeczy najprostszej i najistotniejszej zarazem, a mianowicie suplementacji w trakcie leczenia choroby nowotworowej i jej ustępowania. Profilaktykę na razie odłóżmy na bok.

Z doświadczenia wiem, że zmaganie się z rakiem wiąże się z ogromnym stresem, depresją, utratą apetytu i zmęczeniem wywołanym nie tylko samą chorobą, ale również uciążliwymi procedurami terapeutycznymi (interwencjami chirurgicznymi pod narkozą, naświetlaniami i chemioterapią). W trakcie leczenia nowotworu polecałbym suplementację diety za pomocą żeń-szenia, mleczka pszczelego, drożdży piwnych, korzenia rośliny maca (*Lepidium meyenii*), kiełków pszennych i jagód camu-camu (*Myrciaria dubia*) 30 razy bogatszych od pomarańczy w witaminę C oraz minerałów takich jak cynk i magnez (patrz: tabela 44). Wszystkie wymienione składniki dostarczą niezbędnego zastrzyku energii psychofizycznej i ułatwią przyjęcie aktywnej postawy w walce z chorobą. Tego rodzaju suplementy przyjmuje 70% pacjentów z chorobą nowotworową[3].

Tabela 44. Suplementy diety stosowane wspomagająco w trakcie i po leczeniu choroby nowotworowej

Zastosowanie	Moje propozycje
stres, zmęczenie, depresja	żeń-szeń mleczko pszczele drożdże piwne korzeń rośliny maca (*Lepidium meyenii*) kiełki pszenne jagody camu-camu (*Myrciaria dubia*) cynk magnez
wspomaganie odrastania włosów	drożdże piwne witaminy B_1 i B_6
w celu utraty wagi	zielona herbata kofeina oczyszczające rośliny (liście jesionu, wiązówka błotna)

Odrastanie włosów po chemioterapii wspomagają drożdże piwne oraz witaminy B_1 i B_6.

Aby natomiast zrzucić dodatkowe kilogramy nabyte w czasie terapii (zdarza się to szczególnie w wyniku terapii pewnymi substancjami stosowanymi w leczeniu raka piersi), polecałbym suplementy na bazie zielonej herbaty, kofeiny i oczyszczających ziół (np. liści jesionu, wiązówki błotnej).

Zachowujcie zawsze ostrożność i pytajcie o radę farmaceutę. Suplementy diety często zawierają mieszankę różnych substancji i niektóre z nich mogą wchodzić w niekorzystną interakcję z przyjmowanymi lekami. Potencjalnie niebezpieczne w trakcie zabiegu chirurgicznego może się okazać wcześniejsze przyjmowanie suplementów mających w spektrum swojego działania zmniejszenie krzepliwości krwi[4]. Pewne preparaty zawierające polifenole mogą z kolei zaburzyć proces usuwania leków z organizmu, zwiększając tym samym ich toksyczność[5].

Niezależnie od stanu zdrowia i potrzeb pamiętajcie, że suplementy diety to nie cukierki!

Zapobiegają czy szkodzą?

Oczekujemy, że suplementy diety pomogą nam w profilaktyce części chorób nowotworowych. Jednak sprawy są znacznie bardziej skomplikowane, a ryzyko w przypadku pomyłki – bardzo poważne.

W przeciwieństwie do powszechnego przekonania nie ma co liczyć na antyrakowe działanie suplementów! Niektóre z nich okazały się nawet – o zgrozo! – sprzyjać powstawaniu pewnych rodzajów nowotworów, w tym tak poważnych jak rak płuc!

Zacznijmy przegląd od najgroźniejszego z nich, czyli beta-karotenu.

Liczne badania bezdyskusyjnie wykazały, że beta-karoten zwiększa znacząco (co najmniej o jedną trzecią) ryzyko rozwoju raka płuc u mężczyzn palących papierosy lub byłych palaczy. Badanie znane pod nazwą *Beta-Carotene and Retinol Efficacy Trial* (CARET)[6], przeprowadzone w latach 90. w USA z udziałem czynnych i byłych palaczy, musiało zostać przerwane ze względu na zaobserwowany szkodliwy wpływ przyjmowania beta-karotenu na badanych. W grupie, której podawano 30 mg beta-karotenu dziennie, zanotowano wzrost ryzyka zachorowania na raka płuca o 28% w porównaniu z grupą kontrolną łykającą placebo.

Ryzyko było jeszcze większe u osób mających kontakt z azbestem lub palących w dużych ilościach papierosy.

Badanie CARET

Beta-Carotene and Retinol Efficacy Trial

(Badanie wpływu beta-karotenu i retinolu)

Badanie kliniczne CARET przeprowadzono w USA w latach 90. XX wieku. Objęło 18 tysięcy osób o zwiększonym ryzyku zachorowania na raka płuc spowodowanym długotrwałym paleniem. Celem badania było określenie wpływu codziennej suplementacji diety beta-karotenem na zapadalność na raka płuc, inne rodzaje raka oraz choroby układu sercowo-naczyniowego. Próby kliniczne zostały wcześniej przerwane ze względu na zaobserwowaną podwyższoną zachorowalność na raka płuc u osób przyjmujących beta-karoten.

Cztery kolejne badania[7,8,9,10] tego rodzaju, w tym obserwacje o nazwie ATBC zmierzające do wykrycia zależności między beta-karotenem a zapadalnością na raka płuc, doprowadziły do tego samego wniosku: ten suplement jest szkodliwy dla zdrowia. Jest szczególnie niebezpieczny dla czynnych i biernych palaczy lub osób mających kontakt z jakimkolwiek innym czynnikiem kancerogennym sprzyjającym rakowi płuc (jak azbest czy węglowodory aromatyczne ze spalin i wędzenia).

Właśnie dlatego zalecam ostrożność w spożywaniu pokarmów bogatych w beta-karoten przez wymienione wcześniej osoby o zwiększonym ryzyku wystąpienia raka płuc.

W obserwacjach kohortowych o nazwie SUVIMAX wykonanych we Francji wzięło udział 13 017 dorosłych obojga płci. Połowa z nich, wybrana losowo, otrzymywała codziennie kapsułkę zawierającą witaminy C i E oraz beta-karoten, selen i cynk, a pozostali brali neutralne placebo. Po ponad 7 latach obserwacji badacze stwierdzili: ogólny spadek zapadalności na nowotwory u mężczyzn (ale nie u kobiet)[11], wzrost zachorowalności na raka prostaty wśród mężczyzn o podwyższonym poziomie antygenów *Prostate Specific Antigen* (PSA) odnotowanym na początku badania[12], więcej przypadków raka płuc u palaczy oraz więcej przypadków raka skóry u kobiet biorących wieloskładnikowy suplement w porównaniu z grupą kontrolną przyjmującą placebo[13].

Badanie ATBC

Alpha-Tocopherol Beta-Carotene Cancer Prevention Study
(Badanie przeciwnowotworowego wpływu alfa-tokoferolu i beta-karotenu)

Badanie ATBC zostało przeprowadzone w Finlandii między 1985 a 1993 rokiem i objęło 30 tysięcy palaczy. Naukowcy postawili sobie za cel weryfikację hipotezy o ochronnej roli witaminy E i beta-karotenu w zapobieganiu złośliwym nowotworom płuc. Wyniki badań pokazały wzrost zapadalności na ten rodzaj raka w grupie palaczy przyjmujących suplement z beta-karotenem.

Mamy prawo czuć się zbici z tropu takimi doniesieniami!

Kolejnym suplementem o podobnie szkodliwym działaniu rakotwórczym okazał się retinol[14]. Tak jak beta-karoten jest on pochodną witaminy A.

Radzę Wam: unikajcie go!

Badanie SUVIMAX

Suplementacja diety antyoksydacyjnymi witaminami i mikroelementami

Badanie SUVIMAX trwało 8 lat, począwszy od przełomu lat 1994/1995. Objęło 13 tysięcy ochotników. Celem prowadzonych obserwacji była ocena wpływu suplementacji diety witaminami i mikroelementami o antyoksydacyjnych właściwościach na zapadalność na choroby układu sercowo-naczyniowego i nowotwory oraz umieralność.

Witamina E i żelazo

Pewna witamina, do której mają słabość moi rodacy, jest kolejną bombą z opóźnionym zapłonem, jeśli chodzi o wpływ na ryzyko rozwoju raka. Mowa tutaj o witaminie E nazywanej też alfa-tokoferolem.

Nie tak dawno amerykański National Cancer Institute musiał przerwać ogromny program badawczy SELECT (*Selenium and Vitamin E Cancer Prevention Trial*) prowadzony od 2001 roku z udziałem 35 tysięcy dorosłych mężczyzn[15]. Ochotnicy biorący udział w badaniu zostali podzieleni na cztery grupy po mniej więcej 8 tysięcy osób każda. Badani z pierwszej grupy otrzymywali selen i witaminę E, z drugiej – wyłącznie witaminę E, z trzeciej – sam selen, z czwartej – placebo. Amerykańscy badacze byli zmuszeni przerwać testy po tym, jak zauważyli, że wśród mężczyzn łykających witaminę E było znacznie więcej zachorowań na raka prostaty niż u badanych, którzy nie przyjmowali takiego suplementu!

Badanie SELECT

Selenium and Vitamin E Cancer Prevention Trial

(Rola selenu i witaminy E w profilaktyce nowotworów)

Rozpoczęte w 2001 roku amerykańskie badanie kliniczne objęło 35 tysięcy mężczyzn. Miało za zadanie określić skuteczność suplementacji diety selenem i / lub witaminą E w zapobieganiu rakowi prostaty. Obserwacje zostały przerwane po stwierdzeniu zwiększonej zapadalności na raka prostaty u mężczyzn przyjmujących witaminę E.

Radzę unikać suplementów z witaminą E, zwłaszcza mężczyznom.

Jeśli zaś chodzi o żelazo, wiele badań dowiodło jego wpływu zwiększającego ryzyko rozwoju raka okrężnicy bez względu na płeć[16]. Niektóre obserwacje kliniczne wskazują nawet na trzykrotny wzrost ryzyka. Nie należy jednak popadać w skrajności. W przypadku niedoboru żelaza, obserwowanego m.in. u kobiet cierpiących z powodu nadmiernych krwawień miesiączkowych, suplementacja jest koniecznością.

Dobroczynne suplementy

Przyjrzyjmy się teraz suplementom wykazującym – w przeciwieństwie do wcześniej wymienionych – efekt profilaktyczny antyrakowy. Na szczęście są również i takie!

Pierwszy z dobroczynnych suplementów to selen. Pewne jest, że chroni przed rakiem prostaty. Dwa stosunkowo niedawne badania wykazały to wyraźnie[17,18]. W jednym z nich[19] uczestniczyły 974 osoby dotknięte rakiem skóry (zapewniam, że ten czynnik nie miał większego znaczenia). Zanotowano 17 przypadków raka prostaty u tych badanych, którym podawano selen, oraz 35 przypadków, czyli dwa razy więcej – u osób niebiorących selenu. Są również przesłanki, że selen jest w stanie ograniczyć ryzyko zachorowania na raka płuc i okrężnicy. W normalnych dawkach mikroelement ten nie wykazuje działania toksycznego, więc polecam go bez obaw, zwłaszcza mężczyznom po 50 roku życia.

Również wapń nie szkodzi! Jest wiele wyników badań potwierdzających profilaktyczne znaczenie spożywania wapnia w redukcji ryzyka zachorowania na raka jelita grubego[20]. Obserwacje łącznie 534 tysięcy osób prowadzone przez 6–7 lat dostarczyły dowodów na zmniejszenie ryzyka rozwoju tego rodzaju raka o 20–25% na skutek suplementacji wapniowej. Opierając się zatem na konkretnych wynikach, podobnie jak i eksperci z WCRF, gorąco polecam ten makroelement. Wapń był również obiektem trzech badań, które uchwyciły (co jak najbardziej logicznie łączy się z prewencją raka jelita grubego), że suplementacja tym makroelementem zmniejsza znacząco (o 20–50%) ryzyko narastania kolejnych polipów jelita[21] mających, jak wiadomo, tendencję do złośliwienia z upływem czasu. Jeśli w profilaktycznym badaniu kolonoskopowym wyjdzie na jaw, że macie jeden lub więcej polipów w jelicie grubym, pomyślcie o regularnym dostarczaniu sobie wapnia, oczywiście po uprzedniej konsultacji z lekarzem.

D jak dylemat z witaminą D

W przypadku witaminy D sytuacja jest nieco bardziej złożona. Przede wszystkim trudno mi uwierzyć w szerzoną przez niektórych pogłoskę, jakoby ponad połowa populacji w naszym kraju była dotknięta niedoborem witaminy D!

Jakim cudem awitaminoza tego typu dotknęła stosunkowo zdrową populację Francuzów, żyjącą w kraju o całkiem przyzwoitym nasłonecznieniu (a witamina D może być wytwarzana przez skórę pod wpływem słońca!), nawykłą do spędzania słonecznych wakacji w górach i nad morzem oraz spożywającą wiele produktów bogatych w witaminę D (nabiał, sardynki, tran i mięso)?

Odnoszę wrażenie, że wartość niezbędnej ilości witaminy D wskazywana przez bijących na witaminowy alarm pseudoekspertów została przyjęta na wyrost i nie odpowiada rzeczywistym potrzebom naszego organizmu.

Czy możemy się oprzeć na jakichś badaniach? Owszem, dysponujemy wynikami 12 obserwacji dotyczących wpływu suplementacji witaminy D na ryzyko rozwoju raka, zwłaszcza jelita grubego. Sześć z nich ujawnia na tyle niewielkie zmniejszenie ryzyka, że zostało ono uznane za nieznaczące. Dwa kolejne badania zakończyły się wnioskiem o braku wpływu, a cztery pozostałe wskazują na minimalny wzrost ryzyka, nie sformułowano tego jednak w sposób kategoryczny.

Wszystkie badania poświęcone witaminie D objęto zbiorczą analizą, która doprowadziła do stwierdzenia neutralności i braku znaczenia takiego suplementu w prewencji raka!

Z drugiej strony istnieje sporo badań, przywołanych w rozdziale o nabiale, zmierzających nie tyle do zbadania wpływu witaminy D jako suplementu, ile do określenia roli pożywienia bogatego w witaminę D. Okazuje się, że tego rodzaju dieta może do pewnego stopnia przeciwdziałać rozwojowi raka jelita grubego[22], ale jednocześnie wiadomo, że spożywanie dużych ilości mleka i produktów mlecznych zwiększa o 30% prawdopodobieństwo zachorowania na raka prostaty[23]. W ostatecznym rozrachunku mogę zalecać spore ilości nabiału jedynie kobietom i dzieciom.

Antyrakowe składniki odżywcze

Poza specjalnymi suplementami wielu z Was dba przede wszystkim o to, aby w codziennych posiłkach znajdowały się odpowiednie składniki aktywne mające zapewniać efekt antynowotworowy. Niektóre z bioskładników pożywienia rzeczywiście są warte uwagi w kontekście tematu naszych rozważań (patrz: tabela 45).

Tabela 45. Naturalne antyrakowe związki obecne w pożywieniu: ich źródła, mechanizm działania i przydatność w profilaktyce określonych nowotworów

Czynnik aktywny	Naturalne źródło	Działanie	Przydatność w profilaktyce określonych nowotworów
Zielona herbata (polifenole, EGCG)	Zielona herbata (*Camelia sinensis*)	Antyoksydacyjne, antymutagenne, antyproliferacyjne (blokada cyklu komórkowego zmutowanych komórek), przeciwzapalne, antyangiogenetyczne (zapobiega tworzeniu nowych naczyń włosowatych), immunomodulacyjne (stymuluje układ odpornościowy)	Rak skóry, płuca, jamy ustnej, głowy i szyi, przełyku, żołądka, wątroby, trzustki, jelita cienkiego, okrężnicy, pęcherza moczowego, prostaty, gruczołu piersiowego

Czynnik aktywny	Naturalne źródło	Działanie	Przydatność w profilaktyce określonych nowotworów
Kurkuma	Przyprawa kurkuma ze sproszkowanego kłącza ostryżu (*Curcuma longa*)	Antyoksydacyjne, antyproliferacyjne, przeciwzapalne, antyangiogenetyczne, immunomodulacyjne	Rak skóry, płuca, jamy ustnej, głowy i szyi, przełyku, żołądka, wątroby, trzustki, jelita cienkiego, okrężnicy, pęcherza moczowego, prostaty, gruczołu piersiowego, szyjki macicy, chłoniaki
Luteolina	Karczochy, brokuły, seler, kapusta, szpinak, zielona papryka, liście granatu, mięta pieprzowa, owoce tamaryndowca, kalafior	Przeciwzapalne, antyalergiczne, antyproliferacyjne, antyoksydacyjne	Rak jajnika, żołądka, wątroby, okrężnicy, piersi, jamy ustnej, adenocarcinoma przełyku, rak prostaty, płuca, nosogardła, szyjki macicy, białaczka, rak skóry i trzustki
Resweratrol	Czerwone wino, winogrona (głównie skórka), morwa, orzechy arachidowe, liść winorośli, kora sosny	Antyoksydacyjne, antyproliferacyjne, antyangiogenetyczne, przeciwzapalne	Rak jajnika, piersi, prostaty, wątroby, macicy, białaczka, rak płuca i żołądka
Genisteina	Soja i produkty sojowe, czerwona koniczyna (*Trifolium pratense*), orzeszki pistacjowe	Antyoksydacyjne, antyproliferacyjne, antyangiogenetyczne, przeciwzapalne	Rak prostaty, piersi, skóry, okrężnicy, żołądka, wątroby, jajnika, trzustki, przełyku, głowy i szyi
Jabłka granatu	Owoce granatowca (*Punica granatum*), sok z granatów, pestki granatu, olej z pestek granatu	Antyoksydacyjne, antyproliferacyjne, antyangiogenetyczne, przeciwzapalne	Rak prostaty, skóry, piersi, płuc, okrężnicy, jamy ustnej, białaczka

Czynnik aktywny	Naturalne źródło	Działanie	Przydatność w profilaktyce określonych nowotworów
Likopen	Pomidory, guajawa, dzika róża, arbuz, papaja, morela i czerwony grejpfrut; największa ilość znajduje się w dojrzałych pomidorach oraz w potrawach i przetworach na bazie pomidorów	Antyoksydacyjne, antyproliferacyjne, antyangiogenetyczne, przeciwzapalne, immunomodulacyjne	Rak prostaty, płuc, piersi, żołądka, wątroby, trzustki, jelita grubego, głowy i szyi oraz skóry
Kwas elagowy	Sok z granatów i olej z pestek granatów, różne orzechy, wiciokrzew (*Lonicera caerulea*), truskawki i inne owoce leśne, kora migdałecznika arjuna (*Terminalia arjuna*), liście i owoce *Terminalia bellirica*, kora, liście i owoce *Terminalia muelleri*	Antyoksydacyjne, antyproliferacyjne, przeciwzapalne	Neuroblastoma, rak skóry, trzustki, piersi, prostaty, okrężnicy, jelita cienkiego, przełyku, pęcherza moczowego, jamy ustnej, białaczka, rak wątroby
Lupeol	Mango, oliwki, figi, truskawki, czerwone winogrona	Antyoksydacyjne, antymutagenne, przeciwzapalne, antyproliferacyjne	Rak skóry, płuc, białaczka, rak trzustki, prostaty, okrężnicy, wątroby, głowy i szyi
Kwas betulinowy	Obecny w większości roślin; najbogatsze źródła to: brzoza (*Betula spp.*), jujuba (*Zizyphus spp.*), czapetka (*Syzygium spp.*), piwonia (*Paeonia spp.*), hurma (*Diospyros spp.*)	Przeciwzapalne, immunomodulacyjne, prowokuje apoptozę zmutowanych komórek	Rak skóry, jajnika, okrężnicy, mózgu, rak nerkowokomórkowy, rak macicy, prostaty, białaczka, rak płuca, piersi, głowy i szyi
Ginkolid B	Miłorząb japoński (*Gingko biloba*)	Antyoksydacyjne, antyangiogenetyczne	Rak jajnika, piersi i mózgu

Źródło: A.R.M. Ruhul Amin, O. Kucuk, F.R. Khuri, D.M. Shin, *Perspectives for cancer prevention with natural compounds*, „Journal of Clinical Oncology", 2009, 27 (18).

Czytelników szczególnie zainteresowanych tematem antyrakowych bioskładników pożywienia oraz osoby, które chciałyby na ochotnika wziąć udział w badaniach wpływu tych substancji, zachęcam do odwiedzenia strony internetowej amerykańskiego National Cancer Institute: www.clinicaltrials.gov. Znajdują się tam na bieżąco aktualizowane informacje na temat prowadzonych przez instytut obserwacji.

Kurkuma

Kurkuma to prawdopodobnie najsilniej działający antyrakowy składnik wśród wymienionych w tabeli 45. Wyrabia się ją ze sproszkowanego kłącza ostryżu *Curcuma longa*. Kurkuma służy jako żółty barwnik i przyprawa. Jej własności lecznicze docenili już starożytni. Współcześnie udało się wykazać zdolność kurkumy do unieszkodliwiania substancji kancerogennych, blokowania cyklu komórkowego i namnażania wielu typów komórek nowotworowych oraz prowokowania ich autodestrukcyjnej apoptozy.

Przyprawa z kłącza ostryżu działa skuteczniej w połączeniu z genisteiną, zieloną herbatą oraz embeliną i piperyną z pieprzu. Poprawia skuteczność wielu leków chemioterapeutycznych. Była testowana u ludzi w zakresie zapobiegania odnawianiu się polipów okrężnicy. Sześciomiesięczna kuracja suplementami z kurkumą i kwercetyną wykazała bardzo wysoką skuteczność w tym przypadku. Niezłe efekty daje również nakładana w postaci maści na zmiany nowotworowe naskórka. Jest to niewątpliwie fascynujący składnik o bardzo obiecujących własnościach profilaktycznych[24].

Genisteina

Genisteina należy do fitoestrogenów. Znajdziemy ją w dużych ilościach w soi i jej kiełkach. Wiele wskazuje na to, że spożywanie genisteiny może obniżyć ryzyko rozwoju raka prostaty u mężczyzn oraz raka piersi i endometrium u kobiet. Ten hormon roślinny zwiększa skuteczność radioterapii i niektórych leków stosowanych w chemioterapii nowotworów. Podobnie jak kurkuma hamuje podziały uszkodzonych komórek i wymusza ich samobójczą apoptozę[25].

Co najmniej dwa badania[26,27] wykazały skuteczność genisteiny w spowalnianiu rozwoju raka prostaty i opóźnianiu jego wznowy.

Jagody goji (*Lycium barbarum*)

Obecnie trwają badania nad antynowotworowym wpływem kolejnych, mniej znanych lub zapomnianych związków pochodzenia naturalnego. Wśród nich warto wspomnieć o jagodach goji – owocach kolcowoju pospolitego (*Lycium barbarum*). Wyizolowano z nich swoisty wielocukier, który zdaje się wykazywać działanie silnie stymulujące apoptozę komórek nowotworowych poprzez aktywację genu nazywanego strażnikiem genomu albo inaczej p53[28]. Związek pozyskany z owoców kolcowoju może blokować cykl komórkowy wielu komórek nowotworowych (raka prostaty[29], okrężnicy[30], żołądka[31], piersi[32] i wątroby[33]).

Nawet jeśli jeszcze za wcześnie na oficjalne potwierdzanie jego antyrakowych własności, to z pewnością warto trzymać rękę na pulsie kolejnych badań kolcowoju.

Podobnie zresztą zasługują na uwagę kwas elagowy, lupeol, kwas betulinowy, luteolina oraz szerzej omawiane we wcześniejszych rozdziałach resweratrol, likopen, granaty, kompozycja polifenoli z zielonej herbaty i antocyjany z ciemnych owoców jagodowych[34].

Dożyliśmy takich czasów, że badacze zgłębiają w laboratoriach tajniki tradycyjnych roślin leczniczych, śledząc ich działanie zarówno w testach *in vitro*, jak i w badaniach interwencyjnych u ludzi. Badania te niosą wiele wspaniałych obietnic. W mojej książce ograniczyłem się do przedstawienia jedynie tych związków, co do których pozytywnego efektu profilaktycznego i nieszkodliwości normalnych dawek uzyskano pewność w wiarygodnych badaniach.

Rozdział 11

RUCH TO ZDROWIE

Szczęśliwie dotarliśmy do ostatniego rozdziału poprzedzającego praktyczny pakiet wskazówek profilaktycznych.

Ostatniego rozdziału nie poświęcam żadnej grupie pokarmów, ale mimo to ściśle łączy się on z problematyką diety. Przy okazji omawiania mięs, słodyczy i tłuszczów o wysokiej wartości energetycznej wiele razy wzywałem do umiaru w ich spożywaniu, aby uniknąć dodatkowych kilogramów. Teraz skoncentrujemy się właśnie na temacie nadwagi i otyłości, alarmującego problemu już nie tylko państw uprzemysłowionych, ale właściwie całego świata. Zapoznam Was z przyczynami i skutkami nadwagi w nawiązaniu do niektórych nowotworów.

Niestety, nadmiar kilogramów i otyłość wykazują wyraźny związek z rozwojem raka w wielu narządach: pęcherzu moczowym, trzustce, piersi, endometrium, nerkach i przełyku. Otyłość jest bezpośrednio odpowiedzialna za 5% przypadków wymienionych rodzajów nowotworów złośliwych[1,2].

Dlaczego robimy się coraz grubsi?

Kiedy uważnie przyjrzymy się ciału człowieka, a zwłaszcza dziecka, dostrzeżemy, że zostało ono stworzone do ruchu. Do aktywności predysponuje nas 650 mięśni i 214 kości połączonych za pomocą ścięgien i stawów[3]... Pomyślcie tylko, jak wiele gestów i ruchów możemy z ich pomocą wykonać! Mamy w posiadaniu cudowną biologiczną maszynerię, która niestety coraz częściej „rdzewieje" w bezruchu.

Tabela 46. Odsetek osób otyłych w poszczególnych krajach w 2010 roku

Kraj	Otyłość wśród obywateli [%]
Kanada	26
Wielka Brytania	24
Francja	14
Brazylia	12
Rosja	10
Chiny	4
Nigeria	3
Indie	2
Pakistan	2
Tanzania	1

Źródło: OMS, *Obésité et surpoids*, 2006; dostępny na stronie: http://www.who.int/mediacentre/factsheets/fs311/fr/index.html (data dostępu: 8 lutego 2009).

Przestaliśmy się ruszać. W świecie dostatku, gdzie jedzenie jest dostępne 24 godziny na dobę, zjadamy coraz więcej tłustych i słodzonych pokarmów. Nie potrzebujemy paliwa do naszej szczątkowej aktywności fizycznej i dlatego nadmiar składników energetycznych odkłada się na potęgę w naszych komórkach tłuszczowych m.in. w postaci trójglicerydów, tyjemy, a biologiczna maszyneria naszego organizmu zaczyna szwankować. Koniecznie musiałem wspomnieć w tej książce o aktywności fizycznej i jej nieocenionej roli w zapobieganiu nowotworom!

Tabela 47. Wydatek energetyczny związany z różnymi rodzajami aktywności

Rodzaj aktywności	Wydatek energetyczny [kcal/godz.]
Sen, odpoczynek w pozycji siedzącej lub leżącej	60
Aktywność w pozycji siedzącej: oglądanie telewizji, praca przy komputerze, jedzenie, gry towarzyskie	90
Aktywność w pozycji stojącej: zabiegi higieniczne, ubieranie się, przechadzka	120
Kobiety: gimnastyka, pielęgnacja ogrodu, spacer, prace domowe Mężczyźni: średniociężka praca fizyczna	170
Praca w ogrodzie, intensywna praca zawodowa (mężczyźni)	200
Sport: jazda na nartach, pływanie, piłka nożna itp.	> 300

Ustalmy na początek, co dokładnie kryje się pod pojęciem otyłości. Otyłość stała się w naszych czasach najczęstszą patologią odżywiania. Złożyło się na to wiele czynników: styl życia, preferencja postawy siedzącej, nawyki i sposób odżywiania oraz uwarunkowania psychologiczne, genetyczne i społeczne. Wrócimy do tego nieco później.

Od 1997 roku WHO definiuje otyłość jako patologiczne nagromadzenie tkanki tłuszczowej w organizmie mogące prowadzić do niekorzystnych skutków dla zdrowia[4].

Nadwaga polega na powiększaniu się komórek tłuszczowych (adipocytów) na skutek odkładania coraz większych ilości tłuszczu. Do otyłości dochodzi w sytuacji maksymalnego nasycenia adipocytów tłuszczem. Aby precyzyjnie ustalić początek otyłości, konieczne byłoby precyzyjne badanie ilości tkanki tłuszczowej, by wychwycić moment, od którego zaczyna statystycznie wzrastać zachorowalność i umieralność pacjentów. Zbyt skomplikowana procedura jak na zwykłą wizytę lekarską. Uciekamy się zatem do uproszczonej metody pozwalającej oszacować stopień otyłości bez uwzględniania precyzyjnej lokalizacji złogów tłuszczowych.

Najłatwiejszym sposobem na określenie czy dana osoba prezentuje normalną masę ciała, nadwagę lub otyłość jest oznaczenie jej wskaźnika masy ciała (inaczej BMI – skrót od ang. Body Mass Index). Uzyskujemy go przez podzielenie masy ciała podanej w kilogramach przez kwadrat wzrostu wyrażony w metrach. Na przykład wskaźnik BMI dla kobiety o wadze 60 kg i wzroście 1,65 m wynosi BMI = 60 : $(1,65)^2$ = 22,03.

BMI większy od 25 jest wyznacznikiem nadwagi, natomiast BMI powyżej 30 informuje o otyłości (patrz: tabela 48). Badając wskaźnik BMI, możemy łatwo prześledzić zależność zapadalności i umieralności na określone choroby w funkcji otyłości.

Tabela 48. Interpretacja wskaźnika BMI

Stan	Wartość wskaźnika BMI
Niedowaga	< 18,5
Waga prawidłowa	18,5–24,9
Nadwaga	25–29,9
I stopień otyłości (otyłość umiarkowana)	30–34,9
II stopień otyłości (poważna otyłość)	35–39,9
III stopień otyłości (otyłość skrajna)	> 40

Źródło: R.J. Stone, *Atlas of Skeletal Muscle*, William C. Brown, wyd. 3, 1999.

Założę się, że trzymacie teraz w ręku kalkulator i obliczacie swój BMI... Wstrzymajcie się jednak chwilę z analizą wyniku, ponieważ chcę Wam udzielić ważnej informacji związanej z pomiarem masy ciała!

Trzeba mieć na uwadze, że ryzyko związane z nadwagą i otyłością zależy od wieku (patrz: tabela 49), rodzaju otyłości, czasu jej powstania i rozkładu tkanki tłuszczowej.

Otyłość u dziecka przed ukończeniem 5 roku życia będzie skutkowała otyłością w wieku dorosłym. Badanie przeprowadzone przez DRASS w 2002 roku w regionie paryskim wykazało, że 6,2% dzieci z tego obszaru cierpi na otyłość, zwłaszcza w środowiskach o niższym statusie materialnym i społecznym.

Z początkiem roku 2008 francuski Państwowy Instytut Sanitarno -Epidemiologiczny (InVS) opublikował raport, w którym stwierdził unormowanie sytuacji w zakresie otyłości dziecięcej. Jednocześnie stwierdzono, że co szósty dorosły Francuz jest otyły[5].

Tabela 49. Średnia wartość wskaźnika BMI dla różnych grup wiekowych Francuzów w 2009 roku

Wiek	18–24	25–34	35–44	45–54	55–64	> 65
Średnia wartość BMI	22,3	24,4	25,1	25,8	26,5	26,4

Źródło: InVS, *Étude nationale nutrition santé 2006. Des consommations en fruits et légumes encourageantes chez l'adulte mais pas chez l'enfant. Vers une stabilisation du surpoids chez l'enfant mais encore un adulte sur six obèse*, informacja prasowa, 2007; dostępny na stronie: http://www.invs.sante.fr/presse/2007/communiques/nutrition_sante_121207/ (data dostępu: 19 marca 2009).

Nawet Chińczycy, stereotypowo postrzegani jako drobni ludzie o normalnej wadze, zmagają się obecnie z nasilającym się problemem otyłości. 184 miliony z nich ma nadwagę, a 31 milionów cierpi na otyłość[6].

Jak widać, otyłość stała się prawdziwą plagą współczesnych społeczeństw na całym świecie. Przewlekła jednostka chorobowa, jaką jest otyłość, nie daje się usunąć tak łatwo jak kilka nadmiarowych kilogramów. Rozwój otyłości jest złożonym procesem, który rozpoczyna się wraz ze wzrostem ilości tkanki tłuszczowej spowodowanej nadmiarem dostarczanych składników energetycznych. Później ciało dostosowuje się do nowego bilansu energetycznego i zaczyna uparcie bronić swojego *status quo*.

Musimy sobie wszyscy zadać pytanie postawione przeze mnie w tytule tego podrozdziału: „Dlaczego robimy się coraz grubsi?". Jeszcze 15 lat temu uważaliśmy otyłość za specjalność Amerykanów nierozerwalnie związaną z ich nawykami żywieniowymi. Czyżbyśmy „zarazili się" ich sposobem odżywiania? Czy współcześni Francuzi podobnie jak niektórzy Amerykanie tkwią całymi dniami przyklejeni do konsoli do gier i zamawiają do domu jedzenie typu fast food o dowolnej porze dnia i nocy, korzystając jedynie z gotowych dań (patrz: tabela 50) nafaszerowanych tłuszczem i cukrem?

Tabela 50. Zmiana nawyków żywieniowych Francuzów na podstawie badań ASPCC (1994) i INCa (1999)

	Zmiana sposobu odżywiania dzieci	Zmiana sposobu odżywiania dorosłych
Słodkie pieczywo i wyroby cukiernicze	+ 84%	+ 90%
Soki owocowe	+ 17%	+ 4%
Słodkie napoje gazowane	+ 17%	+ 17%
Ciastka	+ 24%	bez zmian
Makarony i ryż	+ 32%	+ 24%
Cukier biały	- 37%	- 8%

Klinicyści i epidemiolodzy nie uzyskali pewnych danych tłumaczących przyczyny coraz częstszego występowania otyłości.

Niektóre badania wskazują na rolę przemysłu spożywczego oferującego nam produkty o zwiększonym indeksie glikemicznym[7] (zawierające duże ilości syropu kukurydzianego bogatego we fruktozę). Badacze sprawdzają również wpływ restauracji typu fast food i automatów z batonikami w szkołach[8] na obserwowaną plagę otyłości.

Jednak żadne z wymienionych badań nie potwierdziło hipotezy, jakoby nawyki żywieniowe były powodem szybującego w górę wskaźnika BMI. Nawet jeśli badanie Burdette and Whitaker[9] wypunktowuje powiązania między konsumpcją żywności typu fast food a otyłością, nic nie wskazuje w tej analizie na związek przyczynowo-skutkowy między obydwoma czynnikami. Najwięcej dowodów na wzrost wskaźnika BMI i otyłość powiązaną z konsumpcją określonego produktu spożywczego zebrano w przypadku słodzonych napojów gazowanych. Taka zależność wynika z 75% badań przeprowadzonych wśród dzieci w USA[10].

Jeszcze inne badania uwypuklają rolę siedzenia przed telewizorem i pogryzania wysokoenergetycznych przekąsek (czipsów i jedzenia typu junk food). Ostatnio wykonana zbiorcza analiza wyników potwierdza wykrycie statystycznej zależności między tym nawykiem a występowaniem otyłości, ale jednocześnie sygnalizuje brak dostatecznych dowodów z badań klinicznych potrzebnych do ostatecznego potwierdzenia hipotezy[11].

Wspomniane badania nie poddają w wątpliwość znaczenia zmieniających się nawyków żywieniowych, ale sugerują, aby wziąć pod uwagę również inne czynniki.

Udało się naukowo udowodnić wpływ niedostatecznej ilości snu, zarówno u dzieci, jak i u dorosłych. Otóż okazuje się, że długość najważniejszej fazy snu jest odwrotnie proporcjonalna do wskaźnika BMI i tym samym powiązana z ryzykiem otyłości[12].

Jak znaleźć odpowiednie dla siebie „uwagi w sprawie wagi"?

Zauważcie, że lista czynników związanych z otyłością jest długa. Otyłość nie ma jednej określonej przyczyny. Brak odpowiedniej liczby badań epidemiologicznych i nie udało się wytropić mechanizmów warunkujących rozwój otyłości. Nawet jeśli jeden z czynników rozwoju otyłości oddziałuje stosunkowo słabo, to i tak wlicza się go w „pakiet" realnego wpływu wraz z innymi przyczynami.

Dlaczego nadwaga sprzyja wystąpieniu raka?

Ponieważ modyfikuje w organizmie wiele parametrów biochemicznych bezpośrednio wpływających na metabolizm komórek nowotworowych.

Nie będę się powtarzać na temat szczegółów mechanizmów, które w przypadku nadwagi i otyłości zwiększają ryzyko rozwoju nowotworu. Omówiłem je w rozdziale na temat cukrów w diecie. Przypomnijmy jedynie w skrócie, że adipocyty zachowują się jak pompy hormonalne. Pobudzają wydzielanie insuliny – hormonu regulującego gospodarkę węglowodanową, zużycie i gromadzenie glukozy, a nadmiar insuliny jest w stanie zintensyfikować podziały komórkowe, również w przypadku komórek rakowych. Hormon ten może wywierać taki wpływ bezpośrednio lub pośrednio, pobudzając w wątrobie wydzielanie IGF-1 (insulinopodobnego czynnika wzrostu) o podobnym stymulującym działaniu na komórki. Oba hormony – insulina i IGF-1 – wykazują szkodliwą tendencję zwiększania aktywności enzymów odpowiedzialnych za produkcję hormonów płciowych (estradiolu u kobiet i testosteronu u mężczyzn).

Wymienione hormony zwiększają liczbę podziałów komórek piersi u kobiet oraz prostaty u mężczyzn, jednocześnie podnosząc ryzyko zachorowania na raka jednego z tych narządów.

Profilaktyczna rola aktywności fizycznej

Jak przedstawiają się relacje w trójkącie: otyłość, aktywność fizyczna i rak?

Przed chwilą omówiliśmy związek między otyłością a rakiem. Teraz przybliżę istotną rolę aktywności fizycznej w profilaktyce antynowotworowej. Wydatek energetyczny organizmu zależy głównie od naszej aktywności fizycznej[13]. Im większa dawka ruchu, tym mniej cukrów i tłuszczów ulega przemianie w trójglicerydy w adipocytach. Zaczynacie widzieć związek? Przyda się nam proste równanie:

Energia zgromadzona = Energia dostarczona – Energia wydatkowana

Poza aktywnością fizyczną wydatkujemy energię również na:

- termoregulację, czyli utrzymywanie stałej ciepłoty ciała na poziomie 37,2°C niezależnie od warunków zewnętrznych;
- podstawową przemianę materii (PPM), czyli procesy energetyczne zapewniające podtrzymywanie funkcji życiowych i sprawne działanie organizmu; PPM zależy od masy ciała, płci, nałogu palenia papierosów itp.

Dawka ruchu, poza efektem wyszczuplającym, zapewnia działanie antynowotworowe.

W czasie ćwiczeń fizycznych nasze mięśnie się kurczą, aby pobudzić ciało do ruchu, a to oczywiście wymaga dostarczenia energii. Mięśnie czerpią energię do pracy ze spalania glukozy endogennej, czyli wcześniej zmagazynowanej w ciele, lub z cukru egzogennego dostarczanego wraz z pożywieniem. Im silniejszy i / lub dłuższy wysiłek fizyczny, tym większe zużycie węglowodanów. Aktywność jest zdecydowanie najskuteczniejszym sposobem wyrugowania odkładającego się w organizmie nadmiaru cukru i tłuszczów, od których pęcznieją komórki tłuszczowe – adipocyty.

Szybkość spalania cukru (zużywanego w pierwszej kolejności) lub tłuszczów (reakcja znacznie wolniejsza) zależy od intensywności ćwiczeń, stanu odżywienia i kondycji fizycznej osób badanych.

Na czym polega dobroczynny wpływ sportu?

Jeśli ciało zużywa rezerwy energetyczne, to spala nagromadzony tłuszcz i w związku z tym nie ma on szansy wywrzeć negatywnego wpływu sprzyjającego rozwojowi nowotworów. Ruch uzupełnia działanie diety i pomaga zniwelować skutki spożywania nadmiaru wysokoenergetycznego pożywienia.

Dobrą znajomość profilaktycznej roli aktywności fizycznej zawdzięczamy badaniom prowadzonym przez onkologów i jednocześnie zapalonych miłośników sportu, takich jak mój przyjaciel dr Thierry Bouillet, założyciel stowarzyszenia „Rak, sztuki walki i informacja" (CAMI – *Cancer, arts martiaux et informations*). Udało się liczbowo opisać rolę aktywności fizycznej w poprawie stanu chorych na raka piersi, prostaty i okrężnicy oraz udowodnić działanie zapobiegawcze w innych badaniach z udziałem ogromnej liczby ochotników[14,15,16].

Ponadto ćwiczenia fizyczne mogą zwiększać szansę wyleczenia dzięki temu, że poprawiają jakość życia, zwiększają wiarę w siebie, wytrzymałość i sprzyjają lżejszemu znoszeniu terapii (trzy badania opublikowane w 2005 roku doprowadziły do podobnych wniosków[17]).

W 2008 roku natomiast ukazała się publikacja Cochrane Institute z USA, w której podsumowano wyniki 28 testów (w tym 16 dotyczących raka piersi), podkreślająca większe szanse wyjścia z choroby nowotworowej pod wpływem podjętej aktywności fizycznej[18].

Jak przegonić raka tam, gdzie... raki zimują?

Aktywność fizyczna oddziałuje na raka rosnącego już w ciele, ale może również doskonale działać profilaktycznie, ponieważ ma wpływ na czynniki związane z nadwagą, sprzyjające procesowi nowotworzenia. Modyfikuje metabolizm estrogenów i faworyzuje powstawanie pochodnych o słabszym działaniu estrogennym. Obniża poziom insuliny i zmniejsza insulinoodporność w przypadku kobiet z nadwagą prowadzących siedzący tryb życia. Zostało to udowodnione w wielu badaniach, w tym w najnowszym z roku 2009 nad kobietami z wieloletnią nadwagą i w trakcie prowadzonego leczenia raka. Analizy prowadzą do wniosku o pozytywnym wpływie odpowiednio dobranych ćwiczeń fizycznych na przebieg leczenia[19,20,21,22].

Jeśli chcecie podjąć aktywność fizyczną, która potrafi realnie zapobiegać nowotworom, powinniście pomyśleć o specjalnej metodzie pomiaru wydatku energetycznego[23,24].

Chodzi o MET – równoważnik metaboliczny z powodzeniem zastępujący w obliczeniach tradycyjne kilokalorie ze względu na swą przejrzystość i prostotę. 1 MET odpowiada godzinnemu zużyciu tlenu w spoczynku i wynosi 3,5 ml O_2/kg masy ciała/min lub 1 kcal/kg/godz.

Na przykład marsz wymaga wydatku energii 3 MET na godzinę. Kiedy wchodzicie po schodach – spalacie 6 MET na godzinę. Intensywny ruch taki jak gra w piłkę nożną i tenisa lub pływanie będzie kosztować ponad 6 MET na godzinę.

Dla porównania przeciętny współczesny człowiek wydatkuje mniej niż 3 MET/tydzień. Myślę, że daje to wyobrażenie, jak bardzo staliśmy się *homo sedativus* (patrz: tabela 51)!

Aby aktywność fizyczna poprawiła rokowania kobiet po menopauzie chorujących na raka piersi, musi ona gwarantować wydatek energetyczny w zakresie 9 MET na tydzień, co oznacza 1 godzinę marszu 3 razy w tygodniu lub 1 godzinę pływania plus 30 minut marszu tygodniowo lub 30 minut marszu 6 razy w tygodniu.

Trzy niezależne badania doprowadziły do niemal identycznych wniosków: amerykańskie obserwacje Nurses' Health Study (NHS) z udziałem 2987 kobiet[25], badanie Women's Healthy Eating and Living (WHEL) na 1490 pacjentkach[26] oraz Collaborative Women's Longevity Study (CWLS) z 4482 badanymi osobami[27].

Tabela 51. Wydatek energetyczny związany z różnymi formami aktywności

Sport [MET na godzinę]		Codzienne zajęcia [MET na godzinę]	
Joga	2,5–3,5	Siedzenie	1
Gimnastyka w wodzie	4	Gotowanie	2
Bieg po ruchomej bieżni	4,5	Sprzątanie	2–4
Jazda na rowerze	4–10	Majsterkowanie	3–5
Wioślarstwo	3,5–6,5	Spacer	2–3
Pływanie	4–11	Praca w ogrodzie	3–6
Tenis	5–8		
Sztuki walki	10		
Squash	12		

Źródło: B. Haskell, *The Compendium of Physical Activities*; dostępny na stronie: http://www.prevention.sph.sc.edu/tools/docs/documents_compendium.pdf (data dostępu: 29 marca 2010).

W przypadku raka okrężnicy wymagany jest wyższy wydatek energetyczny niż w przypadku raka piersi (na poziomie 18 MET), na co wskazuje analiza wyników badania Cancer and Leukemia Group B (CALGB) oraz wspomniane wyżej obserwacje NHS.

Aby uzyskać efekty profilaktyczne, a także w trakcie rehabilitacji po przebytej chorobie, ćwiczenia powinny trwać co najmniej pół godziny i polegać na rozciąganiu mięśni całego ciała.

Niestety, w przypadku osób o wskaźniku BMI ponad 30 efektywność ćwiczeń okazuje się niższa.

Nie wahajcie się ani chwili dłużej i włączcie zajęcia ruchowe do swojego planu dnia. Maszerujcie dziarskim krokiem minimum pół godziny dziennie każdego dnia, uprawiajcie sporty takie jak tenis, pływanie, gimnastyka, pielęgnujcie ogródek albo energicznie porządkujcie dom. Prace domowe również wymagają pewnego wydatku energii.

Uczcie swoje dzieci aktywnego trybu życia, ponieważ okres między 12 a 22 rokiem życia jest decydujący dla prewencji nowotworów, również dzięki sporej ilości zajęć ruchowych.

Jeśli macie nadwagę, zadbajcie o równowagę składników odżywczych w diecie w powiązaniu z odpowiednią dawką regularnych, umiarkowanie intensywnych ćwiczeń.

Mógłbym na tym zakończyć wskazówki sportowe, ale nie mogę zignorować tych, którzy z jakichś powodów nie uprawiają albo nigdy nie uprawiali żadnych sportów.

Od czasu nasilającej się „epidemii" otyłości kluby fitness zmieniły slogany reklamowe. Zrezygnowały z modnego w latach 80. podkreślania aspektu towarzyskiego zajęć sportowych, urody wysportowanej sylwetki i roli zwycięstwa, a przerzuciły się w połowie lat 90. na promocję idei zdrowia psychofizycznego. W ten sposób narodził się nurt *wellness*, czyli sztuka dobrego samopoczucia, niejako w opozycji do fitnessu bardziej ceniącego piękno niż zdrowie.

Zewsząd słyszycie namowy: „Ruszajmy się, to dobre dla zdrowia".

Proponuje się nam zajęcia sportowe o ekstrawaganckich nazwach, często pozostawionych w angielskim brzmieniu: *hi-low, step, body pump*... Ale co z tego wybrać? Z oceanu możliwości trzeba niewątpliwie wyłowić coś odpowiedniego dla własnej osobowości. Jak poprawić sobie nastrój? W jaki sposób uczynić z aktywności fizycznej zdrowy nawyk? Jak wskazują doświadczenia niejednego z Was, źle dobrane zajęcia sportowe potrafią skutecznie zniechęcić.

Jeśli nie czerpiecie satysfakcji z określonej formy aktywności fizycznej, pewnie szybko ją porzucicie, tracąc zainwestowane w zajęcia pieniądze i zyskując potężne wyrzuty sumienia.

Wasz sport powinien być „skrojony na miarę" upodobań, aspiracji, temperamentu, zainteresowań, sposobu radzenia sobie ze stresem, zdolności adaptacyjnych i umiejętności koncentracji. Forma aktywności będzie jednym z rodzajów Waszej ekspresji.

Jak ktoś, kto nie znosi rywalizacji, ma czerpać przyjemność z gry w tenisa, jak ktoś nieszukający introspekcji ma cieszyć się jogą, jak samotnik może się dobrze czuć w sportach zespołowych?

Powiedzenie komuś: „Uprawiaj ten a ten rodzaj sportu, bo jest najlepszy dla zdrowia", mija się z celem. To tak jakby zmuszać miłośnika kalafiorów do zajadania się brokułami, których nie cierpi.

O ile medytacja lub ćwiczenia relaksacyjne pomogą ujarzmić codzienny stres, o tyle nie zapewniają wystarczającego wydatku energetycznego, aby wywrzeć realny wpływ na parametry fizjologiczne związane z rozwojem nowotworów. Jak już wspomniałem wcześniej, do walki z nadwagą i zmianami nowotworowymi trzeba podjąć ćwiczenia aerobowe, czyli wymagające wydatku energii co najmniej 3 MET na godzinę oraz przyspieszające puls do poziomu co najmniej 60% maksymalnej wartości wysiłkowej. Maksymalny puls oblicza się, odejmując od liczby 220 Wasz wiek. Zdaję sobie doskonale sprawę, że jeśli macie nadwagę, to ćwiczenia aerobowe mogą sprawiać trudność, bo męczycie się szybciej, jesteście mniej ruchliwi i macie bardziej obciążone stawy.

Ekoaktywność

Mam dla Was propozycję, którą nazwałem „ekoaktywnością".

Weźmy za przykład samochód. Trzeba dla niego znaleźć złoty środek – ekologiczne i jednocześnie oszczędne paliwo, aby pojazd działał długo i sprawnie.

Idea ekoaktywności jest podobna, ale dotyczy ciała. Chodzi o wysiłek, który nie szkodzi.

Dyscypliny odpowiadające filozofii ekoaktywności zwykle polegają na płynnych ruchach sprzyjających harmonii organizmu i poprawiających koordynację. Będzie tutaj sporo ćwiczeń rozwijających świadomość ciała i zmysł równowagi, uczących zdolności koncentracji i pogłębiających oddech, co z kolei pozwala zwolnić puls i zniwelować stres.

Poniżej zamieszczam kilka przykładów ekoaktywności, wybór ulubionych zajęć pozostawiając oczywiście Wam!

Polecam:

- **gimnastykę w wodzie:** ćwiczenia wykonywane pod wodą, w zanurzeniu do ramion, zalecane osobom z nadwagą, ponieważ w wodzie pozornie tracimy na ciężarze, a jej opór zwiększa skuteczność poszczególnych ruchów; gimnastyka podwodna ponadto odciąża stawy;
- **spacery:** grupowe wyprawy na łono przyrody o umiarkowanym stopniu trudności; ciało ćwiczy samo, podczas gdy my jesteśmy zajęci urokliwymi widokami; skuteczność marszu można zwiększyć, zabierając ze sobą kijki do nordic walkingu;
- **stretching:** rozciąganie wszystkich mięśni połączone z głębokim oddychaniem, znakomicie relaksuje w przypadku napięć mięśniowych;
- **pilates:** bardzo modny rodzaj gimnastyki opracowany na początku XX wieku przez Josepha Pilatesa; oprócz ćwiczeń na macie wykorzystuje również sprężyny i taśmy, poprawia postawę, uaktywnia wszystkie mięśnie i buduje świadomość ciała;
- **tai-chi** oraz **qi-qong:** azjatyckie ćwiczenia opierające się na płynnych ruchach, koncentracji i głębokim oddychaniu, wykonywane w pozycjach kształtujących zmysł równowagi; bardzo odprężające; ćwiczy się również w parkach na wolnym powietrzu;
- **power yoga:** bardzo modny rodzaj jogi z wykorzystaniem klasycznych postaw i pozycji, ale z większym naciskiem na ruch; usuwa napięcia fizyczne i psychiczne.

Znajdziecie w wymienionym spisie zarówno ćwiczenia dla indywidualistów, jak i miłośników zabawowej strony sportu oraz „iskierek" mających tysiąc pomysłów na sekundę. Na pewno któraś z dyscyplin spodoba się Wam i będziecie czerpali przyjemność z ćwiczeń. Nie zmuszając się do niczego, niejako przy okazji zadbacie o profilaktykę antynowotworową!

Rozdział 12

PRAKTYCZNE WSKAZÓWKI ANTYRAKOWE

Wiecie już wszystko albo prawie wszystko o jedzeniu: co zawiera, jakie są jego dobroczynne, a jakie szkodliwe składniki. Poznaliście korzyści i niebezpieczeństwa związane z określonymi pokarmami lub sposobami ich przyrządzania.

Być może zaczęliście już sobie powoli wyrabiać pogląd na to, co warto częściej włączać do swojego menu, a czego unikać.

Wspólnie z Nathalie Hutter-Lardeau, dietetyczką, która bardzo pomogła mi w pisaniu tej książki, postanowiliśmy podarować Wam zestaw gotowych wskazówek antynowotworowych. Przygotowaliśmy przegląd najistotniejszych informacji dotyczących oddziaływania i łączenia różnych pokarmów, abyście mogli wyciągnąć jak najwięcej korzyści z powstania nowej nauki – nutrigenomiki, pozwalającej lepiej zrozumieć związki między dietą a mechanizmem rozwoju nowotworów.

Przed Wami lektura naszych „wskazówek antyrakowych".

Pięć złotych zasad

Zanim przejdziemy do szczegółów, pozwólcie, że wymienię pięć złotych zasad, które pozwolą przekuć wysiłki dietetyczne w „złoto" zdrowego życia. Bez ich przestrzegania inne starania mają nikłe szanse powodzenia.

Zalecenia są niezwykle proste:

1. **Nie palimy:** papierosy w przeciwieństwie do wina są szkodliwe niezależnie od ilości i nawet wtedy, gdy pali „tylko" sąsiad. Nie palcie pod żadnym pozorem i chrońcie przed rakotwórczym nałogiem swoje dzieci.
2. **Jemy urozmaicone posiłki:** nie odsyłajcie żadnego składnika jadłospisu tam, gdzie pieprz rośnie, nawet jeśli nie jest on szczególnie korzystny dla zdrowia; efekt kancerogenny określonych substancji pokarmowych występuje dopiero przy ich częstym spożywaniu w znacznych ilościach; zatem jeśli uwielbiacie łososie, które bywają zanieczyszczone metalami ciężkimi, z pewnością nie zaszkodzi zjedzenie 200 g ryby od czasu do czasu.
3. **Przyrządzamy dania na różne sposoby:** smażenie w woku jest potencjalnie rakotwórcze, zwykłe smażenie może również okazać się zdradliwe, należy też unikać kontaktu pożywienia z płomieniem, czyli zbyt wysoką temperaturą powodującą powstawanie silnie rakotwórczych lotnych substancji i osadu; lepiej gotować na parze i dusić potrawy, co nie oznacza, że nie można raz lub dwa razy w lecie zrobić przyjęcia w ogrodzie z przysmakami z grilla i czasami dla odmiany skosztować czegoś z kuchni azjatyckiej; frytki też nie są zakazane, o ile użyjecie do ich przygotowania frytownicy beztłuszczowej.
4. **Wybieramy produkty tradycyjne, regionalne, ekologiczne:** do znudzenia powtarza mi to mój przyjaciel Jean-Luc Petitrenaud, krytyk kulinarny; jakość produktów tradycyjnych przewyższa wyroby wielkoprzemysłowe, ich receptury i sposoby wytwarzania przetrwały próbę czasu i stanowią nasze dziedzictwo kulinarne; są relatywnie

nieszkodliwe, a czasami nawet wykazują znakomite własności profilaktyczne; nawet jeśli badania naukowe nie wykazały zwiększonej skuteczności żywności ekologicznej w zapobieganiu rakowi, lepiej spożywać produkty zawierające mniej pestycydów (chociaż droższe); myjcie dokładnie owoce i warzywa, niekiedy przydaje się ich wstępna kąpiel w wodzie z niewielką ilością naturalnego mydła usuwająca pozostałości pestycydów.

5. **Dbamy o prawidłowy bilans energetyczny**, czyli więcej ruchu i mniej zbytecznych kalorii; kontrolujcie BMI, nie jedzcie zbyt tłusto i bądźcie czujni co do ukrytych cukrów w niektórych napojach i pokarmach; nie podjadajcie między posiłkami; uprawiajcie sport; a jeśli pewnego dnia nabierzecie ochoty na małą ucztę i kulinarne grzeszki, zróbcie to bez wyrzutów sumienia – w trakcie kolejnych 1–2 dni odpokutujecie przyjęcie, jedząc niskokalorycznie i przebiegając dodatkowy kilometr.

Doktor Laennec, jeden z najwybitniejszych francuskich lekarzy, mawiał, że choroba jest wynikiem martwienia się na zapas w trakcie przyjemności. Nie róbcie tego! Jedzcie ze smakiem i radością, nawet jeśli delektujecie się czymś, co jest teoretycznie niezdrowe (o ile pozwalacie sobie na to od czasu do czasu!).

Oto podstawowe zasady, na których oprzemy dalsze zalecenia przeciwnowotworowego stylu życia.

Zanim do nich przejdziemy, zapraszam do zapoznania się z tabelami potencjału antyoksydacyjnego produktów żywnościowych opisywanych w tej książce.

Uczulam na rozpowszechniony ogólnik, że o przydatności w profilaktyce antynowotworowej danego pokarmu / składnika decyduje wyłącznie wysoka zawartość antyoksydantów. Jak bardzo może to być mylące, pokazał nam przykład beta-karotenu i witaminy E.

Tabela 52. Zawartość antyoksydantów w produktach żywnościowych

Produkt	Liczba zbadanych próbek	Zawartość antyoksydantów [mmol/100 g]
Napoje	**283**	**8,3**
Czarna herbata po zaparzeniu	5	1
Rozpuszczalna czekolada mleczna	4	0,4
Kawa z ekspresu, przefiltrowana	31	2,5
Espresso	2	14,2
Zielona herbata po zaparzeniu	17	1,5
Czerwone wino	27	2,5
Pieczywo	**90**	**1,1**
Sucharki	3	1,1
Biały chleb tostowy	3	0,6
Pełnoziarnisty chleb tostowy	2	1
Owoce i soki	**278**	**1,25**
Jabłka	15	0,4
Suszone morele	4	3,1
Suszone jabłka	3	3,8
Suszone jagody	1	48,3
Daktyle	2	1,7
Suszone mango	2	1,7
Pomarańcza	3	0,9
Papaja	2	0,6
Suszone śliwki	1	3,2
Granaty	6	1,8
Truskawki	4	2,1
Sok jabłkowy	11	0,3
Sok żurawinowy	5	0,92
Sok winogronowy	6	1,2
Sok pomarańczowy	16	0,6
Sok z granatów	2	2,1

Produkt	Liczba zbadanych próbek	Zawartość antyoksydantów [mmol/100 g]
Sok śliwkowy	3	1
Sok pomidorowy	14	0,48
Zboża i produkty zbożowe	**227**	**0,34**
Jęczmień i kasza jęczmienna	4	1
Chleb pełnoziarnisty	3	0,5
Kasza gryczana	2	1,4
Pełnoziarnista kasza gryczana	2	2
Mąka kukurydziana	3	0,6
Proso (kasza jaglana)	1	1,3
Warzywa	**69**	**0,48**
Karczoch	8	3,5
Groszek zielony	25	0,8
Czarne oliwki	6	1,7
Ugotowane brokuły	4	0,5
Papryka czerwona i zielona	3	2,4
Jarmuż	4	2,8
Orzechy i nasiona	**90**	**4,57**
Orzechy laskowe	1	4,7
Prażone arachidy	1	2
Orzechy pekan	7	8,5
Orzechy pistacjowe	7	1,7
Nasiona słonecznika	2	6,4
Orzechy włoskie	13	22
Zioła i przyprawy	**425**	**29**
Bazylia suszona	5	19,9
Kolendra	3	26,5
Goździki	6	277
Koper suszony	3	20
Estragon suszony	3	43,8

Produkt	Liczba zbadanych próbek	Zawartość antyoksydantów [mmol/100 g]
Imbir	5	20,3
Suszone liście mięty	2	116
Susz oregano	9	63,2
Liść laurowy suszony	5	44,8
Szafran	3	44,5
Tymianek	3	56,3
Produkty pochodzenia zwierzęcego	**211**	**0,18**
Nabiał	86	0,14
Jajka	12	0,04
Ryby i owoce morza	32	0,11
Mięso i produkty na bazie mięsa	31	0,31
Drób i produkty na bazie mięsa drobiowego	50	0,23

Źródło: M.H. Carlsen, B.L. Halvorsen, K. Holte, S.K. Bøhn, S. Dragland, L. Sampson, C. Willey, H. Senoo, Y. Umezono, C. Sanada, I. Barikmo, N. Berhe, W.C. Willett, K.M. Phillips, D.R. Jacobs Jr, R. Blomhoff, *The total antioxidant content of more than 3 100 foods, beverages, spices, herbs and supplements used worldwide*, „Nutr. J.", 2010, 9 (3).

Moje przykazania antynowotworowe

Wydaje mi się, że najbardziej przejrzyste będzie zebranie porad dietetycznych w dwóch grupach: „co należy wybierać?" i „czego unikać?".

Czynniki antyrakowe

Oto 10 najskuteczniejszych czynników antynowotworowych:

1. **Sok z granatów:** najlepiej wytwarzany przemysłowo, ponieważ zawiera jeszcze więcej antyoksydantów.
2. **Kurkuma:** doprawiajcie nią potrawy tak często, jak tylko się da, ponieważ jest to jeden z najsilniejszych antyrakowych składników pożywienia.

3. **Zielona herbata:** wszystkie odmiany zielonych herbat są bogate w galusan epigallokatechiny (EGCG) i działają znakomicie, zwłaszcza w połączeniu z suszonymi liśćmi papai.
4. **Wino:** korzystne w umiarkowanych ilościach do 2–3 kieliszków dziennie; bogate w resweratrol.
5. **Selen:** jeden z nielicznych suplementów, które wykazały realne działanie przeciwnowotworowe, dostępny w aptekach w postaci tabletek – przed zakupem zasięgnijcie porady lekarza lub farmaceuty.
6. **Pomidory:** najlepiej poddane obróbce, czyli w postaci sosu lub soku pomidorowego; zawierają likopen działający silnie przeciwnowotworowo, zwłaszcza na mężczyzn.
7. **Włókna pokarmowe:** pełnią rolę prebiotyków oraz ułatwiają transport pokarmu w jelicie, tym samym skracając czas kontaktu składników potencjalnie kancerogennych z pożywienia ze śluzówką przewodu pokarmowego; osoby z zespołem jelita drażliwego powinny jednak zachować ostrożność w stosunku do tego składnika pokarmowego.
8. **Czosnek i cebula:** wykazują bardzo silne działanie antyrakowe, ważne składniki słynnej diety śródziemnomorskiej, stosujcie je bez ograniczeń.
9. **Kwercetyna:** zawarta w kaparach, lubczyku, kakao i ostrej papryce doskonale działa profilaktycznie, zwłaszcza u palaczy.
10. **Aktywność fizyczna:** odgrywa ważną rolę w procesie leczenia i pozwala zminimalizować ryzyko wznowy choroby; wpływa na zachowanie właściwego bilansu energetycznego i prawidłowych wartości wskaźnika BMI.

Moim zdaniem wymienione wyżej czynniki stanowią sedno profilaktyki antynowotworowej. Są łatwe w stosowaniu, stosunkowo niedrogie i dostępne dla każdego.

Zatem mamy już fundament, na którym oprzemy dalsze zalecenia. Pierwsza dziesiątka „przebojów antyrakowych" zawiera najmniej dyskusyjne, najdokładniej zbadane składniki. Możecie je od zaraz włączyć do swojej diety, aby jak najwcześniej cieszyć się ich dobroczynnym działaniem.

Teraz nastąpi prezentacja czynników o dużym stopniu ryzyka. Jeśli naprawdę chcecie zadbać o swoje zdrowie i skuteczniej zapobiegać nowotworom, unikajcie przedstawionych szkodliwych składników diety i nawyków.

Czego unikać

Oto lista tych składników diety i nawyków, od których należy trzymać się z daleka, jeśli zależy Wam na zminimalizowaniu niebezpieczeństwa zachorowania na raka.

1. **Palenie:** wybaczcie, że znowu o tym wspominam, ale palenie odpowiada za jedną trzecią złośliwych nowotworów w naszym kraju.

Ponieważ jednak miałem się skupić na czynnikach dietetycznych, zacznijmy odliczanie od początku...

1. **Nadmierne spożycie włóczników, czerwonego tuńczyka, halibuta i łososia:** ryby te kumulują w sobie zbyt dużo metali ciężkich i innych toksyn, aby mogły być często spożywane, unikajcie ich.
2. **Nadmierna konsumpcja nabiału (mleka, serów i jogurtów) w przypadku mężczyzn.** Panowie powinni ograniczyć produkty mleczne w diecie, szczególnie po przekroczeniu 50 roku życia; powyższe ograniczenie nie dotyczy dzieci i kobiet, których zdrowiu jak najbardziej służy nabiał.
3. **Beta-karoten:** obecny w wielu suplementach diety, sprzedawanych nie tylko w aptekach; jeśli palicie lub kiedykolwiek paliliście, powinniście absolutnie unikać tego związku, bo wykazuje on działanie rakotwórcze u palaczy; nie przesadzajcie również z konsumpcją owoców i warzyw bogatych w beta-karoten.
4. **Witamina E:** kiedyś modna i polecana, skoro jednak zyskaliśmy naukowe dowody na to, że zwiększa ryzyko rozwoju niektórych nowotworów, należy na nią uważać (uwaga, jest obecna w większości zestawów i koktajli witaminowych!).

5. **Nadmiar mocnych alkoholi:** być może pite okazjonalnie nie podziałają szkodliwie, ale regularna konsumpcja może zwiększyć prawdopodobieństwo rozwoju pewnych nowotworów złośliwych; nigdy nie przekraczajcie dawki napojów alkoholowych odpowiadającej 30 g czystego alkoholu na dzień.
6. **Nadwaga:** nie możecie jej lekceważyć; to obok siedzącego trybu życia ważny czynnik ryzyka raka u osób obojga płci; warto dbać o zachowanie prawidłowej wagi już od dzieciństwa.
7. **Arsen w wodzie pitnej, azotany i azotyny w wodzie oraz niektórych wędlinach produkowanych metodą przemysłową:** zdecydowanie unikajcie tych trzech składników ze względu na ich wysoką kancerogenność zarówno w przypadku kobiet, jak i mężczyzn; sprawdzajcie wyniki badania wody wodociągowej pod kątem zawartości arsenu (we Francji – w lokalnym oddziale DDASS, w Polsce – w powiatowym inspektoracie sanitarnym); szukajcie na etykietach wędlin informacji o zawartości lub braku azotanów i azotynów.
8. **Hemoglobina zawarta w mięsie:** usuwajcie krew z mięsa, np. myjąc je dokładnie przed dalszą obróbką; jeśli wyjątkowo decydujecie się na zjedzenie kaszanki lub krwistego befsztyku, zażyjcie po takim posiłku tabletkę wapnia, francuscy naukowcy udowodnili bowiem przydatność fosforanu wapnia w neutralizowaniu rakotwórczego efektu hemoglobiny pochodzącej z mięsa.
9. **Oleje bogate w wielonienasycone kwasy tłuszczowe:** chodzi głównie o olej rzepakowy, olej perilla oraz olej z nasion konopi, które poddane działaniu wysokiej temperatury działają potencjalnie rakotwórczo.
10. **Grillowanie i smażenie w woku:** smażenie w woku jest najbardziej niebezpieczne z użyciem olejów wymienionych w punkcie 9; dodatkowo kształt patelni powoduje zbyt silne nagrzewanie potrawy i prowadzi do powstawania związków rakotwórczych; również kontakt produktów spożywczych z płomieniem w czasie ich opiekania na otwartym ogniu (czyli poddanie ich działaniu temperatury ponad 500°C) prowadzi do powstawania związków rakotwórczych.

Tym oto sposobem dokonaliśmy podsumowania czynników dietetycznych, których należy zdecydowanie unikać, podejmując się profilaktyki antynowotworowej.

Dobroczynne praktyki

Możemy tutaj wymienić post, znany od zarania dziejów, często podejmowany z pobudek religijnych lub filozoficznych. U zwierząt laboratoryjnych głodówka działała antynowotworowo, zmniejszając ryzyko zachorowania.

Zwiększona produkcja ciał ketonowych w trakcie postu lub diety pozbawionej węglowodanów wydaje się osłabiać komórki nowotworowe, które w przeciwieństwie do zdrowych komórek nie potrafią funkcjonować w warunkach metabolicznych wymagających wykorzystania ciał ketonowych jako materiału energetycznego. W czasie głodówki dochodzi również do zmniejszenia produkcji czynników wzrostu stymulujących podział komórek, w tym dobrze nam znanego czynnika IGF-1. Nie będę polecać postu, ale uznałem, że warto zasygnalizować jego możliwy wpływ profilaktyczny. Zdecydowanie jednak odradzam głodowanie pacjentom, którzy są w trakcie lub po chorobie nowotworowej, jak również osobom osłabionym ze względu na ryzyko nadmiernego wycieńczenia organizmu.

Triki żywieniowe

W wielu miejscach tej książki była mowa o owocach i warzywach. W tej grupie znajdują się najskuteczniejsze antyrakowe produkty żywnościowe.

Przywołaliśmy jednak ku przestrodze wstępne, najnowsze wyniki badań wskazujące na możliwość związku między piciem dużych ilości soku pomarańczowego a zwiększonym prawdopodobieństwem rozwoju czerniaka złośliwego, zwłaszcza w przypadku jednoczesnej ekspozycji na promieniowanie słoneczne i przynależności do grupy zwiększonego ryzyka (ze względu na jasny kolor skóry i oczu oraz liczne znamiona).

Powinienem teraz wskazać optymalny sposób spożywania owoców i warzyw.

Czy możemy również i tym razem pogrupować je kolorystycznie, podobnie jak w rozdziale w całości poświęconym produktom roślinnym? Tak, i w związku z tym po raz pierwszy w tej książce udzielę porad niepopartych badaniami, ale mimo to logicznie wynikających z mechanizmów oddziaływania specyficznych związków aktywnych zawartych w owocach o określonej barwie.

Ogólnie najlepiej spożywać pomarańczowe i żółtopomarańczowe owoce oraz warzywa rano, aby zapewnić sobie sporą dawkę antyoksydantów po nocnej przerwie. Zieleninę polecam na wieczór, ponieważ jej kolor pochodzi z ciałek zieleni, w których pod wpływem słońca w ciągu dnia zachodziła fotosynteza.

Wieczorem lepiej unikać fioletowych i innych ciemnych owoców ze względu na ich wysoką kwasowość.

Natomiast białe i czerwone owoce oraz warzywa możecie spożywać bez ograniczeń o dowolnej porze dnia!

Dla każdego coś dobrego

Możemy się teraz pokusić o sformułowanie specjalnych zaleceń żywieniowych w zależności od wieku, płci oraz palenia bądź niepalenia tytoniu. Rekomendowane pokarmy dla różnych osób będą się różniły, tak jak różne są ich potrzeby. Musimy wziąć pod uwagę m.in. kancerogenne działanie hormonów żeńskich u kobiet, specyficzne czynniki ryzyka raka prostaty u mężczyzn oraz codzienny wysiłek organizmów palaczy służący naprawie częstszych u nich uszkodzeń materiału genetycznego. Poniżej przedstawiam antynowotworowe wskazania dietetyczne dla kobiet i mężczyzn.

1. **Kobiety przed menopauzą**: ich organizmy produkują obficie hormony żeńskie, które co prawda chronią je przed pewnymi schorzeniami, ale jednocześnie wykazują związek z rozwojem raka piersi i macicy. U kobiet w tej grupie wiekowej już istnieje stosunkowo wysokie ryzyko raka

piersi, a ponadto dochodzi do kolejnych uszkodzeń komórek gruczołu piersiowego, co może się stać początkiem nowotworów wykrywanych zazwyczaj po menopauzie.

Kobiety młode i dojrzałe powinny się zatem gimnastykować i ściśle kontrolować swoją wagę. Powinny spożywać sporo nabiału i dodatkowo dostarczać sobie wapnia. Ważne, aby po urodzeniu dzieci karmiły je piersią. Wskazany jest dla nich selen. Zalecam paniom rzucenie palenia. Niech wybierają wina o niższej zawartości alkoholu i piją je jedynie w umiarkowanych ilościach. Znakomite będą dla nich owoce i warzywa w kolorze białym oraz zielonym. Kobiety powinny również spożywać potrawy bogate we włókna pokarmowe, co pomaga zapobiegać coraz częściej występującemu u nich, prawie tak często jak u mężczyzn, rakowi okrężnicy, który może być efektem zmniejszającej się ilości błonnika w kobiecej diecie. Z czystym sumieniem mogę też paniom polecić chleb wiejski oraz pełnoziarnisty. W dzisiejszych czasach wielu kobietom zagraża niedokrwistość spowodowana nadmiernie obfitymi miesiączkami. Nawet jeśli wiemy, że żelazo bywa czynnikiem potencjalnie rakotwórczym, absolutnie nie należy w ich przypadku rezygnować z pokarmów obfitujących w żelazo, takich jak czerwone mięso, soczewica, fasola, tofu, cieciorka, figi oraz morele. Aby zwiększyć przyswajanie żelaza, można przyjmować witaminę C. W tej grupie wiekowej nie powinno się przesadzać z konsumpcją pomarańczowych warzyw i owoców, zwłaszcza w przypadku osób palących papierosy.

Pozwolę sobie tutaj na małą dygresję w sprawie dezodorantów, co w pewien sposób wyniknęło z wcześniejszego zalecenia większej aktywności fizycznej.

Krąży bowiem dziwaczna pogłoska, jakoby dezodoranty miały w wyniku swojego działania miejscowego wywoływać raka piersi. To niedorzeczne. Nie chcę się tu wikłać w szczegółowe wyjaśnienia mechanizmu działania tego rodzaju środków na poziomie biomolekularnym, ale to właśnie z nich wynika całkowity bezsens zarzutów wobec dezodorantów. Pomyślcie tylko – kosmetyk aplikuje się na obie pachy. Jeśli rzeczywiście dezodorant miałby efekt kancerogenny, kobiety miałyby nowotwory w obu piersiach. A jednak obustronny rak piersi jest prawdziwą rzadkością, o ile wykluczymy przypadki kobiet, które odziedziczyły mutację genu BRCA i przez to wykazują skłonność do rozwoju raka w obu piersiach. Poza tym mielibyśmy dużo przypadków raka piersi u mężczyzn stosujących przecież coraz więcej dezodorantów! W rzeczywistości rak piersi u panów jest bardzo rzadko spotykany.

Pora uciąć spekulacje. Możecie spokojnie stosować dezodoranty pod pachami. Nie warto cofać się do zapachowego klimatu średniowiecza!

2. **Kobiety po menopauzie:** szczególnie potrzebują wapnia i selenu, dlatego powinny zasięgnąć porady farmaceuty, aby dobrać odpowiedni suplement. Żelazo nie jest wskazane, należy go unikać. Również tłuszcze, a w szczególności bogate w wielonienasycone kwasy tłuszczowe, są dla pań po menopauzie szkodliwe. Jeśli spożywają one produkty zawierające substancje potencjalnie toksyczne, np. niektóre ryby, warto łączyć je w trakcie tego samego posiłku z produktami bogatymi we włókna pokarmowe, aby przyspieszyć przechodzenie pokarmu przez jelita. Trzeba jeść dużo owoców i warzyw, szczególnie zielonych, białych i ciemnych. Dla tej grupy wiekowej wskazane jest również picie zielonej herbaty, stosowanie imbiru (co powiecie na herbatkę z imbirem?), lubczyka i ostrej papryki oraz kaparów i kakao.

   Naturalnie nie należy rezygnować z regularnych ćwiczeń i kontroli wartości wskaźnika BMI, który nie powinien przekraczać 25.
3. **Mężczyźni:** bezwzględnie powinni unikać beta-karotenu, jeśli palą papierosy!

   Natomiast niezależnie od tego czy palą czy nie, powinni starać się zminimalizować ilość przyjmowanej witaminy E oraz wapnia. Muszą ograniczać konsumpcję nabiału, a jeśli zdecydują się na danie z dużą ilością sera, wtedy powinni uzupełnić posiłek o włókna pokarmowe, banany albo zieloną herbatę. Mogą za to obficie raczyć się czerwonymi owocami i warzywami, a szczególnie pomidorami. Pomidory warto spożywać przetworzone, np. w postaci sosu pomidorowego o wyższej koncentracji likopenu niż świeże warzywa. Panowie o jasnych włosach powinni zrezygnować z soku pomarańczowego na rzecz soku z granatów. Wszystkim mężczyznom natomiast polecam jedzenie białych owoców i warzyw: czosnku, cebuli, szczypiorku i szalotek.

Męskiemu zdrowiu przysłuży się również selen – aby dobrać odpowiedni suplement, należy zasięgnąć porady lekarza lub farmaceuty. Panowie, jedzcie suszone warzywa, unikajcie krwi w mięsie, pijcie wino z umiarem, czyli w ilości nie większej niż 3 kieliszki dziennie. Koniecznie rzućcie palenie! Jest ono zdecydowanie najbardziej rakotwórczym czynnikiem.

Nie kupujcie zestawów witaminowych zawierających retinol lub jego pochodne.

Uwaga również na wodę! Sprawdźcie, czy kranówka nie zawiera arsenu. Wskazane są produkty żywnościowe zawierające kwercetynę (kapary, kakao, lubczyk, ostra papryka).

Ćwiczcie regularnie. Kontrolujcie swoją wagę i dbajcie o to, aby Wasz wskaźnik BMI nie przekroczył 25!

Unikajcie dań grillowanych i z rusztu oraz wędlin przemysłowych.

W sekcji „Dla każdego coś dobrego" udzieliłem Wam bardziej spersonalizowanych wskazówek niż te, które zwykle otrzymujecie w dziedzinie profilaktyki antynowotworowej.

Oczywiście nie kwestionują one „złotych zasad" z początku rozdziału ani nie stoją z nimi w sprzeczności, nie unieważniają też 10 „przebojów antynowotworowych" ani listy 10 rzeczy, których należy unikać.

Uzupełniają jedynie wcześniejsze informacje i przedstawiają zalecenia pod kątem potrzeb określonej grupy osób. Pozwolą dokonać wyboru tego, co najlepsze, abyście mogli zmniejszyć ryzyko zachorowania na raka w przyszłości.

Muszę jednak zaznaczyć i powtórzę to jeszcze w ostatniej części książki, że podane wskazówki dietetyczne nie mogą dać absolutnej gwarancji zredukowania ryzyka rozwoju raka do zera ani nawet redukcji do poziomu 50%, co nieuczciwie obiecują twórcy różnych antyrakowych systemów dietetycznych.

Skromnie i zgodnie z dowodami naukowymi oraz rzeczywistością powiem, że porady z zakresu profilaktyki antynowotworowej zawarte w tej książce pozwolą zyskać kilka punktów przewagi w walce z rakiem, co zwiększy szanse uniknięcia choroby lub jej nawrotu.

Stosowanie się do moich wskazówek nie powinno Was odwieść od udziału w programie krajowych badań przesiewowych.

Jako prezes Narodowego Instytutu Raka (INCa) we Francji walczyłem o to, aby wszyscy obywatele mogli uczestniczyć w badaniach przesiewowych pod kątem wykrywania raka szyjki macicy, piersi, okrężnicy i skóry.

Zapewniam, że badania przesiewowe są niezwykle skuteczną metodą zapobiegania rozwojowi nowotworów, również tych najgroźniejszych, ponieważ umożliwiają wykrycie patologicznych zmian we wczesnej fazie i podjęcie skutecznego leczenia. Korzystajcie z nich!

WNIOSKI

Wydaje mi się, że wszystko Wam opowiedziałem, wyjaśniłem i wyczerpująco skomentowałem.

Jeśli uważnie przeczytaliście poprzednie strony, wiecie wszystko albo prawie wszystko na temat tego, co udało się naukowcom ustalić w dziedzinie powiązań między sposobem odżywiania a rakiem.

Usiłowałem przez wszystkie te rozdziały w sposób uczciwy i możliwie najbardziej przystępny dzielić się wiedzą pozwalającą wyciągnąć wnioski dotyczące optymalizacji Waszego jadłospisu, aby jak najlepiej służył profilaktyce antynowotworowej.

Pisanie tej książki było dla mnie fascynującą podróżą po świecie nauki o żywieniu i nutrigenomiki. Zaskakujące i frapujące informacje, jakie uzyskałem, zachwiały pewnymi przekonaniami, które żywiłem dotąd jako konsument.

Aby mój wywód mógł przybrać formę popularnonaukową, musiałem przebić się przez setki artykułów, przeczytać je, zrozumieć i przyswoić sobie zawarte w nich informacje. Rozmawiałem z dziesiątkami specjalistów i odwiedziłem niezliczone strony internetowe.

Dobrą stroną moich tytanicznych wysiłków jest realny „projekt zdrowie". Mam nadzieję, że będzie równie przydatny dla Was, jak i dla mnie, by zminimalizować ryzyko rozwoju nowotworu (jak wiadomo, we Francji co drugi mężczyzna i co trzecia kobieta ma albo będzie mieć raka), a także pomoże chronić nasze dzieci i wnuki.

Wymieniłem czynniki mogące zmniejszyć ryzyko rozwoju raka oraz zwiększające prawdopodobieństwo zachorowania.

Ośmieliłem się zweryfikować pokutujące w społeczeństwie stereotypowe przekonania na temat jedzenia i jego jakości, które prawdopodobnie dotąd uznawaliście za pewnik.

Teraz, kiedy dobiega końca moja praca nad tekstem, pragnę wyszczególnić kilka głównych punktów decydujących o jakości i wyjątkowości książki trzymanej przez Was w rękach.

Przede wszystkim kluczowa dla mnie kwestia – co czyni ten poradnik innym niż wszystkie? Z pełnym przekonaniem odpowiadam, że jest to szacunek dla inteligencji czytelnika widoczny od pierwszej do ostatniej strony.

Nie chciałem wykorzystywać statusu profesora onkologii, aby raczyć czytelników poradami wygłaszanymi *ex cathedra*. To nie w moim stylu. Starałem się wytłumaczyć każdy aspekt z podaniem źródła informacji, stopnia jej wiarygodności i odniesienia do innych danych naukowych na określony temat.

Wyjaśniłem, na czym polegają metody badawcze pozwalające naukowcom wyciągać wnioski i stawiać hipotezy. Dzięki temu dowiedzieliście się, skąd się bierze brak absolutnych, niezachwianych pewników w zgłębianej wspólnie dziedzinie.

Przypomnę jeszcze raz, że większość badań, na których opierają się rozmaici „dawcy dobrych rad" w dziedzinie prawidłowego żywienia, to tzw. retrospektywne badania przypadków. Pokazałem ograniczenia tego rodzaju badań: trudności badanych i osób z grupy kontrolnej z przypomnieniem sobie, co jadali 10–15 lat temu, brak precyzji kwestionariuszy i odpowiedzi oraz przede wszystkim niemożność zagwarantowania, że badani są podobni do osób z grupy kontrolnej lub że ewentualne różnice zostaną skompensowane poprzez zaproszenie do badań grupy kontrolnej 10 lub 20 razy liczniejszej niż grupa osób badanych.

Pozwoliło Wam to zrozumieć, że ktoś, kto opiera się na tak dalece niedokładnych badaniach o bardzo wysokim ryzyku błędu i na dodatek uśrednia wyniki kilku z nich, ogłaszając, że taki czy inny produkt zwiększa lub zmniejsza ryzyko zachorowania o 1, 2 lub 3%, kpi sobie z nas w żywe oczy!

Wnioskowanie na podstawie zmian ryzyka rzędu kilku procent, ustalonych po analizie wyników nieprecyzyjnych badań, nie ma najmniejszego sensu.

Podobnie nie należy ufać tym, którzy przekonują o toksyczności określonej liczby porcji danej potrawy w tygodniu bez doprecyzowania wielkości porcji. Nie możecie wtedy odnieść tego, co spożywały osoby badane do wielkości Waszego posiłku. Dobrym przykładem były badania czerwonego mięsa, które wspólnie przejrzeliśmy. Kolejna kpina!

Bywa, że pseudoeksperci zatajają odkrycie nowego, ważnego czynnika ryzyka, a serwują analizę badań wykonanych jeszcze bez jego uwzględnienia i straszą zakazami dietetycznymi. Mieliśmy tego przykład w przypadku wirusa HPV i raka nosogardła, kiedy nie uszanowano Waszego prawa do decydowania o swoim zdrowiu na podstawie możliwie najpełniejszej wiedzy. A co powiecie na sytuację, kiedy na podstawie badania wykonanego w Finlandii, wskazującego pozytywny wpływ pewnego produktu żywnościowego na zdrowie Finów, przekonuje się Japończyków, co mają jeść? Przecież obie nacje mają zupełnie inny sposób odżywiania, styl życia, nie mówiąc już o dziedzictwie genetycznym!

Igrają z ogniem ci, którzy wmawiają Wam, nie opierając się na żadnych badaniach, że macie brać określone suplementy diety. Nie zapominajcie, że w ostatecznym rozrachunku naiwność i bezrefleksyjność mogą odbić się na zdrowiu. Tak stało się w przypadku witaminy A i beta-karotenu oraz jakiś czas później – witaminy E. Ze względu na panującą modę i z powodu swojej łatwowierności tysiące ludzi łykało kapsułki mające rzekomo chronić ich przed rakiem.

Jak się dowiedzieliście z tej książki, wszystkie badania, w których podawano ludziom suplementy ze wspomnianymi witaminami, musiały zostać przerwane, ponieważ zamiast oczekiwanego dobroczynnego działania stwierdzono ich rakotwórczy wpływ, a wśród badanych zaczęły się mnożyć przypadki nowotworów!

Mój pierwszy wniosek na koniec tego poradnika to: „Bądźcie krytyczni!". Nie wierzcie wszystkim i we wszystko, ale starajcie się zrozumieć, skąd się wzięło takie, a nie inne zalecenie!

Zauważyliście na pewno, że ilekroć pisałem o wynikach badań, zazwyczaj używałem przy opisie wyników sformułowań tego rodzaju: „składnik X PRAWDOPODOBNIE działa tak", „składnik Y WYDAJE SIĘ działać tak". Sformułowania w trybie oznajmującym zarezerwowałem dla sprawdzonych i niepodważalnych faktów.

Cała reszta informacji i porad jest ujęta w trybie przypuszczającym.

Z całą pewnością dał o sobie znać nawyk badacza utrwalony w ciągu 30 lat pracy. Nieraz byłem w tym czasie świadkiem, jak zmieniała się „prawda naukowa".

Skoro tyle razy oznajmiano nam odkrycie leku na raka, dlaczego musieliśmy opłakiwać kolejnych bliskich ludzi zabieranych nam przez chorobę?

Naukowcowi, który poznał, jak skomplikowany jest nasz świat i życie, nie przyjdzie do głowy wyciąganie wniosków z najnowszych badań w inny sposób jak w trybie przypuszczającym.

Druga uwaga końcowa jest równie ważna: nie zapominajcie o zdrowym rozsądku! Prowadził on ludzkość przez całą jej długą historię. Zatem niech będzie ona filtrem, przez który przepuścicie wszelkie zasłyszane i przeczytane informacje na temat odżywiania.

Jeśli ktoś przekonuje do czegoś, co Waszym zdaniem nie przystaje do rzeczywistości, spytajcie go o szczegóły. Przemyślcie wyjaśnienia i starajcie się poszukać podstaw danego twierdzenia. Przeczytajcie powtórnie nową informację, sprawdźcie jej źródło i nie traktujcie podanych wskazówek jako prawdy objawionej. Właśnie opierając się na zdrowym rozsądku, muszę zasygnalizować jeszcze jedną rzecz, nawet jeśli miałbym Was nieco rozczarować.

Każdy mężczyzna we Francji ma 50% „szans" zachorowania na raka lub jego uniknięcie, natomiast kobieta może zachorować z prawdopodobieństwem 33%. Ryzyko jest zatem bardzo wysokie. W ciągu ostatnich 4–5 lat nowotwory złośliwe stały się główną przyczyną śmierci moich rodaków.

Musicie zrozumieć, a wynika to ze zdrowego rozsądku, że przy tak wysokim ryzyku nie można nikomu dać pewności, że jedzenie określonych pokarmów zapobiegnie ze stuprocentową skutecznością rozwojowi raka! Nikt nie może dać takiej gwarancji!

Wszystko, co zawarłem w tej książce, ma pomóc w zminimalizowaniu ryzyka zachorowania na tyle, na ile to możliwe. Uwaga: mowa jest o minimalizowaniu, a nie wyeliminowaniu ryzyka!

Nawyki żywieniowe mogą zmniejszać lub zwiększać prawdopodobieństwo rozwoju nowotworu lub jego wznowy, ale nie mogą całkowicie odmienić zdrowotnego losu.

Niniejszy poradnik ma uczulić czytelników na istnienie wpływu określonych produktów spożywanych w takiej lub innej ilości na ryzyko rozwoju nowotworu. O ile wpływ pożywienia jest zauważalny u dorosłych, to jeszcze większego znaczenia nabiera w przypadku dzieci. Dlaczego? Przede wszystkim dlatego, że tytoń i pewne kancerogenne związki z pożywienia działają znacznie silniej na wrażliwe komórki niedojrzałego organizmu. Poza tym rak rozwija się ok. 10–15 lat. Tyle czasu potrzebuje, aby z pojedynczej zmutowanej komórki, jednej z miliona miliardów innych, drogą kolejnych podziałów wytworzyć guza.

Przypominacie sobie być może informację o tym, że guzek o średnicy 1 cm zawiera ciasno upakowany miliard komórek nowotworowych. Skoro każda komórka w wyniku podziału daje początek kolejnym dwóm, to do uzyskania z jednej wyjściowej komórki miliarda nowych prowadzi seria 33 podziałów. Komórki gruczołu piersiowego u kobiet oraz komórki prostaty u mężczyzn potrzebują ok. 3–4 miesięcy, aby powielić siebie i swój materiał genetyczny, wytwarzając dwie komórki potomne, co przekłada się na przynajmniej 10–15 lat rozwoju raka z jednej zmutowanej komórki do guza o średnicy 1 cm. W rzeczywistości trwa to nawet dłużej, ponieważ wiele komórek potomnych nie jest w stanie przetrwać i ginie bez uprzedniego powielenia się.

Wykrycie raka o średnicy 1 cm wskazuje na to, że rozwój zmiany nowotworowej rozpoczął się znacznie wcześniej i trwa już od dobrych paru lat!

Ze względu na to trzeba mieć świadomość, że osoby, u których rak zostanie wykryty w najbliższych kilkunastu latach (300 000 przypadków każdego roku we Francji), już chorują. Noszą w sobie zalążek zmiany nowotworowej, na razie niewyczuwalny i niewidoczny.

Ta sytuacja ma następujące konsekwencje: ogromne znaczenie badań przesiewowych, pozwalających wykryć raka we wczesnym stadium, kiedy dobrze poddaje się leczeniu, oraz stwierdzenie, że w przypadku tych osób już jest nieco za późno na pełną profilaktykę.

Nawet jeśli możliwe jest zmniejszenie ryzyka zachorowania dorosłej osoby na raka lub opóźnienie wystąpienia choroby dzięki właściwemu sposobowi odżywiania i regularnej aktywności fizycznej, to na pewno nie należy oczekiwać redukcji ryzyka o 100%.

Jeśli uwierzyliście twórcom niektórych systemów dietetycznych obiecującym zmniejszenie ryzyka zachorowania na raka lub jego wznowy o ponad 50%, świadczy to o wielkiej naiwności. Niestety, takie cuda nie są możliwe.

Na pewno zmiany w diecie mogą zmniejszyć prawdopodobieństwo rozwoju nowotworu, ale aż takie wyolbrzymianie potencjalnego efektu jest absurdalne.

Moja trzecia uwaga końcowa będzie stosunkowo prosta.

Zastanówcie się chwilę: skąd wiemy, że można bezpiecznie jeść borowiki i kurki, a muchomory sromotnikowe są śmiertelnie groźne?

Bardziej ogólnie pytanie mogłoby brzmieć: skąd czerpiemy wiedzę, że coś jest jadalne lub nie? Odpowiedź jest prosta. W trakcie tysięcy lat swojej historii ludzie próbowali wszystkiego pod kątem przydatności do spożycia.

Ilu naszych przodków u zarania ludzkich dziejów musiało umrzeć po zjedzeniu muchomorów sromotnikowych, aby ich współbratymcy ustalili w końcu związek między spożyciem trujących grzybów i śmiercią po 2–3 dniach od takiego posiłku? Jestem przekonany, że setki, jeśli nie tysiące.

Jednak któregoś dnia ktoś zauważył tę zależność, dał znać innym i ich ostrzegł. Od tej pory muchomor sromotnikowy jest postrzegany jako śmiertelnie niebezpieczny i nikt go nie jada, z wyjątkiem nielicznych przypadków omyłkowego spożycia. To, co powiedziałem o grzybach, dotyczy każdego rodzaju roślin, mięsa lub innych produktów uznanych w którymś momencie za niejadalne.

Zapytacie teraz pewnie, jaki związek ma ta historyjka z rakiem? Otóż jak najbardziej wiąże się ona z tematem. Jeśli jakieś plemię, jakaś nacja w ciągu swojej długiej historii ustaliła pewne tradycje żywieniowe, przez pokolenia jadała określone pokarmy lub przyrządzała je w określony sposób, to przetrwanie i rozwój takiej nacji świadczy o tym, że tradycyjne potrawy i receptury nie są szkodliwe, nie wywołują śmiertelnych chorób takich jak rak. Ta tradycyjna wiedza może się okazać bardzo cenna dla nas.

W książce tej było dużo informacji o pożywieniu Japończyków, Chińczyków, Finów, mieszkańców Krety, Francuzów...

Każdy naród w ciągu swojej historii wykształcił odrębne tradycje żywieniowe dostosowane do warunków geograficznych i własnego dziedzictwa genetycznego (i *vice versa*, bo również dostosowywał tradycję do genów, gdyż zależność działa w obie strony). Stąd wynikają właśnie różnice między tradycjami kulinarno-dietetycznymi różnych krajów. Każdy naród pielęgnował swoje tradycje i rozwijał kulturę, wiedzę oraz technologię. Ludzie mnożyli się i przetrwali szczęśliwie aż do czasów współczesnych. Żaden naród nie wyginął z powodu raka!

Chcę przez to powiedzieć, że żaden nie zdołałby się tak wspaniale rozwinąć, gdyby któraś z tradycji żywieniowych wyraźnie sprzyjała występowaniu raka. Z drugiej strony jednak żaden naród nie ustrzegł się całkowicie nowotworów, co oznacza, że żadna z tradycyjnych potraw nie dawała systematycznej, pełnej ochrony antynowotworowej.

W jaki sposób powiązać poczynioną tutaj obserwację z naszymi rozważaniami o profilaktyce?

Przede wszystkim musimy stwierdzić, że tradycyjne pożywienie pochodziło z lokalnych upraw, hodowli i darów natury. Ze względu na swoje zróżnicowanie (również sposoby przyrządzania, bo ludzie testowali wszystkie dostępne metody) i dobre dostosowanie do potrzeb danej ludności po prostu nie mogło być kancerogenne.

W dzisiejszych czasach obserwujemy odwrót od tradycji i wszechobecne zjawisko nazywane westernizacją nawyków żywieniowych.

Coraz częściej odrzucamy zalecenia kultury żywieniowej danego regionu i dajemy się prowadzić reklamom oraz przemysłowi rolno-spożywczemu. Westernizacja sprawia, że zapominamy o tradycyjnych przepisach i produktach regionalnych. Zaczynamy wszyscy jeść to samo, czyli wyroby przemysłowe zachwalane przez ich producentów. Spożywamy mało urozmaicone posiłki, przywiązujemy się do jednej metody ich przyrządzania. Na naszych talerzach goszczą zbyt tłuste, zbyt kaloryczne i często skażone pokarmy. Do tego wciąż te same. Kiedy przyjrzymy się nawykom żywieniowym po drugiej stronie Atlantyku, gdzie nie było tradycyjnej kultury kulinarnej, zobaczymy obraz naszej przyszłości. W domu: pizza, piwo, słodkie napoje gazowane i telewizor jako nieodłączny towarzysz posiłku, poza domem tłuste jedzenie typu fast food. Wśród „neotradycyjnych" propozycji: czipsy skażone akrylamidem, wielkie porcje wysmażonego mięsa i mnóstwo produktów mlecznych spożywanych bez ograniczenia wiekowego.

Tego rodzaju żywienie nie jest owocem długowiecznej tradycji, która ułatwiała przystosowanie ludzi do środowiska i z pewnością nie pochodzi z przepisów przekazywanych z pokolenia na pokolenie.

Kulinarne dziedzictwo jest naszym bogactwem. Wieki stosowania tradycyjnych receptur dowiodły braku ich negatywnego wpływu na zdrowie (przy całej względności tego pojęcia). Ludzie pozyskujący pożywienie z poszanowaniem historii i środowiska przetrwali wszelkie burze dziejowe. Powiem to wyraźnie: zjedzenie od czasu do czasu kawałka wołowiny po burgundzku (boeuf bourguignon), a potem wypicie lampki wina i skosztowanie dobrego sera nie będzie miało efektu kancerogennego, o ile nie będziecie tak komponować wszystkich swoich obiadów. Ważne, żebyście jedli w sposób urozmaicony, dobrze zbilansowany energetycznie i dostosowany do Waszego stylu życia!

Ostatni wniosek wygłoszę jako człowiek, który dotarł do kulminacyjnego punktu swojej kariery i życia. Dotyczy on mojego nieustającego zachwytu osiągnięciami człowieka, wyzwaniami, jakie podejmuje. Odważył się wyruszyć w kosmos i zejść na dno oceanów, ujarzmił energię atomową i wynalazł leki na większość chorób. Ludzie żyją, uczą się, kochają i wydają na świat potomstwo. Stworzyli sztukę, wyrafinowane narzędzia oraz technologie. Dokonali wiele w trakcie swojej długiej historii, a przecież zaczynali we wnętrzu grot pozbawionych światła i ognia, nie mając określonego języka i żyjąc w ciągłym zagrożeniu przez żywioły i drapieżniki. Do rozwoju popychało ich żywe pragnienie wiedzy i postępu. Intuicja podpowiadała im, jak radzić sobie w środowisku, którego cząstkę stanowili. Chcieli dowiadywać się coraz więcej o świecie i byli gotowi na ciągłe podejmowanie ryzyka. Gdyby kiedyś nie zdecydowali się na opuszczenie jaskini, nie mieliby co prawda do czynienia z dzikimi zwierzętami i rozszalałymi żywiołami, ale zrezygnowaliby ze wspaniałej przyszłości, jaka czekała ich gatunek, a która stała się naszą teraźniejszością.

Wyciągając naukę z lekcji przeszłości, nie wierzę w społeczeństwo skoncentrowane na tym, co już ma, zaabsorbowane zamartwianiem się swoją codziennością i tym, co jada.

Postęp jest też naszym udziałem, warto go docenić. Niewątpliwie żyjemy dłużej i w lepszej formie niż nasi przodkowie. Sposób odżywiania ma w tym spory udział, oczywiście z wymienionymi przeze mnie wcześniej zastrzeżeniami.

Zauważam jednak szerzącą się obawę przed postępem. Nasze życie jest ważne, godne najwyższej uwagi i ochrony, ale czy mamy całkiem wyrzec się chęci zmian?

Nie zgadzam się z asekuracyjnym podejściem zakładającym rezygnację ze wszystkich potencjalnych zagrożeń, byle tylko trwać w niezachwianym poczuciu bezpieczeństwa!

W 1969 roku byłem jeszcze nastolatkiem. 21 lipca specjalnie wstałem w środku nocy, aby obejrzeć w czarno-białym telewizorze Armstronga stawiającego stopę na Księżycu. Płakałem ze wzruszenia, że oto spełnia się moje dziecięce marzenie. Inteligencja i zaangażowanie umożliwiły ludzkości kolejny krok naprzód. Później całą noc spędziłem na zastanawianiu się, co przyniesie nam podbój Księżyca i czy zdołam się tego dowiedzieć w trakcie mojego życia. W kolejnych latach śledziłem następne przełomowe osiągnięcia. Przerastały moje najśmielsze oczekiwania i sprawiały, że czułem dumę z przynależności do ludzkości, której nic nie jest w stanie zatrzymać. Znacznie później, jako młody onkolog w szpitalu Saint-Louis płakałem, trzymając w ramionach kilkuletnią dziewczynkę umierającą na ostrą białaczkę. Pragnąłem opracować lekarstwo, które sprawi, że mali pacjenci nie będą już nigdy więcej umierać na tę chorobę. Dzisiaj dzięki postępowi naukowemu udaje się uleczyć większość z nich. Rodzice i onkolodzy nie muszą opłakiwać kolejnych ofiar choroby. Jeśli balibyśmy się postępu i prób, a strach przed pomyłką by nas paraliżował, nigdy nie udałoby się pójść o krok dalej ani w tej dziedzinie, ani w żadnej innej.

Nie należę do osób pełnych obaw. Nie wierzę w to, że telefony komórkowe są rakotwórcze. Żadne badanie na to nie wskazuje, a raczej wszystkie jak dotąd wykluczają ich negatywny wpływ.

Podobnie nie występuję przeciwko badaniom nad organizmami genetycznie modyfikowanymi (GMO). Nie istnieją naukowe dowody na rakotwórcze działanie tego rodzaju żywności. Uważam jednak, że badania nad GMO powinny być ściśle kontrolowane. Jak dobrze wiecie, naukowy wynalazek może posłużyć zarówno do ochrony życia, jak i do konstrukcji śmiercionośnej broni. Weźmy chociażby za przykład odkrycie zjawiska promieniotwórczości. Z jednej strony pozwoliło na rozwój radioterapii stosowanej do leczenia raka, również u małych dzieci, a z drugiej strony – dostarczyło narzędzi do budowy arsenału nuklearnego stanowiącego zagrożenie dla ludzkości. Czy zatem trzeba było zabronić prac nad promieniotwórczością? Skutkiem takiej decyzji część chorych na raka wciąż umierałoby z powodu braku radioterapii.

Nie znoszę pestycydów, herbicydów i innych chemikaliów, którymi codziennie impregnujemy Ziemię, dlatego preferuję żywność pochodzącą z upraw pielęgnowanych z poszanowaniem środowiska. Muszę jednak wyraźnie zaznaczyć, że żadne z badań nigdy nie wykazało przewagi żywności ekologicznej w profilaktyce antynowotworowej.

Nie lubię przygotowywać jedzenia w kuchence mikrofalowej nie z powodu obawy przed mikrofalami, bo wszystkie dowody naukowe zdają się wykluczać ich rakotwórcze działanie, ale dlatego, że zawsze wydaje mi się zbyt rozmiękczone lub spieczone.

Mógłbym jeszcze długo dopisywać do listy kontrowersji kolejne obiegowe „mity" i je wytrwale demitologizować... Naprawdę nie warto wierzyć we wszystkie zatrważające ostrzeżenia zaszczepiające w ludziach niepotrzebne lęki i pozbawiające ich życiowych przyjemności.

Kiedy spoglądam wstecz, po 30 latach desperackich zmagań z nowotworami w moich myślach pojawiają się liczne twarze i głosy, których już nie zobaczę ani nie usłyszę. W tym momencie mojego życia, po tym, co przeżyłem, mogę z pełnym przekonaniem wskazać dwie rzeczy, które są mi najdroższe i stanowią źródło mojego szczęścia.

Pierwszą jest Życie. Pomimo problemów zachwycam się nim i walczę o nie każdego dnia. Ponieważ naprawdę warto. Jeszcze mocniej to czuję, gdy widzę uśmiech na twarzy jednej z moich córek albo gdy biorę dłoń mojej żony i idziemy ulicą, trzymając się za ręce.

Drugim źródłem mojej pociechy jest Przyszłość. Ta, którą będę miał okazję zobaczyć, i ta późniejsza, niebędąca niestety już moim udziałem. Jeśli tylko będzie kontynuacją „kursu ludzkości na postęp", bogatą w nowe odkrycia i wynalazki, to z pewnością będzie świetlana dla przyszłych pokoleń. Przyszłość zależy od nich i od tego, co im przekażemy.

ANEKS

Ocena przydatności produktów żywnościowych w profilaktyce antynowotworowej

Produkt żywnościowy	Korzyści lub ryzyko	Klasyfikacja ze względu na przydatność w profilaktyce antynowotworowej
A		
Agar-agar (z krasnorostów)	Substancja żelująca o pozytywnym wpływie na trawienie	Średnio korzystny
Algi	Zawierają fukoksantynę i fukoidynę o właściwościach antyoksydacyjnych	Bardzo korzystne
Alkohole wysokoprocentowe	Wysoka zawartość etanolu, zalecany umiar	Nie należy przekraczać dziennej dawki równoważnej 30 g etanolu
Ananas	Zawiera bioflawonoidy	Korzystny
Anyż gwiazdkowy	Pobudza trawienie i działa antyseptycznie	Bardzo korzystny
Arbuz	Źródło likopenu	Bardzo korzystny

Produkt żywnościowy	Korzyści lub ryzyko	Klasyfikacja ze względu na przydatność w profilaktyce antynowotworowej
Aspartam	Słodzik, zero kalorii	Neutralny
Awokado	Bogate w wielonienasycone kwasy tłuszczowe i witaminy z grupy B	Bardzo korzystne
B		
Bakłażan	Bogaty w nierozpuszczalne włókna	Korzystny
Banany	Bogate we włókna prebiotyczne	Bardzo korzystne
Bazylia	Zawiera polifenole aromatyczne o właściwościach antyoksydacyjnych oraz przeciwzapalny kwas ursolowy	Bardzo korzystna
Black butter (ciemny sos maślany)	Zawiera dużo nadtlenków lipidowych	Niewskazany
Boczek	Dużo soli i nasyconych kwasów tłuszczowych	Średnio korzystny
Borówka brusznica	Zawiera tokotrienole i polifenole o właściwościach antyoksydacyjnych	Bardzo wskazana
Brokuły	Wysoka zawartość folianów (naturalny kwas foliowy)	Znakomite
Brukiew	Źródło związków indolowych	Korzystna
Brukselka	Duża zawartość związków indolowych	Bardzo korzystna
Brzoskwinie	Bogate w beta-karoten	Uwaga na pestycydy
Bulion warzywny	Źródło witamin, minerałów i antyoksydantów	Bardzo korzystny
Buraki	Źródło antocyjanów	Bardzo korzystne
C		
Cebula biała	Zawiera selen o właściwościach antyoksydacyjnych	Znakomita
Cebula czerwona	Źródło antocyjanów	Znakomita
Cebula różowa	Źródło związków fenolowych	Znakomita
Chleb biały	Niewielka ilość włókien pokarmowych	Korzystny

Produkt żywnościowy	Korzyści lub ryzyko	Klasyfikacja ze względu na przydatność w profilaktyce antynowotworowej
Chleb razowy	Bogaty we włókna pokarmowe i wielocukry	Bardzo korzystny
Cukier (sacharoza)	Wysokokaloryczny (400 kcal/100 g)	Nieszkodliwy
Cukierki	Wysoka zawartość węglowodanów, bez wartości odżywczej	Niewskazane
Cukinia	Zawiera karotenoidy	Bardzo korzystna
Cynamon	Działanie antyinfekcyjne	Korzystny
Czarna porzeczka	Zawiera antocyjany	Znakomita
Czarna rzodkiew	Zawiera związki siarkowe	Bardzo korzystna
Czarniak i rdzawiec	Chude ryby, mniej skażone niż tłuste	Korzystne
Czekolada gorzka	Zawiera antyoksydanty	Bardzo korzystna
Czipsy	Wysoka zawartość akrylamidu	Zachować ostrożność, bardzo szkodliwe
Czosnek	Związki siarkowe	Znakomity
D		
Dorsz	Ryba chuda, mniej skażona niż ryby tłuste	Korzystna
Drożdże piwne	Bogate w witaminy z grupy B (wspomagające system odpornościowy)	Bardzo korzystne
Dynia olbrzymia	Bogata w karotenoidy	Korzystna
Dziczyzna	Stosunkowo niewielka zawartość nasyconych kwasów tłuszczowych	Bardzo korzystna
F		
Fasola czerwona	Źródło antocyjanów	Korzystna
Fenkuł	Źródło włókien i witaminy B_9, niskokaloryczny	Bardzo korzystny
Foie gras (pasztet z wątróbek gęsich lub kaczych)	Bogaty w żelazo	Korzystny

Produkt żywnościowy	Korzyści lub ryzyko	Klasyfikacja ze względu na przydatność w profilaktyce antynowotworowej
Frytki	Wysoka zawartość tłuszczu i związków toksycznych powstających podczas podgrzewania oleju	Zalecany umiar, należy sprawdzić jakość oleju
G		
Galaretki owocowe	Dużo cukru	Niewskazane
Gałka muszkatołowa	Ułatwia trawienie	Bardzo korzystna
Glutaminian sodu	Wzmacniacz smaku mogący zastępować sól (wystarczy 3 razy mniejsza ilość niż w przypadku soli), możliwe efekty uboczne: sztywnienie karku, palpitacje serca	Średnio korzystny
Granaty	Zawierają silne antyoksydanty – elagitaniny	Bardzo korzystne
Grejpfruty	Źródło likopenu	Bardzo korzystne
Grillowane potrawy	Zawierają węglowodory policykliczne	Niewskazane
Groszek zielony	Źródło luteiny	Korzystny
Gruszki	Zawierają bioflawonoidy	Uwaga na pestycydy
Grzyby	Niskoenergetyczne, spora zawartość witamin	Bardzo korzystne
Guacamole (sos na bazie awokado)	Zawiera awokado bogate w wielonienasycone kwasy tłuszczowe i witaminy z grupy B; lepszy jest wykonany w domu, ponieważ przemysłowa wersja zwykle zawiera sporo tłuszczów	Niezły
Guajawa	Źródło likopenu	Korzystna
H		
Herbata	Zawiera galusan epigallokatechiny	Bardzo korzystna
Hummus	Bogaty w wielocukry oraz tłuszcze i tym samym wysokokaloryczny; zdrowszy będzie domowej roboty	Niezbyt korzystny

Produkt żywnościowy	Korzyści lub ryzyko	Klasyfikacja ze względu na przydatność w profilaktyce antynowotworowej
I		
Imbir	Wysoka zawartość witaminy C (gdy świeży)	Znakomity
J		
Jabłka	Zawierają kwercetynę, bogate we włókna pokarmowe	Uwaga na pestycydy
Jagody goji	Zawiera specyficzny wielocukier o właściwościach antyoksydacyjnych	Korzystne
Jajka	Zawierają luteinę i zeaksantynę (z rodziny karotenoidów)	Bardzo korzystne
Jeżowiec jadalny	Bogaty w jod	Bardzo korzystny
Jeżyny	Źródło antocyjanów	Bardzo korzystne
Jęczmień	Bogaty w prebiotyki	Bardzo korzystny
Jogurt	Zawiera żywe bakterie probiotyczne	Korzystny
K		
Kalafior	Zawiera związki indolowe, właściwie brak w nim karotenoidów	Bardzo korzystny
Kapary	Bogate w kwercetynę	Znakomite
Kapusta chińska	Źródło związków indolowych	Bardzo korzystna
Kapusta czerwona	Zawiera antocyjany	Korzystna
Karczoch	Zawiera prebiotyk inulinę	Bardzo korzystny
Kaszanka	Zawiera dużo żelaza hemowego	Niewskazana
Kawa	Zawartość kofeiny i polifenoli decyduje o jej potencjalnym działaniu przeciwnowotworowym	Raczej korzystna
Kawa zbożowa	Bogata w prebiotyk inulinę	Uwaga na akrylamid
Keczup	Bogaty w likopen	Korzystny
Kefir	Bogaty w probiotyki	Korzystny
Kiwi	Źródło luteiny	Bardzo korzystne

Produkt żywnościowy	Korzyści lub ryzyko	Klasyfikacja ze względu na przydatność w profilaktyce antynowotworowej
Kolendra	Ułatwia usuwanie metali ciężkich z organizmu, zawiera polifenole aromatyczne	Bardzo korzystna
Konfitury	Bogate w cukry proste, pozbawione zalet świeżych owoców (witamin, włókien, składników mineralnych)	Uwaga na wysoką kaloryczność
Koper	Pobudza trawienie	Bardzo korzystny
Kraby	Często skażone metalami ciężkimi i PCB	Zachować ostrożność
Krakersy	Wysoka zawartość akrylamidu	Niewskazane
Krewetki	Stosunkowo mało skażone, ubogie w tłuszcze	Bardzo korzystne
Kukurydza	Źródło antocyjanów	Średnio korzystna
Kurkuma	Zawiera żółty barwnik – kurkuminę	Znakomita
L		
Len (nasiona)	Bogate w lignany (uwaga: nie należy jeść całych nasion, ale je zmielić)	Korzystne
Lody śmietankowe	Tłuste (dużo nasyconych kwasów tłuszczowych) i słodkie	Niewskazane
Lubczyk	Bogaty we flawonoidy, a szczególnie kwercetynę	Bardzo korzystny
Lukrecja	Pobudza trawienie, działa moczopędnie i hipertensyjnie (podnosi ciśnienie krwi)	Zachować ostrożność
Ł		
Łosoś	Często skażony metalami ciężkimi i PCB	Zachować ostrożność
M		
Majonez	Bardzo dużo tłuszczów	Niewskazany
Maliny	Bogate w antocyjany i składniki mineralne	Korzystne

Produkt żywnościowy	Korzyści lub ryzyko	Klasyfikacja ze względu na przydatność w profilaktyce antynowotworowej
Mango	Bogate w beta-karoten	Korzystne
Marchew	Bogata w beta-karoten	Nie przesadzać z ilością
Masło czekoladowe do kanapek	Wysoka zawartość tłuszczu i cukru	Niezbyt wskazane
Melon	Źródło luteiny	Korzystny
Mięso wieprzowe	Zawartość tłuszczu zależy od tego, z której partii tuszy pochodzi dany kawałek mięsa	Wskazane unikanie tłuszczu
Mięso wołowe	Wskazane usunięcie krwi	Neutralne
Mięso z królika	Spora zawartość wielonienasyconych kwasów tłuszczowych	Bardzo korzystne
Mięso z kurczaka	Niewielka zawartość tłuszczu	Bardzo korzystne
Mięta	Duża zawartość antyoksydantów, działa przeciwbólowo, antyseptycznie i ułatwia trawienie	Bardzo korzystna
Migdały	Bogate w witaminy	Korzystne
Miód	Bogaty we fruktozę	Bardzo korzystny
Mleko	Zawiera laktozę, wapń i witaminę D	Bardzo korzystne dla dzieci, korzystne dla kobiet, należy ograniczać u mężczyzn po 50 roku życia
Mleko kokosowe	Bogate w tłuszcze (21%), w tym kwasy tłuszczowe nasycone (18%)	Średnio korzystne
Mleko kwaśne	Bogate w probiotyki	Korzystne
Mleko zagęszczone	Bogate w wapń, uwaga na cukier	Niewskazane
Morele	Bogate w beta-karoten	Uwaga na pestycydy
Musli	Bogate w błonnik, uwaga na wysoką zawartość cukru w niektórych mieszankach	Korzystne
Musztarda	Silnie zakwaszająca	Korzystna

Produkt żywnościowy	Korzyści lub ryzyko	Klasyfikacja ze względu na przydatność w profilaktyce antynowotworowej
N		
Napoje gazowane	Bardzo zasobne w cukry proste	Niewskazane
Nektarynki	Zawierają bioflawonoidy	Bardzo korzystne
O		
Ocet	Pobudza trawienie	Neutralny
Olej arachidowy	Głównie jednonienasycone kwasy tłuszczowe	Korzystny
Olej rzepakowy	Zawiera wielonienasycone kwasy tłuszczowe podatne na rozkład pod wpływem światła i ciepła	Średnio korzystny
Olej słonecznikowy	Zawiera wielonienasycone kwasy tłuszczowe podatne na rozkład pod wpływem światła i ciepła	Korzystny
Oliwa z oliwek	Głównie jednonienasycone kwasy tłuszczowe	Bardzo korzystna
Oliwki czarne	Bogate w jednonienasycone kwasy tłuszczowe, zawierają związki fenolowe	Korzystne
Oliwki zielone	Mniej tłuste niż czarne oliwki (odpowiednio 12,5 g oraz 30 g tłuszczów/100 g), bogate w jednonienasycone kwasy tłuszczowe, zawierają związki fenolowe	Bardzo korzystne
Orzechy włoskie	Zawierają kwasy omega-3	Bardzo korzystne
Ostrygi	Bogate w selen	Korzystne
P		
Papryka ostra	Źródło kwercetyny	Bardzo korzystna
Papryka słodka	Zawiera bioflawonoidy	Bardzo korzystna

Produkt żywnościowy	Korzyści lub ryzyko	Klasyfikacja ze względu na przydatność w profilaktyce antynowotworowej
Parówki	Zawierają nasycone kwasy tłuszczowe, azotyny i polifosforany	Niezbyt wskazane
Pasternak	Zawiera antyoksydacyjną epigeninę	Korzystny
Pataty (słodkie ziemniaki)	Zawierają cukry złożone, antocyjany o właściwościach antyoksydacyjnych oraz beta-karoten	Korzystne
Pączki	Wysoka zawartość tłuszczu i toksycznych związków powstających w czasie podgrzewania oleju	Niewskazane
Pieprz	Zawiera piperynę wzmacniającą pozytywne działanie kurkumy	Znakomity
Piernik	Wysoka zawartość cukru	Niezbyt wskazany
Pietruszka	Bogata w witaminę C i wapń	Bardzo korzystna
Płaszczka	Często skażona metalami ciężkimi i PCB	Zachować ostrożność
Płatki zbożowe	Ryzyko obecności alfatoksyn	Średnio korzystne
Podroby	Zwykle zasobne w hemoglobinę	Zalecany umiar
Pomarańcze	Bogate w witaminę C i wapń	Korzystne
Pomidory świeże	Źródło likopenu	Znakomite, szczególnie dla mężczyzn
Popcorn	Bogaty w cukry złożone i tłuszcze, uwaga na wielkość porcji i zawartość cukru i / lub soli, możliwa obecność akrylamidu	Należy unikać
Pszenica orkiszowa	Bogata we włókna pokarmowe, białko roślinne i magnez	Bardzo korzystna

Produkt żywnościowy	Korzyści lub ryzyko	Klasyfikacja ze względu na przydatność w profilaktyce antynowotworowej
Q		
Quinoa (ziarno komosy ryżowej)	Zasobne w magnez i żelazo niehemowe, dobre źródło białka roślinnego i włókien pokarmowych	Bardzo korzystne
R		
Rogalik fabrycznie pakowany	Możliwa obecność kwasów tłuszczowych trans	Zdecydowanie niewskazany
Rogalik maślany	Bogaty w nasycone kwasy tłuszczowe	Średnio korzystny
Rukola	Zawiera flawonoidy, w tym kwercetynę i karotenoidy o działaniu antyoksydacyjnym	Bardzo korzystna
Ryby smażone w panierce	Uwaga na sposób smażenia i wybór ryby (lepsza chuda ryba i olej palmowy)	Należy unikać
Ryby wędzone	Mocno solone, zawierają policykliczne węglowodory aromatyczne	Niewskazane
Ryż	Bogaty w cukry złożone	Bardzo korzystny
Rzepa	Zawiera związki indolowe i heterozydy	Bardzo korzystna
Rzeżucha	Źródło związków indolowych	Bardzo korzystna
S		
Sałata zielona	Źródło luteiny	Korzystna
Sardynki w oleju słonecznikowym	Nienajlepsza proporcja kwasów omega-3 do omega-6	Korzystny
Seler	Zawiera poliacetyleny blokujące cykl komórkowy komórek nowotworowych	Uwaga na pozostałości pestycydów

Produkt żywnościowy	Korzyści lub ryzyko	Klasyfikacja ze względu na przydatność w profilaktyce antynowotworowej
Semolina	Źródło białka i cukrów złożonych; lepsza jest semolina pełnoziarnista, ponieważ w osłonce ziarna zawarte są antyoksydanty	Korzystna
Sery topione	Bogate w nasycone kwasy tłuszczowe i sód	Niewskazane
Sery żółte	Bogate w wapń i witaminę D	Bardzo korzystne dla dzieci, korzystne dla kobiet (uwaga na zawartość tłuszczu), ograniczać u mężczyzn po 50 roku życia
Sezam	Bogaty w białko i włókna	Bardzo korzystny
Smalec z cebulą i skwarkami	Wysoka zawartość nasyconych kwasów tłuszczowych	Niewskazany
Smoothie	Bogaty w antyoksydanty, ale niestety również w cukry proste	Średnio korzystny
Soczewica	Dobre źródło białka roślinnego	Bardzo korzystna
Soja	Zawiera fitoestrogeny	Korzystna
Sok ananasowy	Zawiera enzym bromelinę ułatwiający trawienie mięsa i ryb	Raczej korzystny
Sok jabłkowy	Bogaty w antyoksydacyjne polifenole oraz pektynę	Średnio korzystny
Sok marchwiowy	Bogaty w beta-karoten	Niewskazany
Sok pomarańczowy	Zawiera furokumaryny, które mogą wykazywać związek z występowaniem czerniaka złośliwego	Osoby o zwiększonym ryzyku rozwoju czerniaka oraz przebywające na słońcu powinny zachować ostrożność
Sok winogronowy	Bogaty we flawonoidy	Korzystny

Produkt żywnościowy	Korzyści lub ryzyko	Klasyfikacja ze względu na przydatność w profilaktyce antynowotworowej
Sok z granatów	Niezwykle bogaty w antyoksydanty, ma ich więcej niż wino i zielona herbata	Najlepszy! Można pić bez ograniczeń
Sorbety	Zwykle zawierają sporo cukrów prostych, zdrowsze są sorbety wykonane w domu na bazie świeżych owoców bogatych w antyoksydanty	Średnio korzystne, wskazany umiar
Sos sojowy	Bardzo słony	Niezbyt wskazany
Sól	Wykazuje powiązanie z występowaniem niektórych nowotworów żołądka	Konieczny umiar
Stewia	Wykazuje wysoką słodkość względną (przewyższającą słodkość cukru)	Słabo zbadana
Sucharki	Wysoka zawartość akrylamidu	Niewskazane
Sushi	Mięso ryb zawiera wielonienasycone kwasy tłuszczowe, ale niestety często bywa skażone	Zachować ostrożność
Suszone owoce	Dużo cukrów	Średnio korzystne
Suszone pomidory w oliwie	Wysoka biodostępność (przyswajalność) likopenu	Bardzo korzystne
Syropy owocowe	Bardzo słodkie	Niewskazane
Syrop z agawy	Niski potencjał antyoksydacyjny, zbliżony do cukru	Bez specjalnych korzyści
Szpinak	Bogaty w karotenoidy i wapń	Korzystny
Ś		
Śliwki	Ważne źródło polifenoli	Korzystne
Śmietana	Bogata w nasycone kwasy tłuszczowe	Ograniczyć spożycie u mężczyzn po 50 roku życia

Produkt żywnościowy	Korzyści lub ryzyko	Klasyfikacja ze względu na przydatność w profilaktyce antynowotworowej
Śmietana typu „crème fraîche"	Zawiera bakterie kwasu mlekowego, może mieć sporo tłuszczu	Średnio korzystna
T		
Tapenada (czarne oliwki + czosnek)	Spora zawartość jednonienasyconych kwasów tłuszczowych, niestety ogólnie zbyt tłusta	Niezbyt wskazana
Taramosalata z ikry łososia	Wysokokaloryczna, zasobna w tłuszcze, w tym kwasy omega-3 (w zależności od użytego oleju)	Średnio korzystna
Tatar	Surowe mięso, zawiera żelazo hemowe	Korzystny
Tłuszcz gęsi	Bogaty w nasycone kwasy tłuszczowe	Korzystny
Tofu	Zawiera fitoestrogeny	Bardzo korzystne
Topinambur (słonecznik bulwiasty)	Zawiera inulinę o działaniu prebiotycznym	Korzystny
Tran z wątroby dorsza	Bogaty w kwasy omega-3	Korzystny
Trąbiki	Często skażone metalami ciężkimi i PCB	Zachować ostrożność
Truskawki	Zawierają wapń i żelazo oraz antocyjany	Korzystne
Tuńczyk	Często skażony metalami ciężkimi i PCB	Zachować ostrożność, zwłaszcza w przypadku czerwonego tuńczyka
W		
Wanilia	Antyoksydant	Korzystna
Warzywa konserwowe	Źródło witamin i minerałów (zależy od rodzaju warzywa), uwaga na zawartość soli	Bardzo korzystne, zwłaszcza pomidory

Produkt żywnościowy	Korzyści lub ryzyko	Klasyfikacja ze względu na przydatność w profilaktyce antynowotworowej
Werbena (napar)	Dobry zamiennik herbaty, uspokaja i ułatwia trawienie	Bardzo korzystna
Wędliny	Wysoka zawartość azotanów (w wędlinach przemysłowych)	Zachować ostrożność
Wino	Zawiera resweratrol, silny antyoksydant o udowodnionym działaniu antynowotworowym	Bardzo korzystne, gdy pite z umiarem
Winogrona	Zawierają liczne polifenole, w tym resweratrol	Bardzo korzystne
Wiśnie	Zawartość antyoksydacyjnych antocyjanów i folianów	Korzystne
Woda butelkowana	Bez zawartości pestycydów, jednak niektóre wody zawierają inne zanieczyszczenia np. arsen	Sprawdzić skład
Woda kranowa	W niektórych rejonach możliwa obecność azotanów, pestycydów i arsenu	Sprawdzić skład
Z		
Ziemniaki	Zawierają cukry złożone, a w łupinie witaminę C o właściwościach antyoksydacyjnych	Korzystne
Zioła przyprawowe	Bogate w antyoksydanty	Korzystne
Ż		
Żeberka wieprzowe	Tłuste mięso (23,6% tłuszczu) i szkodliwe metody przyrządzania	Zdecydowanie niewskazane
Żurawina	Źródło przeciwutleniających antocyjanów	Bardzo korzystna

Słowniczek

Adenocarcinoma: inaczej gruczolakorak, złośliwy nowotwór wywodzący się z nabłonka gruczołów wydzielania zewnętrznego oraz ich przewodów.

Alfatoksyny: toksyny wytwarzane przez grzyby z rodzaju *Aspergillus* porastające niektóre produkty żywnościowe w warunkach wysokiej temperatury i wilgotności.

Apoptoza: jeden z rodzajów naturalnej śmierci komórki, który można określić mianem zaprogramowanego samobójstwa w odpowiedzi na dany bodziec.

Arsen: szeroko rozpowszechniony w przyrodzie pierwiastek występujący w postaci ponad 200 minerałów. Wszystkie związki arsenu są toksyczne.

Bacillus: inaczej laseczka, wydłużona cylindryczna forma niektórych bakterii.

Bakterie: grupa mikroorganizmów stanowiących osobne królestwo (oprócz zwierzęcego i roślinnego). Bakterie to w większości jednokomórkowce pozbawione jądra komórkowego (prokarioty). Niektóre z nich są patogenami wywołującymi choroby.

Białka: związki niezbędne do budowy i prawidłowego funkcjonowania komórek oraz całego organizmu.

Bioaktywność: pozytywne oddziaływanie danego składnika pożywienia na organizm.

Bioakumulacja: zdolność organizmów żywych do kumulowania związków trujących w tkankach swojego ustroju.

Biologiczny okres półtrwania: czas, w którym stężenie substancji toksycznej w organizmie zmniejszy się do połowy wartości początkowej; im wyższa wartość okresu półtrwania, tym toksyna jest wolniej usuwana z organizmu.

Biosktadnik: składnik pochodzenia naturalnego pozyskany z żywych organizmów.

Cecha dziedziczna: cecha zakodowana w materiale genetycznym przekazywana potomstwu wraz z genami rodziców.

Chromosomy: najważniejsze składniki jąder komórkowych, nośniki materiału genetycznego komórki zbudowane z kwasu deoksyrybonukleinowego.

Cytochromy: kompleksy białkowe zawierające cząsteczki barwników, biorące udział w łańcuchu oddechowym.

Czynniki wzrostu: substancje wydzielane przez niektóre typy komórek zwierzęcych pobudzające inne komórki do podziału albo różnicowania.

Detoksykacja: usuwanie niepożądanych substancji (pestycydów, leków) i szkodliwych produktów przemiany materii z komórek.

Dioksyny: silnie toksyczne związki chemiczne powstające głównie w procesie spalania tworzyw sztucznych, ale również spontanicznie pojawiające się w trakcie spalania wszelkich związków organicznych, obecne w środowisku i łańcuchu pokarmowym.

DNA: czyli kwas deoksyrybonukleinowy, organiczny związek chemiczny występujący w chromosomach, pełni rolę nośnika informacji genetycznej organizmów żywych.

Enzymy: katalizatory inicjujące lub przyspieszające reakcje chemiczne, same niepodlegające modyfikacji.

Estrogeny: żeńskie hormony płciowe.

Fermentacja: proces przemian niektórych związków organicznych pod wpływem enzymów produkowanych przez mikroorganizmy.

Fitoskładniki: związki występujące wyłącznie w roślinach.

Fotosynteza: proces umożliwiający roślinom przekształcanie energii słonecznej w energię chemiczną potrzebną do wytworzenia glukozy.

Genetyka: nauka zajmująca się badaniem zjawisk dziedziczenia, czyli przekazywania cech potomstwu, oraz zmiennością organizmów żywych.
Genisteina: fitoestrogen o działaniu podobnym do hormonów żeńskich występujący w ziarnie soi.
Genotoksyczność: zdolności związków chemicznych do wywoływania mutacji w DNA.
Geny: podstawowa jednostka dziedziczenia zlokalizowana w chromosomach, decydująca o przekazywaniu potomstwu określonych cech.
Glukorafanina: związek z rodziny glukozynolatów zawierający atom siarki w swojej cząsteczce. Jego głównym źródłem są brokuły.
Guz: narośl będąca wyrazem nadmiernego rozrostu tkankowego. Może mieć charakter łagodny lub złośliwy.

Hemoglobina: czerwony barwnik krwi zawarty w erytrocytach, złożony z białka i żelaza, którego funkcją jest przenoszenie tlenu w organizmie.
Hormony sterydowe: grupa hormonów syntetyzowana w organizmie na bazie cholesterolu.

Indeks glikemiczny: klasyfikacja produktów żywnościowych na podstawie ich wpływu na poziom glukozy we krwi 2–3 godziny po ich spożyciu.
Indol: naturalny niebieski barwnik o właściwościach antyoksydacyjnych.
Izotiocyjaniany: substancje obecne w znacznych ilościach w warzywach z rodziny kapustnych (kapusta biała, brukselka, brokuł).

Kadm: pierwiastek zaliczany do metali ciężkich, dostaje się do organizmu głównie drogą pokarmową, kumuluje się w nerkach i wątrobie.
Kancerogen: czynnik powodujący powstanie nowotworu złośliwego.
Kancerogenny: rakotwórczy, zwiększający ryzyko rozwoju nowotworu.
Kod genetyczny: sposób zapisu informacji genetycznej w cząsteczkach DNA.
Komórka: najmniejsza strukturalna i funkcjonalna jednostka organizmów żywych.
Kwas masłowy: inaczej kwas butanowy, substancja produkowana w sposób naturalny przez bakterie występujące w okrężnicy, przyczynia się do prawidłowego funkcjonowania jelit.

Kwas retinolowy: jedna z form witaminy A, wspiera prawidłowe funkcjonowanie narządu wzroku, reguluje wzrost komórek i utrzymuje skórę w zdrowiu.

Likopen: naturalny związek z grupy karotenoidów nadający czerwoną barwę m.in. pomidorom i wykazujący silne właściwości antyoksydacyjne.

Metabolizm: całokształt reakcji chemicznych i związanych z nimi przemian energii zachodzących w żywych komórkach mający na celu podtrzymanie życia organizmu.

Metale ciężkie: zbiór metali i półmetali charakteryzujących się dużą gęstością, często także właściwościami toksycznymi. Należą do nich ołów, kadm, rtęć, arsen.

Metylortęć: najpowszechniejszy organiczny związek rtęci w środowisku, znany z bardzo wysokiej toksyczności oraz łatwości wnikania do organizmu. Kumuluje się w rybach i owocach morza.

Mikroelementy: pierwiastki chemiczne potrzebne w bardzo małych (śladowych) ilościach do prawidłowego funkcjonowania organizmu.

Mutacja: nagła zmiana materiału genetycznego, która może być nieszkodliwa lub zakłócić funkcjonowanie komórki, a nawet zapoczątkować rozwój raka.

Nadtlenek wodoru: związek chemiczny popularnie nazywany wodą utlenioną, silny utleniacz, mogący narobić szkód w komórkach.

Niedożywienie: stan patologiczny będący skutkiem niedoboru składników pokarmowych.

Nutrigenomika: nauka zajmująca się uwarunkowanymi genetycznie różnicami reakcji organizmu na składniki pokarmowe obecne w codziennej diecie i ich wpływie na stan zdrowia.

Ołów: metal naturalnie występujący w skorupie ziemskiej i szeroko wykorzystywany w przemyśle.

Toksyczne skutki przewlekłego działania ołowiu na organizm ludzki określa się mianem ołowicy.

Omega-3: rodzina nienasyconych kwasów tłuszczowych, obecnych w tłustych rybach, nasionach lnu, orzechach włoskich i oleju rzepakowym. Nazywamy je niezbędnymi kwasami tłuszczowymi ze względu na to, że są konieczne do prawidłowego funkcjonowania organizmu, który nie jest w stanie sam ich wytworzyć, więc muszą być dostarczane z pożywieniem.

Onkogeny: geny umożliwiające transformację nowotworową komórki lub wywołujące ją.

p53: białko o funkcji supresora nowotworowego, zapobiega uszkodzeniom genów i rozwojowi nowotworu.

Parabeny: środki konserwujące.

PCB: inaczej polichlorowane bifenyle, organiczne związki chemiczne zanieczyszczające środowisko ze względu na to, że są trwałe, bardzo odporne na rozkład i prawie nie rozpuszczają się w wodzie.

Peroksydazy: enzymy aktywujące reakcje utleniania.

Piperyna: związek obecny w pieprzu, nadający mu ostry smak.

Polip: niezłośliwy guzowaty twór wyrastający z błon śluzowych.

POPs: skrót od angielskiej nazwy trwałych zanieczyszczeń organicznych (*persistent organic pollutants*), które są prawie nierozkładalne i w związku z tym kumulują się w organizmach żywych. Są potencjalnie szkodliwe dla zdrowia.

Prebiotyki: włókna pokarmowe z pożywienia, odporne na działanie enzymów trawiennych przewodu pokarmowego, stymulujące rozwój prawidłowej flory bakteryjnej jelit.

Probiotyki: kultury bakteryjne obecne w niektórych pokarmach; ich zadaniem jest korzystne dla zdrowia działanie w przewodzie pokarmowym: poprawa równowagi mikroflory jelitowej i immunomodulacja.

Pyralene: francuska nazwa handlowa cieczy na bazie PCB.

Radon: promieniotwórczy gaz szlachetny, bezwonny, bezbarwny i pozbawiony smaku, występujący naturalnie produkt rozpadu radu.

Rodniki hydroksylowe: najbardziej agresywne wolne rodniki tlenu, powstające w komórkach w wyniku procesów metabolicznych. Mogą wywołać uszkodzenia materiału genetycznego.

Różnicowanie komórek: proces różnicowania się morfologicznego i funkcjonalnego komórek w trakcie rozwoju organizmu wielokomórkowego; dzięki niemu z komórek niewyspecjalizowanych powstają komórki wyspecjalizowane, właściwe dla poszczególnych tkanek.

S-transferaza glutationowa: enzym odpowiedzialny za detoksykację kancerogenów w wątrobie.

Selen: niezbędny pierwiastek śladowy o właściwościach antyoksydacyjnych, potrzebny do prawidłowego funkcjonowania niektórych enzymów detoksykacyjnych.

Składniki odżywcze: substancje chemiczne dostarczane do organizmu w pokarmie, wydobywane z niego w procesie trawienia i następnie przesyłane do komórek. Są niezbędne do prawidłowego funkcjonowania organizmu.

Słodziki: sztuczne środki słodzące będące substytutami cukru, różniące się od niego bardzo niską wartością energetyczną.

Starzenie: ogół zmian zachodzących z upływem czasu we wszystkich organizmach żywych.

Stres oksydacyjny: proces utleniania składników komórki przez wolne rodniki, zaburzający jej równowagę.

Sulforafan: roślinny flawonoid uzupełniający dietę, wykazujący działanie antynowotworowe; występuje obficie w brokułach.

Synbiotyk: mieszanka prebiotyku i probiotyku wykorzystująca ich synergiczne działanie, przywracając prawidłową florę jelitową.

System immunologiczny: zbiór struktur i mechanizmów organizmu mających na celu jego ochronę przed chorobami poprzez identyfikację i likwidowanie patogenów oraz komórek nowotworowych.

Testosteron: podstawowy męski hormon płciowy.

Toksyna: trucizna organiczna wytwarzana przez organizmy żywe.

Węglowodory aromatyczne policykliczne: inaczej areny, szkodliwe związki powstające m.in. w wyniku niektórych metod obróbki cieplnej żywności.

Wielocukry: inaczej cukry złożone lub polisacharydy; grupa długołańcuchowych węglowodanów, m.in. skrobia, celuloza i glikogen.

Wirus: mikroskopijny twór biologiczny wywołujący choroby. Do replikacji własnego materiału genetycznego wykorzystuje składniki komórek organizmu żywego, będącego jego „gospodarzem".

Witamina D: witamina niezbędna do wchłaniania wapnia i fosforu.

Witaminy: niezbędne związki organiczne przyjmowane w niewielkich ilościach razem z pokarmem; umożliwiają prawidłowy przebieg procesów przemiany energii i materii. Organizm nie potrafi ich sam syntetyzować.

Włókna pokarmowe: pewne nieprzyswajalne przez człowieka węglowodany z pokarmów roślinnych, odporne na działanie enzymów trawiennych. Pobudzają motorykę jelit i zapewniają uczucie sytości.

Wolne rodniki: atomy, cząsteczki lub jony posiadające na zewnętrznej orbicie pojedynczy, niesparowany elektron, wykazujące się dużą aktywnością chemiczną, utleniające każdy związek, z którym mają kontakt. W reakcjach chemicznych w komórkach uczestniczą cząsteczki tlenu, z których pewna część nie ulega pełnej redukcji i to właśnie z nich powstają wolne rodniki. Są odpowiedzialne za wywoływanie procesów przyspieszających starzenie organizmu.

Zapłodnienie: połączenie jąder jajeczka i plemnika, w wyniku którego powstaje nowa komórka nazywana zygotą. Zygota w wyniku dalszych podziałów daje początek organizmowi potomnemu.

Objaśnienie skrótów

Afssa – Agence française de sécurité sanitaire des aliments (Francuska Agencja ds. Bezpieczeństwa Sanitarnego Żywności)
AIDS – Acquired Immunodeficiency Syndrome lub Acquired Immune Deficiency Syndrome (zespół nabytego niedoboru lub upośledzenia odporności)
ASEF – Association santé environnement France (Stowarzyszenie „Zdrowie–środowisko" we Francji)

BMI – Body Mass Index (wskaźnik masy ciała)

CAMI – Cancer, arts martiaux et informations (Stowarzyszenie „Rak, sztuki walki i informacja" we Francji)

DGCCRF – Direction générale de la concurrence, de la consommation et de la répression des fraudes (francuski urząd antymonopolowy)
DNA – kwas deoksyrybonukleinowy
DRASS – Direction régionale des affaires sanitaires et sociales (Regionalny Zarząd Opieki Zdrowotnej i Zabezpieczenia Społecznego, regionalne władze sanitarne we Francji)

EGCG – galusan epigallokatechiny

HAT – histonowe acetylotransferazy
HDAC – histonowe deacetylazy
HPV – *Human papillomavirus* (wirus brodawczaka ludzkiego)
HTZ – hormonalna terapia zastępcza

IARC – International Agency for Research on Cancer (Międzynarodowa Agencja Badania Raka)
IGF-1 – insulinopodobny czynnik wzrostu
INCa – Institut national du cancer (francuski Narodowy Instytut Raka)
InVS – Institut national de veille sanitaire (francuski Państwowy Instytut Sanitarno-Epidemiologiczny)

JNNKT – jednonienasycone niezbędne kwasy tłuszczowe

NHS – badanie Nurses' Health Study

PCB – polichlorowane bifenyle
PNNS – Programme national nutrition santé (Narodowy Program Promocji Zdrowego Żywienia we Francji)
POPs – persistent organic pollutants (trwałe zanieczyszczenia organiczne)
PSA – prostate specific antigen (antygen gruczołu krokowego)

WCRF – World Cancer Research Fund (Światowy Fundusz Badań nad Rakiem)
WHO – World Health Organization (Światowa Organizacja Zdrowia)
WNNKT – wielonienasycone niezbędne kwasy tłuszczowe

Bibliografia

Objaśnienie

Naukowe źródła wszystkich istotnych informacji zawartych w książce zostały wyszczególnione w przypisach końcowych.

Każdy czytelnik bez problemu odnajdzie materiały źródłowe.

W trakcie pisania często posługiwałem się raportem *Food, Nutrition, Physical Activity, and the Prevention of Cancer: a Global Perspective*, opublikowanym w 2007 roku przez World Cancer Research Fund.

Jeśli w pewnych szczegółach nie zgadzałem się z opracowaniem WCRF (rzadko), zostało to wyraźnie zaznaczone. Dużą pomocą były dla mnie informacje udostępnione przez francuskie instytucje państwowe: Afssa (Agence française de sécurité sanitaire des aliments), która czuwa nad jakością produktów spożywczych; DGCCRF (Direction générale de la concurrence, de la consommation et de la répression des fraudes), DGS (Direction générale de la santé), DDASS (Directions départementales des affaires sanitaires et sociales), InVS (Institut national de veille sanitaire).

Strony internetowe tych instytucji są bardzo interesujące i obfitują w wartościowe informacje.

Jeszcze jedna istotna uwaga dotycząca danych liczbowych – dla zwiększenia przejrzystości wywodu często zaokrąglałem cyfry, pomijając dalsze miejsca po przecinku.

Rozdział 1. Lepiej zapobiegać, niż leczyć

1. M.P. Curado, B. Edwards, H.R. Shin, H. Storm, M. Ferlay, P. Boyle (red.), *Cancer Incidence in Five Continents*, vol. 9, IARC Scientific Publication, nr 160.
2. *Ibid.*
3. *Ibid.*
4. InVS, *Bulletin épidémiologique hebdomadaire de l'InVS*, 27 listopada 2007, nr 46–47; dostępny na stronie: http://www.invs.sante.fr/beh/2007/46_47/index.htm (data dostępu: 29 marca 2010).
5. INCA, *Analyse économique des coûts du cancer en France*, 2007; dostępny na stronie: http://www.e-cancer.fr/l-institut-national-du-cancer/publications-de-l-inca/rapports-et-expertises/sante-publique (data dostępu: 29 marca 2010).
6. *Ibid.*
7. Y.A. Vani, S.M. Schneider, *Alimentation et cancer: quelles évidences, quelles recommandations?*, „Oncologie", 2009, 11, s. 191–199.
8. D. Khayat, *Les Chemins de l'espoir*, Paryż 2003.
9. J.A. Milner, *Nutrition and cancer: Essential elements for a roadmap*, „Cancer Letters", 269, s. 189–198.
10. F. Jauzein, N. Cros, *Différents Types d'études épidémiologiques*, 2005; dostępny na stronie: http://acces.inrp.fr/acces/ressources/sante/epidemiologie/niveau_preuve/types_etudes_epidem (data dostępu: 29 marca 2010).
11. J.A. Milner, *Nutrition and cancer: Essential elements for a roadmap*, *op. cit.*

Rozdział 2. Czym jest rak?

1. World Cancer Research Fund, *Food, Nutrition, Physical Activity, and the Prevention of Cancer: A Global Perspective*, Waszyngton, AICR, 2007.
2. *Ibid.*
3. J.W. Lampe, *Diet, genetic polymorphism, detoxification, and health risk*, „Altern. Ther Health Med.", 2007, 13, s. S108–S111.

4. World Cancer Research Fund, *Food, Nutrition, Physical Activity, and the Prevention of Cancer: A Global Perspective, op. cit.*
5. *Ibid.*

Rozdział 3. Czy aby na pewno zdrów jak ryba?

1. R. Liperoti, F. Landi, O. Fusco, R. Bernabei, G. Onder, *Omega-3 polyunsaturated fatty acids and depression: A review of the evidence*, „Curr. Pharm. Des.", 2009, 15 (36), s. 4165–4172.
2. Fondation Nicolas Hulot pour la Nature et l'Homme, *Quels poissons consommer?*, 2008; podręczny poradnik konsumenta *Défi pour la Terre*, s. 1–5; dostępny na stronie: http://www.fondation-nature-homme.org/sites/default/files/pdf/outils/bonne_pratique_conso-poissons.pdf (data dostępu: 8 marca 2010).
3. World Cancer Research Fund, *Food, Nutrition, Physical Activity, and the Prevention of Cancer: A Global Perspective, op. cit.*
4. J.-C. Leblanc (red.), *Étude Calipso. Consommations alimentaires de poissons et produits de la mer et imprégnation aux éléments traces, polluants et oméga-3*, Afssa-Inra, 2006.
5. WHO-ICPS, *Environmental Health Criteria 101, methylmercury. Geneva: International Programme on Chemical Safety*, 1990; dostępny na stronie: http://www.inchem.org/documents/ehc/ehc/ehc101.htm (data dostępu: 8 marca 2010).
6. Direction générale de la santé, *Étude sur la teneur en métaux dans l'alimentation*, Paryż, La Diagonale des métaux, 1992.
7. Centre international de recherche sur le cancer, *Évaluations globales de la cancérogénicité pour l'homme*, dostępny na stronie: http://monographs.iarc.fr/ENG/Classification/ClassificationsGroupOrder.pdf (data dostępu: 7 marca 2010).
8. J.-C. Leblanc (red.), *Étude Calipso, op. cit.*
9. CIRC, *Évaluation globale de la cancérogénicité pour l'homme*, 2009; dostępny na stronie: http://monographs.iarc.fr/ENG/Classification/ClassificationsGroupOrder.pdf (data dostępu: 29 marca 2010).
10. J.-C. Leblanc (red.), *Étude Calipso, op. cit.*
11. OMS, *Les Dioxines et leurs effets sur la santé*, 2007; dostępny na stronie: http://www.who.int/mediacentre/factsheets/fs225/fr/index.html (data dostępu: 8 marca 2010).
12. S. Kaushik, *Les dioxines et les PCB chez le poisson*, „Dossier de l'environnement de l'INRA", nr 26, s. 102–107.
13. OMS, *Les Dioxines et leurs effets sur la santé, op. cit.*
14. EFSA, *Avis du groupe scientifique sur les contaminants de la chaîne alimentaire relative à l'évaluation de la sécurité du poisson sauvage et d'élevage*, 2005; dostępny na stronie: http://www.efsa.europa.eu/EFSA/efsa_locale-1178620753816_1178620762697.htm (data dostępu: 8 marca 2010).

15. S. Lyon, *PCB Pollution in Alabama*; dostępny na stronie: http://www.commonweal.org/programs/brc/ppt-presentations/Anniston_AL_PCB.pdf (data dostępu: 29 marca 2010).
16. D. Ribeira, T. Loock, P. Soler, J.-F. Narbonne, *Mise en évidence d'effets à long terme lors d'expositions courtes (accidentelles). Perspectives méthodologiques pour les évaluations des risques*, „Étude Record", 2006–2007, nr 06-0665/1A.
17. Centre international de recherche sur le cancer, *Évaluations globales de la cancérogénicité pour l'homme*, *op. cit.*
18. M. Howsam, J.O. Grimalt, E. Guinó, M. Navarro, J. Martí-Ragué, M.A. Peinado, G. Capellá, V. Moreno, *Organochlorine exposure and colorectal cancer risk*, „Environ Health Perspect.", 2004, 112 (15), s. 1460–1466.
19. L. Hordell, M. Calberg, K. Hardell, H. Bjornfoth, G. Wickbom, M. Ionescu, *Decreased survival in pancreatic cancer patients with high concentrations of organochlorines in adipose tissue*, „Biomedicine & Pharmacotherapy", 2007, 61 (10), s. 659–664.
20. ASEF-WWF, *Imprégnation aux PCB des riverains du Rhône*, maj 2008; dostępny na stronie: http://www.asef-asso.fr/index.php?option=com_content&view=article&id=10:letude&catid=4:etude-sur-les-pcb&Itemid=56 (data dostępu: 8 marca 2010).
21. J.-C. Leblanc (red.), *Étude Calipso*, *op. cit.*
22. Afssa, *Le poisson sous haute surveillance*, „À propos. Le magazine d'information de l'Agence française de sécurité sanitaire des aliments", 2008, 23, s. 2–6; dostępny na stronie: http://www.afssa.fr/Documents/APR-mg-aPropos23.pdf (data dostępu: 8 marca 2010).
23. *Ibid.*
24. J.-C. Leblanc (red.), *Étude Calipso*, *op. cit.*
25. Afssa, *Consommation de poisson et méthylmercure*, informacja prasowa 25 lipca 2006; dostępny na stronie: http://www.afssa.fr/Documents/PRES2006CP013.pdf (data dostępu: 8 marca 2010).
26. R.A. Hites, J.A. Foran, D.O. Carpenter, C.M. Hamilton, B.A. Knuth, S.J. Schwager, *Global assessment of organic contaminants in farmed salmon*, „Science", 2004, 303 (5655), s. 226–229.
27. Afssa, komunikat prasowy po publikacji wyników badań: *L'Analyse globale des contaminants chimiques dans le saumon d'élevage*, 9 stycznia 2004; dostępny na stronie: http://agriculture.gouv.fr/sections/presse/communiques/communique-de-presse-de-l-afssa-suite-a-la-publication-d-une-etude-sur-l-analyse-globale-des-contaminants-chimiques-dans-le (data dostępu: 8 marca 2010).
28. WHO, *PCBs and Dioxins in Salmon. Organochlorine Contamination of Salmon*, 2004; dostępny na stronie: http://www.who.int/foodsafety/chem/pcbsalmon/en/print.html (data dostępu: 8 marca 2010).

29. EFSA, *Avis du groupe scientifique sur les contaminants de la chaîne alimentaire, op. cit.*
30. S. Kaushik, *Les dioxines et les PCB chez le poisson, op. cit.*
31. Afssa, *Le poisson sous haute surveillance, op. cit.*
32. J.-C. Leblanc (red.), *Étude Calipso, op. cit.*

Rozdział 4. Nie takie mięso straszne

1. CIV, *Niveau de consommation de viande en France*; dostępny na stronie: http://www.civ-viande.org/4-139-nutrition-niveau-de-consommation-de-viandeen-france.html (data dostępu: 20 marca 2010).
2. World Cancer Research Fund, *Food, Nutrition, Physical Activity, and the Prevention of Cancer: a Global Perspective, op. cit.*
3. *Ibid.*
4. *Ibid.*
5. W.C. Willett, M.J. Stampfer, G.A. Colditz, B.A. Rosner, F.E. Speizer, *Relation of meat, fat, and fiber intake to the risk of colon cancer in a prospective Study among women*, „N. Engl. J. Med.", 1990, 323 (24), s. 1664–1672.
6. E.K. Wei, E. Giovannucci, K. Wu, B. Rosner, C.S. Fuchs, W.C. Willett, G.A. Colditz, *Comparison of risk factors for colon and rectal cancer*, „Int. J. Cancer", 2004, 108 (3), s. 433–442.
7. *Ibid.*
8. R.A. Goldbohm, P.A. Van den Brandt, P. Van't Veer, H.A. Brants, E. Dorant, F. Sturmans, R.J. Hermus, *A prospective cohort Study on the relation between meat consumption and the risk of colon cancer*, „Cancer Res.", 1994, 54 (3), s. 718–723.
9. P. Knekt, G. Steineck, R. Järvinen, T. Hakulinen, A. Aromaa, *Intake of fried meat and risk of cancer: A follow-up Study in Finland*, „Int. J. Cancer.", 1994, 59 (6), s. 756–760.
10. M. Gaard, S. Tretli, E.B. Løken, *Dietary factors and risk of colon cancer: A prospective Study of 50,535 young Norwegian men and women*, „Eur. J. Cancer Prev.", 1996, 5 (6), s. 445–454.
11. T. Norat, S. Bingham, P. Ferrari, N. Slimani, M. Jenab, M. Mazuir, K. Overvad, A. Olsen, A. Tjønneland, F. Clavel, M.C. Boutron-Ruault, E. Kesse, H. Boeing, M.M. Bergmann, A. Nieters, J. Linseisen, A. Trichopoulou, D. Trichopoulos, Y. Tountas, F. Berrino, D. Palli, S. Panico, R. Tumino, P. Vineis, H.B. Bueno-de-Mesquita, P.H. Peeters, D. Engeset, E. Lund, G. Skeie, E. Ardanaz, C. González, C. Navarro, J.R. Quirós, M.J. Sanchez, G. Berglund, I. Mattisson, G. Hallmans, R. Palmqvist, N.E. Day, K.T. Khaw, T.J. Key, M. San Joaquin, B. Hémon, R. Saracci, R. Kaaks, E. Riboli, *Meat, fish, and colorectal cancer risk: The European Prospective Investigation into cancer and nutrition*, „J. Natl. Cancer Inst.", 2005, 97 (12), s. 906–916.
12. A.S. Truswell, *Meat consumption and cancer of the large bowel*, „Eur. J. Clin. Nutr.", 2002, 56, załącznik nr 1, s. S19–S24.

13. S.C. Larsson, A. Wolk, *Meat consumption and risk of colorectal cancer: A meta-analysis of prospective studies*, „Int. J. Cancer", 2006, 119 (11), s. 2657–2664.
14. *Ibid.*
15. *Ibid.*
16. M. Gaard, S. Tretli, E.B. Løken, *Dietary factors and risk of colon cancer: A prospective Study of 50,535 young Norwegian men and women, op. cit.*
17. Afssa, *Table CIQUAL 2008. Composition nutritionnelle des aliments*; dostępny na stronie: http://www.afssa.fr/TableCIQUAL/ (data dostępu: 20 marca 2010).
18. USDA, *National Nutrient Database for Standard Reference*; dostępny na stronie: http://www.nal.usda.gov/fnic/foodcomp/search/ (data dostępu: 20 marca 2010).
19. Afssa, *Table CIQUAL 2008, op. cit.*
20. USDA, *National Nutrient Database for Standard Reference, op. cit.*
21. CIV, *Niveau de consommation de viande en France, op. cit.*
22. USDA, *Profiling Food Consumption in America*, 2002, dostępny na stronie: http://www.usda.gov/factbook/chapter2.htm (data dostępu: 20 marca 2010).
23. CIV, *Niveau de consommation de viande en France, op. cit.*
24. A.J. Cross, J.R.A. Pollock, S.A. Bingham, *Haem, not protein or inorganic iron, is responsible for endogenous intestinal N-nitrosation arising from red meat 7*, „Cancer Research", 2003, 63, s. 2358–2360.
25. R.L Nelson, *Iron and colorectal cancer risk: Human studies*, „Nutr. Rev.", 2001, 59 (5), s. 140–148.
26. Y.-A. Vano, M.-J. Rodrigues, S.-M. Schneider, *Lien épidémiologique entre comportement alimentaire et cancer: exemple du cancer colorectal*, „Bulletin du cancer", 2009, 96 (6), s. 647–658.
27. M. Lipkin, *Biomarkers of increased susceptibility to gastrointestinal cancer: New application to studies of cancer prevention in human subjects*, „Cancer Res.", 1988, 48 (2), s. 235–245.
28. A.L. Sesink, D.S. Termont, J.H. Kleibeuker, R. Van der Meer, *Red meat and colon cancer: The cytotoxic and hyperproliferative effects of dietary heme*, „Cancer Res.", 1999, 59 (22), s. 5704–5709.
29. A.L. Sesink, D.S. Termont, J.H. Kleibeuker, R. Van der Meer, *Red meat and colon cancer: Dietary haem-induced colonic cytotoxicity and epithelial hyperproliferation are inhibited by calcium*, „Carcinogenesis", 2001, 22 (10), s. 1653–1659.
30. S.C. Larsson, A. Wolk, *Meat consumption and risk of colorectal cancer: A meta-analysis of prospective studies, op. cit.*
31. World Cancer Research Fund, *Food, Nutrition, Physical Activity, and the Prevention of Cancer: a Global Perspective, op. cit.*
32. *Ibid.*

Rozdział 5. Czy nabiał i jajka służą profilaktyce?

1. I. Wollowski, G. Rechkemmer, B.L. Pool-Zobel, *Protective role of probiotics and prebiotics in colon cancer*, „Am. J. Clin. Nutr.", 2001, 73 (2), suppl., s. 451S–455S.
2. M.C. Lomer, G.C. Parkes, J.D. Sanderson, *Review article: Lactose intolerance in clinical practice – myths and realities*, „Aliment Pharmacol. Ther.", 2008, 27, s. 93–103.
3. M.T. Liong, *Roles of probiotics and prebiotics in colon cancer prevention: Postulated mechanisms and* in vivo *evidence*, „Int. J. Mol. Sci.", 2008, 9 (5), s. 854–863.
4. *Ibid.*
5. I. Wollowski, G. Rechkemmer, B.L. Pool-Zobel, *Protective role of probiotics and prebiotics in colon cancer, op. cit.*
6. *Ibid.*
7. *Ibid.*
8. M.C. Lomer, G.C. Parkes, J.D. Sanderson, *Review article: Lactose intolerance in clinical practice – myths and realities, op. cit.*
9. *Ibid.*
10. *Teneur en lactose de différents aliments*; dostępny na stronie: http://www.sanslactose.com/pg,teneur-en-lactose-de-differents-aliments,teneur,0,1.jsp (data dostępu: 29 marca 2010).
11. D.L. Swagerty Jr, A.D. Walling, R.M. Klein, *Lactose intolerance*, „Am. Fam. Physician", 2002, 65 (9), s. 1845–1850.
12. S. Torniainen, M. Hedelin, V. Autio, H. Rasinperä, K.A. Bälter, A. Klint, R. Bellocco, F. Wiklund, P. Stattin, T. Ikonen, T.L. Tammela, J. Schleutker, H. Grönberg, I. Järvelä, *Lactase persistence, dietary intake of milk, and the risk for prostate cancer in Sweden and Finland*, „Cancer Epidemiol Biomarkers Prev.", 2007, 16 (5), s. 956–961.
13. J.M. Chan, R.M. Jou, P.R. Caroll, *The relative impact and future burden of prostate cancer in the United States*, „J. Urol.", 2004, 172, s. S13–S16; dyskusja nad wynikami s. S17.
14. J. Ahn, D. Albanes, U. Peters, A. Schatzkin, U. Lim, M. Freedman, N. Chatterjee, G.L. Andriole, M.F. Leitzmann, R.B. Hayes, *Dairy products, calcium intake, and risk of prostate cancer in the prostate, lung, colorectal, and ovarian cancer screening trial*, „Cancer Epidemiol. Biomarkers Prev.", 2007, 16 (12), s. 2623–2630.
15. E. Kesse, M.C. Boutron-Ruault, T. Norat, E. Riboli, F. Clavel-Chapelon, *Dietary calcium, phosphorus, vitamin D, dairy products and the risk of colorectal adenoma and cancer among French women of the E3N-EPIC prospective Study*, „Int. J. Cancer", 2005, 117 (1), s. 137–144.
16. M. Huncharek, J. Muscat, B. Kupelnick, *Colorectal cancer risk and dietary intake of calcium, vitamin D, and dairy products: A meta-analysis of 26,335 cases from 60 observational studies*, „Nutr. Cancer", 2009, 61 (1), s. 47–69.

17. I. Wollowski, G. Rechkemmer, B.L. Pool-Zobel, *Protective role of probiotics and prebiotics in colon cancer, op. cit.*
18. World Cancer Research Fund, *Food, Nutrition, Physical Activity, and the Prevention of Cancer: A Global Perspective, op. cit.*

Rozdział 6. Owoce i warzywa: są korzyści, nie ma pewności

1. PNNS, *Fruits et légumes. Au moins 5 par jour*; dostępny na stronie: http://www.mangerbouger.fr/menu-secondaire/manger-mieux-c-est-possible/les-9-reperes-essentiels/fruits-et-legumes-au-moins-5-par-jour.html (data dostępu: 19 marca 2010).
2. World Cancer Research Fund, *Food, Nutrition, Physical Activity, and the Prevention of Cancer: A Global Perspective, op. cit.*
3. W. Leverve, *Stress oxydant et antioxydants*, 49. konferencja JAND, 2009; dostępny na stronie: http://www.jand.fr/opencms/export/sites/jand/data/documents/Xavier_LEVERVE.pdf (data dostępu: 23 marca 2010).
4. M.S. Fernandez-Panchon, D. Villano, A.M. Troncoso, M.C. Garcia-Parrilla, *Antioxidant activity of phenolic compounds: from* in vitro *results to* in vivo *evidence*, „Crit. Rev. Food Sci. Nutr.", 2008, 48 (7), s. 649–671.
5. A.M. Roussel, *Qui manque d'antioxydants et comment le savoir?*, 49. konferencja JAND, 2009; dostępny na stronie: http://www.jand.fr/opencms/export/sites/jand/data/documents/ROUSSEL.pdf (data dostępu: 23 marca 2010).
6. EUFIC, *La Couleur des fruits et légumes et la santé*; dostępny na stronie: http://www.eufic.org/article/fr/rid/la-coleur-des-fruits-legumes-et-sante (data dostępu: 20 marca 2010).
7. World Cancer Research Fund, *Food, Nutrition, Physical Activity, and the Prevention of Cancer: A Global Perspective, op. cit.*
8. EUFIC, *La Couleur des fruits et légumes et la santé, op. cit.*
9. Aprifel, *Fiche par produit. Chou-vert*; dostępny na stronie: http://www.aprifel.com/fiches,produits.php?p=94&c=3 (data dostępu: 25 marca 2010).
10. S.C. Larsson, N. Håkansson, I. Näslund, L. Bergkvist, A. Wolk, *Fruit and vegetable consumption in relation to pancreatic cancer risk: A prospective study*, „Cancer Epidemiol. Biomarkers Prev.", 2006, 15 (2), s. 301–305.
11. EUFIC, *La Couleur des fruits et légumes et la santé, op. cit.*
12. B.M. Oaks, K.W. Dodd, C.L. Meinhold, L. Jiao, T.R. Church, R.Z. Stolzenberg-Solomon, *Folate intake, post-folic acid grain fortification, and pancreatic cancer risk in the prostate, lung, colorectal, and ovarian cancer screening trial*, „Am. J. Clin. Nutr.", 2010, 91 (2), s. 449–455.
13. H.F. Balder, J. Vogel, M.C. Jansen, M.P. Weijenberg, P.A. Van den Brandt, S. Westenbrink, R. Van der Meer, R.A. Goldbohm, *Heme and chlorophyll intake and risk of colorectal cancer in the Netherlands cohort study*, „Cancer Epidemiol. Biomarkers Prev.", 2006, 15 (4), s. 717–725.

14. J. de Vogel, D.S. Jonker-Termont, E.M. Van Lieshout, M.B. Katan, R. Van der Meer, *Green vegetables, red meat and colon cancer: Chlorophyll prevents the cytotoxic and hyperproliferative effects of haem in rat colon*, „Carcinogenesis", 2005, 26 (2), s. 387–393.
15. R.H. Daswood, *Chlorophylls as anticarcinogens*, „International Journal of Oncology", 1997, 10 (4), s. 721–727.
16. EUFIC, *La Couleur des fruits et légumes et la santé, op. cit.*
17. World Cancer Research Fund, *Food, Nutrition, Physical Activity, and the Prevention of Cancer: A Global Perspective, op. cit.*
18. *Ibid.*
19. J. Abu, M. Batuwangala, K. Herbert, P. Symonds, *Retinoic acid and retinoid receptors: potential chemopreventive and therapeutic role in cervical cancer*, „Lancet Oncol.", 2005, 6 (9), s. 712–720.
20. EUFIC, *La Couleur des fruits et légumes et la santé, op. cit.*
21. World Cancer Research Fund, *Food, Nutrition, Physical Activity, and the Prevention of Cancer: A Global Perspective, op. cit.*
22. EUFIC, *La Couleur des fruits et légumes et la santé, op. cit.*
23. World Cancer Research Fund, *Food, Nutrition, Physical Activity, and the Prevention of Cancer: A Global Perspective, op. cit.*
24. *Ibid.*
25. *Ibid.*
26. N.P. Seeram, L.S. Adams, Y. Zhang, R. Lee, D. Sand, H.S. Scheuller, D. Heber, *Blackberry, black raspberry, blueberry, cranberry, red raspberry, and strawberry extracts inhibit growth and stimulate apoptosis of human cancer cells* in vitro, „J. Agric. Food Chem.", 2006, 54 (25), s. 9329–9339.
27. A. Mittal, C.A. Elmets, S.K. Katiyar, *Dietary feeding of proanthocyanidins from grape seeds prevents photocarcinogenesis in SKH-1 hairless mice: Relationship to decreased fat and lipid peroxidation*, „Carcinogenesis", 2003, 24 (8), s. 1379–1388.
28. W. Yi, J. Fischer, G. Krewer, C.C. Akoh, *Phenolic compounds from blueberries can inhibit colon cancer cell proliferation and induce apoptosis*, „J. Agric. Food Chem.", 2005, 53 (18), s. 7320–7329.
29. J.M. Yun, F. Afaq, N. Khan, H. Mukhtar, *Delphinidin, an anthocyanidin in pigmented fruits and vegetables, induces apoptosis and cell cycle arrest in human colon cancer HCT116 cells*, „Mol. Carcinog.", 2009, 48 (3), s. 260–270.
30. F. Afaq, N. Zaman, N. Khan, D.N. Syed, S. Sarfaraz, M.A. Zaid, H. Mukhtar, *Inhibition of epidermal growth factor receptor signaling pathway by delphinidin, an anthocyanidin in pigmented fruits and vegetables*, „Int. J. Cancer", 2008, 123 (7), s. 1508–1515.

31. EUFIC, *La Couleur des fruits et légumes et la santé, op. cit.*
32. Y. Lin, R. Shi, X. Wang, H.M. Shen, *Luteolin, a flavonoid with potential for cancer prevention and therapy*, „Curr. Cancer Drug Targets", 2008, 8 (7), s. 634–646.
33. *Ibid.*
34. Q. Zhou, B. Yan, X. Hu, X.B. Li, J. Zhang, J. Fang, *Luteolin inhibits invasion of prostate cancer PC3 cells through E-cadherin*, „Mol. Cancer Ther.", 2009, 8 (6), s. 1684–1691.
35. L.M. Butler, A.H. Wu, R. Wang, W.P. Koh, J.M. Yuan, M.C. Yu, *A vegetable-fruit--soy dietary pattern protects against breast cancer among postmenopausal Singapore Chinese women*, „Am. J. Clin. Nutr.", 2010, 91 (4), s. 1013–1019.
36. B. Armstrong, R. Doll, *Environmental factors and cancer incidence and mortality in different countries, with special reference to dietary practices*, „Int. J. Cancer", 1975, 15, s. 617–631.
37. FAO, *INPhO: Compendium Chapter19 Soybeans 1.6 Consumer Preferences*, 2007; dostępny na stronie: http://www.fao.org/inpho/content/compend/text/Ch19sec1_6.htm (data dostępu: 24 marca 2010).
38. L. Yan, E.L. Spitznagel, M.C. Bosland, *Soy consumption and colorectal cancer risk in humans: A meta-analysis*, „Cancer Epidemiol. Biomarkers Prev.", 2010, 19 (1), s. 148–158.
39. C. Nagata, N. Takatsuka, N. Kawakami, H. Shimizu, *A prospective cohort study of soy product intake and stomach cancer death*, „Br. J. Cancer", 2002, 87 (1), s. 31–36.
40. B.K. Jacobsen, S.F. Knutsen, G.E. Fraser, *Does high soy milk intake reduce prostate cancer incidence? The Adventist Health Study (United States)*, „Cancer Causes Control.", 1998, 9 (6), s. 553–557.
41. H.Y. Kim, R. Yu, J.S. Kim, Y.K. Kim, M.K. Sung, *Antiproliferative crude soy saponin extract modulates the expression of IkappaBalpha, protein kinase C, and cyclooxygenase-2 in human colon cancer cells*, „Cancer Lett.", 2004, 210 (1), s. 1–6.
42. H. Buteau-Lozano, G. Velasco, M. Cristofari, P. Balaguer, M. Perrot-Applanat, *Xenoestrogens modulate vascular endothelial growth factor secretion in breast cancer cells through an estrogen receptor-dependent mechanism*, „J. Endocrinol.", 2008, 196 (2), s. 399–412.
43. World Cancer Research Fund, *Food, Nutrition, Physical Activity, and the Prevention of Cancer: A Global Perspective, op. cit.*
44. G. Aviello, L. Abenavoli, F. Borrelli, R. Capasso, A.A. Izzo, F. Lembo, B. Romano, F. Capasso, *Garlic: Empiricism or science?*, „Nat. Prod. Commun.", 2009, 4 (12), s. 1785–1796.
45. World Cancer Research Fund, *Food, Nutrition, Physical Activity, and the Prevention of Cancer: A Global Perspective, op. cit.*

46. *Ibid.*
47. *Ibid.*
48. Santé Canada, *Le nitrate et le nitrite*, 1987; dostępny na stronie: http://www.hc-sc.gc.ca/ewh-semt/alt_formats/hecs-sesc/pdf/pubs/water-eau/nitrate_nitrite/nitrate_nitrite-eng.pdf (data dostępu: 25 marca 2010).
49. Société canadienne du cancer, *Concentrations de résidus de pesticides dans les aliments*, 2009; dostępny na stronie: http://www.cancer.ca/canada-wide/prevention/specific%20environmental%20contaminants/pesticides/pesticides%20on%20vegetables%20and%20fruit/levels%20of%20pesticide% 20residues% 20in% 20food.aspx?sc_lang=fr-ca (data dostępu: 24 marca 2010).
50. EWG, *People Can Reduce Pesticide Exposure by 80 Percent Through Smart Shopping and Using the Guide*, 2009; dostępny na stronie: http://www.ewg.org/newsrelease/EWG-New-Pesticide-Shoppers-Guide (data dostępu: 25 marca 2010).
51. DGCCRF, *Surveillance et contrôle des résidus de pesticides dans les produits d'origine végétale en 2007*, 2009; dostępny na stronie: http://www.dgccrf.bercy.gouv.fr/actualites/breves/2009/brv0109_pesticides.htm (data dostępu: 24 marca 2010).
52. Société canadienne du cancer, *Concentrations de résidus de pesticides dans les aliments, op. cit.*

Rozdział 7. Tłuszcze i sposoby przyrządzania potraw

1. P.G. Shields, G.X. Xu, W.J. Blot, J.F. Fraumeni Jr, G.E. Trivers, E.D. Pellizzari, Y.H. Qu, Y.T. Gao, C.C. Harris, *Mutagens from heated Chinese and US cooking oils*, „J. Natl. Cancer. Inst.", 1995, 87 (11), s. 836–841.
2. I.T. Yu, Y.L. Chiu, J.S. Au, T.W. Wong, J.L. Tang, *Dose-response relationship between cooking fumes exposures and lung cancer among Chinese nonsmoking women*, „Cancer Res.", 2006, 66 (9), s. 4961–4967.
3. PNNS, *Matières grasses: à limiter. Bien les choisir pour vraiment en profiter*; dostępny na stronie: http://www.mangerbouger.fr/menu-secondaire/mangermieux-c-est-possible/les-9-reperes-essentiels/matieres-grasses-a-limiter.html (data dostępu: 19 marca 2010).
4. PNNS, *Matières grasses: à limiter, op. cit.*
5. World Cancer Research Fund, *Food, Nutrition, Physical Activity, and the Prevention of Cancer: a Global Perspective, op. cit.*
6. *Ibid.*
7. A. Thiébaut, V. Chajès, F. Clavel, M. Gerber, *Apport en acides gras insaturés et risque de cancer du sein: revue des études épidémiologiques*, „Bulletin du cancer", 2005, 92 (7–8), s. 658–669.
8. J. Pouyat-Leclère, I. Birlouez, *Cuisson et Santé. Guide des bonnes pratiques de cuisson pour une alimentation plus saine*, Alpen 2005.

9. C.H. MacLean, S.J. Newberry, W.A. Mojica, P. Khanna, A.M. Issa, M.J. Suttorp, Y.W. Lim, S.B. Traina, L. Hilton, R. Garland, S.C. Morton, *Effects of omega-3 fatty acids on cancer risk: A systematic review*, „JAMA", 2006, 295 (4), s. 403–415.
10. F.J. Sanchez-Muniz, *Oils and fats: Changes due to culinary and industrial processes*, „Int. J. Vitam. Nutr. Res.", 2006, 76 (4), s. 230–237.
11. K. Warner, *Impact of high-temperature food processing on fats and oils*, „Adv. Exp. Med. Biol.", 1999, 459, s. 67–77.
12. Centre international de recherche sur le cancer, *Évaluations globales de la cancérogénicité pour l'homme*; dostępny na stronie: http://monographs.iarc.fr/ENG/Classification/ClassificationsGroupOrder.pdf (data dostępu: 7 marca 2010).
13. DGCCRF, *Qualité des huiles de friture*, 2001; dostępny na stronie: http://www.dgccrf.bercy.gouv.fr/fonds_documentaire/dgccrf/04_dossiers/consommation/controles_alimentaires/actions/friture0902.htm (data dostępu: 19 marca 2010).
14. P.G. Shields, G.X. Xu, W.J. Blot, J.F. Fraumeni Jr, G.E. Trivers, E.D. Pellizzari, Y.H. Qu, Y.T. Gao, C.C. Harris, *Mutagens from heated Chinese and US cooking oils*, „J. Natl. Cancer Inst.", 1995, 87 (11), s. 836–841.
15. C.H. Lee, S.F. Yang, C.Y. Peng, R.N. Li, Y.C. Chen, T.F. Chan, E.M. Tsai, F.C. Kuo, J.J. Huang, H.T. Tsai, Y.H. Hung, H.L. Huang, S. Tsai, M.T. Wu, *The precancerous effect of emitted cooking oil fumes on precursor lesions of cervical cancer*, „Int. J. Cancer", 9 grudnia 2009; publikacja elektroniczna: http://onlinelibrary.wiley.com/doi/10.1002/ijc.25108/abstract.
16. C. Metayer, Z. Wang, R.A. Kleinerman, L. Wang, A.V. Brenner, H. Cui, J. Cao, J.H. Lubin, *Cooking oil fumes and risk of lung cancer in women in rural Gansu, China*, „Lung Cancer", 2002, 35 (2), s. 111–117.
17. *Ibid.*
18. S.Y. Lin, S.J. Tsai, L.H. Wang, M.F. Wu, H. Lee, *Protection by quercetin against cooking oil fumes-induced DNA damage in human lung adenocarcinoma CL-3 cells: Role of COX-2*, „Nutr. Cancer", 2002, 44 (1), s. 95–101.
19. Centre international de recherche sur le cancer, *Évaluations globales de la cancérogénicité pour l'homme, op. cit.*
20. Afssa, *Acrylamide: point d'information n° 2*, 2003; dostępny na stronie: http://www.afssa.fr/Documents/RCCP2002sa0300.pdf (data dostępu: 19 marca 2010).
21. Health Canada, *Acrylamide levels in selected Canadian foods*, 2009; dostępny na stronie: http://www.hc-sc.gc.ca/fn-an/securit/chem-chim/food-aliment/acrylamide/acrylamide_level-acrylamide_niveau-eng.php (data dostępu: 19 marca 2010).
22. EFSA, *Acrylamide*, 2010; dostępny na stronie: http://www.efsa.europa.eu/fr/contamtopics/topic/acrylamide.htm (data dostępu: 19 marca 2010).
23. D.S. Mottram, B.L. Wedzicha, A.T. Dodson, *Acrylamide is formed in the Maillard reaction*, „Nature", 2002, 419 (6906), s. 448–449.

24. Afssa, *Acrylamide: point d'information n° 2, op. cit.*
25. *Ibid.*
26. S.Y. Lin, S.J. Tsai, L.H. Wang, M.F. Wu, H. Lee, *Protection by quercetin against cooking oil fumes-induced DNA damage in human lung adenocarcinoma CL-3 cells: Role of COX-2, op. cit.*
27. Afssa, *La Cuisson au barbecue*; dostępny na stronie: http://www.afssa.fr/index.htm (data dostępu: 19 marca 2010).
28. Afssa, *Étude individuelle nationale des consommations alimentaires 2 (INCA2) 2006–2007*, 2009; dostępny na stronie: http://www.afssa.fr/Documents/PASER-Ra-INCA2.pdf (data dostępu: 15 marca 2010).

Rozdział 8. Jak osłodzić sobie życie

1. C. N'Diaye (red.), *La Gourmandise. Délices d'un péché. Autrement.* „Mutations/ Mangeurs", nr 140, Paryż 1993.
2. B. Guy-Grand, *Les sucres dans l'alimentation: de quoi parle-t-on?*, „Cah. Nutr. Diét.", 2008, wydanie specjalne nr 2.
3. World Cancer Research Fund, *Food, Nutrition, Physical Activity, and the Prevention of Cancer: a Global Perspective, op. cit.*
4. J.P. Cezard, M.E. Forgue-Lafitte, M.C. Chamblier, G.E. Rosselin, *Growth promoting effet, biological activity, and binding of insulin in human intestinal cancer cells in culture*, „Cancer Research", 1981, 41 (3), s. 1148–1153.
5. L.M. Mauro, C. Morelli, T. Boterberg, M.E. Bracke, E. Surmacz, *Role of the IGF1 receptor in the regulation of cell-cell adhesion: Implications in cancer development and progression*, „Journal of Cellular Physiology", 2003, 194 (2), s. 108–116.
6. S.R. Plymate, R.E. Jones, L.A. Matej, K.E. Friedl, *Regulation of sex hormone binding globulin (SHBG) production in Hep G2 cells by insulin*, „Steroids", 1988, 52 (4), s. 339–340.
7. S.A.N. Silvera, T.E. Rohan, M. Jain, P.D. Terry, G. Howe, A. Miller, *Glycemic index, glycemic load, and pancreatic cancer risk (Canada)*, „Cancer Causes et Control", 2005, CCC 16 (4), s. 431–436.
8. L.S. Augustin, S. Franceschi, D. Jenkins, C. Kendall, C. La Vecchia, *Glycemic index in chronic disease: A review*, „European Journal of Clinical Nutrition", 2002, 56 (11), s. 1049–1071.
9. A. Cust, N. Slimani i in., *Dietary carbohydrates, glycemic index, glycemic load, and endometrial cancer risk within the European prospective investigation into cancer and nutrition cohort*, „American Journal of Epidemiology", 2007, 166 (8), s. 912–923.
10. S. Larsson, L. Bergkvist, A. Wolk, *Glycemic load, glycemic index and breast cancer risk in a prospective cohort of Swedish women*, „Int. J. Cancer", 2009, 125, s. 153–157.

11. M. Lajous, M.C. Boutron-Ruault, A. Fabre, F. Clavel-Chapelon, Y. Romieu, *Carbohydrate intake, glycemic index, glycemic load, and risk of postmenopausal breast cancer in a prospective study of French women*, „The American Journal of Clinical Nutrition", 2008, 87 (5), s. 1384–1391.
12. H.G. Mulholland, L.J. Murray, C.R. Cardwell, M.M. Cantwell, *Glycemic index, glycemic load, and risk of digestive tract neoplasms: A systematic review and meta-analysis*, „The American Journal of Clinical Nutrition", 2009, 89 (2), s. 568–576.
13. D.S. Michaud, C.S. Fuchs, S. Liu, W.C. Willett, G.A. Colditz, E. Giovannucci, *Dietary glycemic load, carbohydrate, sugar, and colorectal cancer risk in men and women*, „Cancer Epidemiology, Biomarkers & Prevention", publikacja American Association for Cancer Research, 2005, 14 (1), s. 138–147.
14. H.G. Mulholland, L.J. Murray, C.R. Cardwell, M.M. Cantwell, *Glycemic index, glycemic load, and risk of digestive tract neoplasms: A systematic review and meta-analysis*, *op. cit.*
15. N.C. Howarth, S.P. Murphy, L.R. Wilkens, B.E. Henderson, L.N. Kolonel, *The association of glycemic load and carbohydrate intake with colorectal cancer risk in the Multiethnic Cohort Study*, „The American Journal of Clinical Nutrition", 2008, 88 (4), s. 1074–1082.
16. American Cancer Society, *Prevention and Early Detection: Aspartame*, 2007; dostępny na stronie: http://www.cancer.org/docroot/PED/content/PED_1_3X_Aspartame.asp (data dostępu: 17 marca 2010).
17. *Ibid.*
18. K.M. Phillips, M.H. Carlsen, R. Blomhoff, *Total antioxidant content of alternatives to refined sugar*, „Journal of the American Dietetic Association", 2009, 109 (1), s. 64–71.
19. Afssa, *Avis de l'Agence française de sécurité sanitaire des aliments relatif à une autorisation provisoire, pour une durée de deux ans, d'emploi de stéviol, extraits de* Stevia rebaudiana, *en tant qu'édulcorant en alimentation humaine dans le cadre de l'article 5 de la directive* 89/107/CEE, 2007; dostępny na stronie: http://www.afssa.fr/Documents/AAAT2006sa0231.pdf (data dostępu: 25 marca 2010).
20. *Arrêté du 26 août 2009 relatif à l'emploi du rébaudioside* A *(extrait de* Stevia rebaudiana*) comme additif alimentaire*; dostępny na stronie: http://www.legifrance.gouv.fr/affichTexte.do?cidTexte=JORFTEXT000021021759 (data dostępu: 24 marca 2010).

Rozdział 9. Co pić na zdrowie

1. CNRS, *Découvrir l'eau. L'eau dans l'organisme*; dostępny na stronie: http://www.cnrs.fr/cw/dossiers/doseau/decouv/usages/eauOrga.html (data dostępu: 17 marca 2010).
2. OMS, informacja prasowa: *Selon un nouveau rapport, la réalisation des cibles en matière d'assainissement et d'eau potable serait compromise*, 2006; dostępny na

stronie: http://www.who.int/mediacentre/news/releases/2006/pr47/fr/index.html (data dostępu: 17 marca 2010).
3. OMS, *La Santé et les services d'approvisionnement en eau de boisson salubre et d'assainissement de base*; dostępny na stronie: http://www.who.int/water_sanitation_health/mdgl/fr/index.html (data dostępu: 17 marca 2010).
4. Direction générale de la santé, Bureau de la qualité des eaux, *Bilan de la qualité de l'eau au robinet du consommateur vis-à-vis des pesticides en 2008*, 2008; dostępny na stronie: http://www.sante-sports.gouv.fr/IMG/pdf/bilan_national_pesticides_2008.pdf (data dostępu: 17 marca 2010).
5. OMS, *L'Arsenic dans l'eau de boisson*, 2001; dostępny na stronie: http://www.who.int/water_sanitation_health/mdgl/fr/index.html (data dostępu: 17 marca 2010).
6. World Cancer Research Fund, *Food, Nutrition, Physical Activity, and the Prevention of Cancer: a Global Perspective, op. cit.*
7. Sénat, *Rapport de l'OPECST*, nr 2152 (2002–2003), oprac. M. Gérard Miquel, przedstawiciel Office parlementaire d'évaluation des choix scient. tech., złożony 18 marca 2003. *La Qualité de l'eau et assainissement en France. Annexe 63. L'arsenic dans les eaux de boisson*; dostępny na stronie: http://www.senat.fr/rap/l02-215-2/l02-215-256.html#toc124 (data dostępu: 17 marca 2010).
8. *Ibid.*
9. Centre international de recherche sur le cancer, *Évaluations globales de la cancérogénicité pour l'Homme*; dostępny na stronie: http://monographs.iarc.fr/ENG/Classification/ClassificationsGroupOrder.pdf (data dostępu: 7 marca 2010).
10. DGS, *Résultats du contrôle sanitaire de la qualité de l'eau potable*, 2009; dostępny na stronie: http://www.sante-sports.gouv.fr/resultats-du-controle-sanitaire-de-la-qualite-de-l-eau-potable.html (data dostępu: 17 marca 2010).
11. Institut national du cancer, *Alcool et risque de cancer*, 2007; dostępny na stronie: http://www.e-cancer.fr/component/docman/doc_download/1064-rapportalcoolcancernov07.pdf (data dostępu: 17 marca 2010).
12. Haut Conseil du ministère de la Santé, *Avis relatif aux recommandations sanitaires en matière de consommation d'alcool*, 2009; dostępny na stronie: http://www.hcsp.fr/docspdf/avisrapports/hcspa20090701_alcool.pdf (data dostępu: 17 marca 2010).
13. World Cancer Research Fund, *Food, Nutrition, Physical Activity, and the Prevention of Cancer: a Global Perspective, op. cit.*
14. *Ibid.*
15. C. Fakhry, M.L. Gillison, *Clinical implications of human papillomavirus in head and neck cancers*, „J. Clin. Oncol.", 2006, 24 (17), s. 2606–2611.
16. World Cancer Research Fund, *Food, Nutrition, Physical Activity, and the Prevention of Cancer: a Global Perspective, op. cit.*

17. *Ibid.*
18. *Ibid.*
19. Haut Conseil du ministère de la Santé, *Avis relatif aux recommandations sanitaires en matière de consommation d'alcool, op. cit.*
20. W. Sun, W. Wang, J. Kim, P. Keng, S. Yang, H. Zhang, C. Liu, P. Okunieff, L. Zhang, *Anticancer effect of resveratrol is associated with induction of apoptosis via a mitochondrial pathway alignent*, „Adv. Exp. Med. Biol.", 2008, 614, s. 179–186.
21. Aprifel, *Rôle bénéfique des polyphénols et du resvératrol du vin*, 2001; dostępny na stronie: http://www.aprifel.com/articles-sante,detail.php?m=3&rub=54&a=769 (data dostępu: 17 marca 2010).
22. S. Renaud, M. de Lorgeril, *Wine, alcohol, platelets, and the French paradox for coronary heart disease*, „Lancet", 1992, 339 (8808), s. 1523–1526.
23. F. Brisdelli, G. D'Andrea, A. Bozzi, *Resveratrol: A natural polyphenol with multiple chemopreventive properties*, „Curr. Drug Metab.", 2009, 10 (6), s. 530–546.
24. M. Athar, J.H. Back, L. Kopelovich, D.R. Bickers, A.L. Kim, *Multiple molecular targets of resveratrol: Anti-carcinogenic mechanisms*, „Arch. Biochem. Biophys.", 2009, 486 (2), s. 95–102.
25. N. Yusuf, T.H. Nasti, S. Meleth, C.A. Elmets, *Resveratrol enhances cellmediated immune response to DMBA through TLR4 and prevents DMBA induced cutaneous carcinogenesis*, „Mol. Carcinog.", 2009, 48 (8), s. 713–723.
26. A. Seeni, S. Takahashi, K. Takeshita, M. Tang, S. Sugiura, S.Y. Sato, T. Shirai, *Suppression of prostate cancer growth by resveratrol in the transgenic rat for adenocarcinoma of prostate (TRAP) model*, „Asian Pac. J. Cancer Prev.", 2008, 9 (1), s. 7–14.
27. M. Sengottuvelan, K. Deeptha, N. Nalini, *Influence of dietary resveratrol on early and late molecular markers of 1,2-dimethylhydrazine-induced colon carcinogenesis*, „Nutrition", 2009, 25 (11–12), s. 1169–1176.
28. X.Z. Ding, T.E. Adrian, *Resveratrol inhibits proliferation and induces apoptosis in human pancreatic cancer cells*, „Pancreas", 2002, 25 (4), s. 71–76.
29. C.E. Woodall, Y. Li, Q.H. Liu, J. Wo, R.C. Martin, *Chemoprevention of metaplasia initiation and carcinogenic progression to esophageal adenocarcinoma by resveratrol supplementation*, „Anticancer Drugs", 2009, 20 (6), s. 437–443.
30. Direction générale de la Santé, *Cancer de la peau. Mélanome*, 2003; dostępny na stronie: http://www.e-cancer.fr/les-cancers/melanomes-de-la-peau/references (data dostępu: 18 marca 2010).
31. Afsset, *FAQ Rayonnement ultraviolet*; dostępny na stronie: http://www.afsset.fr/index.php?pageid=709&parentid=424 (data dostępu: 17 marca 2010).
32. R.M. Sayre, J.C. Dowdy, *The increase in melanoma: are dietary furocoumarins responsable?*, „Med Hypotheses", 2008, 70 (4), s. 855–859.

33. D. Feskanich, W.C. Willett, D.J. Hunter, G.A. Colditz, *Dietary intakes of vitamins A, C, and E and risk of melanoma in two cohorts of women*, „Br. J. Cancer.", 2003, 88 (9), s. 1381–1387.
34. A. Malik, F. Afaq, S. Sarfaraz, V.M. Adhami, D.N. Syed, H. Mukhtar, *Pomegranate fruit juice for chemoprevention and chemotherapy of prostate cancer*, „Proc. Natl. Acad. Sci.", 2005, 102 (41), s. 14813–14818.
35. A.J. Pantuck, J.T. Leppert, N. Zomorodian, W. Aronson, J. Hong, R.J. Barnard, N. Seeram, H. Liker, H. Wang, R. Elashoff, D. Heber, M. Aviram, L. Ignarro, A. Belldegrun, *Phase II study of pomegranate juice for men with rising prostate-specific antigen following surgery or radiation for prostate cancer*, „Clin. Cancer Res.", 2006, 12 (13), s. 4018–4026.
36. Y. Zhang, N.P. Seeram, D. Heber, S. Chen, L.S. Adams, *Pomegranate ellagitannin-derived compounds exhibit antiproliferative and antiaromatase activity in breast cancer cells* in vitro, „Cancer Prev. Res. (Phila Pa)", 2010, 3 (1), s. 108–113.
37. G.N. Khan, M.A. Gorin, D. Rosenthal, Q. Pan, L.W. Bao, Z.F. Wu, R.A. Newman, A.D. Pawlus, P. Yang, E.P. Lansky, S.D. Merajver, *Pomegranate fruit extract impairs invasion and motility in human breast cancer*, „Integr. Cancer Ther.", 2009, 8 (3), s. 242–253.
38. N.P. Seeram i in., In vitro *antiproliferative, apoptotic and antioxidant activities of punicalagin, ellagic acid and a total pomegranate tannin extract are enhanced in combination with other polyphenols as found in pomegranate juice*, „J. Nutr. Biochem.", 2005, 16 (6), s. 360–367.
39. M.I. Gil, F.A. Tomás-Barberán, B. Hess-Pierce, D.M. Holcroft, A.A. Kader, *Antioxidant activity of pomegranate juice and its relationship with phenolic composition and processing*, „J. Agric. Food Chem.", 2000, 48 (10), s. 4581–4589.
40. N. Khan, F. Afaq, M.H. Kweon, K. Kim, H. Mukhtar, *Oral consumption of pomegranate fruit extract inhibits growth and progression of primary lung tumors in mice*, „Cancer Res.", 2007, 67 (7), s. 3475–3482.
41. M.I. Gil, F.A. Tomás-Barberán, B. Hess-Pierce, D.M. Holcroft, A.A. Kader, *Antioxidant activity of pomegranate juice and its relationship with phenolic composition and processing, op. cit.*
42. N. Khan, F. Afaq, M.H. Kweon, K. Kim, H. Mukhtar, *Oral consumption of pomegranate fruit extract inhibits growth and progression of primary lung tumors in mice, op.cit.*
43. A.J. Pantuck, J.T. Leppert, N. Zomorodian, W. Aronson, J. Hong, R.J. Barnard, N. Seeram, H. Liker, H. Wang, R. Elashoff, D. Heber, M. Aviram, L. Ignarro, A. Belldegrun, *Phase II study of pomegranate juice for men with rising prostate-specific antigen following surgery or radiation for prostate cancer, op. cit.*
44. M.I. Gil, F.A. Tomás-Barberán, B. Hess-Pierce, D.M. Holcroft, A.A. Kader, *Antioxidant activity of pomegranate juice and its relationship with phenolic composition and processing, op. cit.*

45. B. MacMahon, S. Yen, D. Trichopoulos, K. Warren, G. Nardi, *Coffee and cancer of the pancreas*, „N. Engl. J. Med.", 1981, 304 (11), s. 630–633.
46. A. Nkondjock, *Coffee consumption and the risk of cancer: An overview*, „Cancer Lett.", 2008, 277 (2), s. 121–125.
47. World Cancer Research Fund, *Food, Nutrition, Physical Activity, and the Prevention of Cancer: a Global Perspective*, *op. cit.*
48. C. Pelucchi, A. Tavani, C. La Vecchia, *Coffee and alcohol consumption and bladder cancer*, „Scand. J. Urol. Nephrol.", 2008, 218, suppl., s. 37–44.
49. J.A. Baker, G.P. Beehler, A.C. Sawant, V. Jayaprakash, S.E. McCann, K.B. Moysich, *Consumption of coffee, but not black tea, is associated with decreased risk of premenopausal breast cancer*, „J. Nutr.", 2006, 136 (1), s. 166–171.
50. A. Nkondjock, P. Ghadirian, J. Kotsopoulos, J. Lubinski, H. Lynch, C. Kim-Sing, D. Horsman, B. Rosen, C. Isaacs, B. Weber, W. Foulkes, P. Ainsworth, N. Tung, A. Eisen, E. Friedman, C. Eng, P. Sun, S.A. Narod, *Coffee consumption and breast cancer risk among BRCA1 and BRCA2 mutation carriers*, „Int. J. Cancer", 2006, 118 (1), s. 103–107.
51. T.D. Shanafelt, Y.K. Lee, T.G. Call, G.S. Nowakowski, D. Dingli, C.S. Zent, N.E. Kay, *Clinical effects of oral green tea extracts in four patients with low grade B-cell malignancies*, „Leuk. Res.", 2006, 30 (6), s. 707–712.
52. A.S. Tsao, D. Liu, J. Martin, X.M. Tang, J.J. Lee, A.K. El-Naggar, I. Wistuba, K.S. Culotta, L. Mao, A. Gillenwater, Y.M. Sagesaka, W.K. Hong, V. Papadimitrakopoulou, *Phase II randomized, placebo-controlled trial of green tea extract in patients with high-risk oral premalignant lesions*, „Cancer Prev. Res." (Filadelfia), 2009, 2 (11), s. 931–941.
53. A.S. Tsao, D. Liu, J. Martin, X.M. Tang, J.J. Lee, A.K. El-Naggar, I. Wistuba, K.S. Culotta, L. Mao, A. Gillenwater, Y.M. Sagesaka, W.K. Hong, V. Papadimitrakopoulou, *Phase II randomized, placebo-controlled trial of green tea extract in patients with high-risk oral premalignant lesions*, *op. cit.*
54. World Cancer Research Fund, *Food, Nutrition, Physical Activity, and the Prevention of Cancer: a Global Perspective*, *op. cit.*

Rozdział 10. Witaminowo-suplementowy zawrót głowy

1. Vidal, *Le Guide Vidal des compléments alimentaires disponible en librairie*, informacja prasowa, 2010; dostępny na stronie: http://www.vidal.fr/presse/espace-grand-public/363-guide-complements-alimentaires (data dostępu: 15 marca 2010).
2. Afssa, *Étude individuelle nationale des consommations alimentaires 2 (INCA2) 2006–2007*, 2009; dostępny na stronie: http://www.afssa.fr/Documents/PASER-Ra-INCA2.pdf (data dostępu: 15 marca 2010).

3. L.M. Ferrucci, R. McCorkle, T. Smith, K.D. Stein, B. Cartmel, *Factors related to the use of dietary supplements by cancer survivors*, „J. Altern. Complement. Med.", 2009, 15 (6), s. 673–680.
4. B.R. Cassileth, M. Heitzer, K. Wesa, *The public health impact of herbs and nutritional supplements*, „Pharm. Biol.", 2009, 47 (8), s. 761–767.
5. Y. Kimura, H. Ito, R. Ohnishi, T. Hatano, *Inhibitory effects of polyphenols on human cytochrome P450 3A4 and 2C9 activity*, „Food Chem. Toxicol.", 2009, 48 (1), s. 429–435.
6. G.E. Goodman, M.D. Thornquist, J. Balmes, M.R. Cullen, F.L. Meyskens Jr, G.S. Omenn, B. Valanis, J.H. Williams Jr, *The beta-carotene and retinol efficacy trial: Incidence of lung cancer and cardiovascular disease mortality during 6-year follow-up after stopping beta-carotene and retinol supplements*, „J. Natl. Cancer Inst.", 2004, 96 (23), s. 1743–1750.
7. J. Virtamo, P. Pietinen, J.K. Huttunen, P. Korhonen, N. Malila, M.J. Virtanen, D. Albanes, P.R. Taylor, P. Albert, ATBC Study Group, *Incidence of cancer and mortality following alpha-tocopherol and beta-carotene supplementation: A postintervention follow-up*, „JAMA", 2003, 290 (4), s. 476–485.
8. N.R. Cook, I.M. Lee, J.E. Manson, J.E. Buring, C.H. Hennekens, *Effects of beta--carotene supplementation on cancer incidence by baseline characteristics in the Physicians' Health Study (United States)*, „Cancer Causes Control", 2000, 11 (7), s. 617–626.
9. I.M. Lee, N.R. Cook, J.E. Manson, J.E. Buring, C.H. Hennekens, *Beta-carotene supplementation and incidence of cancer and cardiovascular disease: The Women's Health Study*, „J. Natl. Cancer Inst.", 1999, 91 (24), s. 2102–2106.
10. N.H. De Klerk, A.W. Musk, G.L. Ambrosini, J.L. Eccles, J. Hansen, N. Olsen, V.L. Watts, H.G. Lund, S.C. Pang, J. Beilby, M.S. Hobbs, *Western perth asbestos workers, Vitamin A and cancer prevention II: comparison of the effects of retinol and beta-carotene*, „Int. J. Cancer", 1998, 75 (3), s. 362–367.
11. S. Hercberg, E. Kesse-Guyot, N. Druesne-Pecollo, M. Touvier, A. Favier, P. Latino-Martel, S. Briançon, P. Galan, *Incidence of cancers, ischemic cardiovascular diseases and mortality during 5-year follow-up after stopping antioxidant vitamins and minerals supplements: A postintervention follow-up in the SU.VI.MAX Study*, „Int. J. Cancer", 2010, publikacja elektroniczna o ograniczonym dostępie: http://onlinelibrary.wiley.com/doi/10.1002/ijc.25201/abstract.
12. F. Meyer, P. Galan, P. Douville, I. Bairati, P. Kegle, S. Bertrais, C. Estaquio, S. Hercberg, *Antioxidant vitamin and mineral supplementation and prostate cancer prevention in the SU.VI.MAX trial*, „Int. J. Cancer", 2005, 116 (2), s. 182–186.
13. S. Hercberg, K. Ezzedine, C. Guinot i in., *Antioxidant supplementation increases the risk of skin cancers in women but not in men*, „J. Nutr.", 2007, 137, s. 2098–2105.

14. G.S. Omenn, G.E. Goodman, M.D. Thornquist, J. Balmes, M.R. Cullen, A. Glass, J.P. Keogh, F.L. Meyskens Jr, B. Valanis, J.H. Williams Jr, S. Barnhart, M.G. Cherniack, C.A. Brodkin, S. Hammar, *Risk factors for lung cancer and for intervention effects in CARET, the beta-carotene and retinol efficacy trial*, „J. Natl. Cancer Inst.", 1996, 88 (21), s. 1550–1559.
15. National Cancer Institute, *Selenium and Vitamin E Cancer Prevention Trial (SELECT)*, 2008; dostępny na stronie: http://www.cancer.gov/newscenter/pressreleases/SELECTQandA (data dostępu: 15 marca 2010).
16. R.L. Nelson, *Iron and colorectal cancer risk, human studies*, „Nutr. Rev.", 2001, 59, s. 140–148.
17. A.J. Duffield-Lillico, B.L. Dalkin, M.E. Reid, B.W. Turnbull, E.H. Slate, E.T. Jacobs, J.R. Marshall, L.C. Clark, *Nutritional Prevention of Cancer Study Group. Selenium supplementation, baseline plasma selenium status and incidence of prostate cancer: An analysis of the complete treatment period of the Nutritional Prevention of Cancer Trial*, „BJU Int.", 2003, 91 (7), s. 608–612.
18. L.C. Clark, G.F. Combs Jr, B.W. Turnbull, E.H. Slate, D.K. Chalker, J. Chow, L.S. Davis, R.A. Glover, G.F. Graham, E.G. Gross, A. Krongrad, J.L. Lesher Jr, H.K. Park, B.B. Sanders Jr, C.L. Smith, J.R. Taylor, *Effects of selenium supplementation for cancer prevention in patients with carcinoma of the skin. A randomized controlled trial*, „JAMA", 1996, 276 (24), s. 1957–1963.
19. *Ibid.*
20. World Cancer Resarch Fund, *Food, Nutrition, Physical Activity and the Prevention of Cancer. A Global Perspective, op. cit.*
21. *Ibid.*
22. M. Jenab, H.B. Bueno-de-Mesquita, P. Ferrari, F.J. Van Duijnhoven, T. Norat, T. Pischon, E.H. Jansen, N. Slimani, G. Byrnes, S. Rinaldi, A. Tjønneland, A. Olsen, K. Overvad, M.C. Boutron-Ruault, F. Clavel-Chapelon, S. Morois, R. Kaaks, J. Linseisen, H. Boeing, M.M. Bergmann, A. Tichopoulou, G. Misirli, D. Trichopoulos, F. Berrino, P. Vineis, S. Panico, D. Palli, R. Tumino, M.M. Ros, C.H. Van Gils, P.H. Peeters, M. Brustad, E. Lund, M.J. Tormo, E. Ardanaz, L. Rodríguez, M.J. Sánchez, M. Dorronsoro, C.A. Gonzalez, G. Hallmans, R. Palmqvist, A. Roddam, T.J. Key, K.T. Khaw, P. Autier, P. Hainaut, E. Riboli, *Association between pre-diagnostic circulating vitamin D concentration and risk of colorectal cancer in European populations: A nested case-control study*, „BMJ", 2010, 340, s. b5500.
23. J. Ahn, D. Albanes, U. Peters, A. Schatzkin, U. Lim, M. Freedman, N. Chatterjee, G.L. Andriole, M.F. Leitzmann, R.B. Hayes, *Prostate, lung, colorectal, and ovarian trial project team. Dairy products, calcium intake, and risk of prostate cancer in the prostate, lung, colorectal, and ovarian cancer screening trial*, „Cancer Epidemiol Biomarkers Prev.", 2007, 16 (12), s. 2623–2630.

24. A.R.M. Ruhul Amin, O. Kucuk, F.R. Khuri, D.M. Shin, *Perspectives for cancer prevention with natural compounds*, „Journal of Clinical Oncology", 2009, 27 (18).
25. M. Hussain, M. Banerjee, F.H. Sarkar i in., *Soy isoflavones in the treatment of prostate cancer*, „Nutr. Cancer", 2006, 106, s. 1260–1268.
26. *Ibid.*
27. J.M. Pendleton, W.W. Tan, S. Anai i in., *Phase II trial of isoflavone in prostate-specific antigen recurrent prostate cancer after previous local therapy*, „BMC Cancer", 2008, 8 (132).
28. J.C. Chao, S.W. Chiang, C.C. Wang, Y.H. Tsai, M.S. Wu, *Hot waterextracted* Lycium barbarum *and* Rehmannia glutinosa *inhibit proliferation and induce apoptosis of hepatocellular carcinoma cells*, „World J. Gastroenterol.", 2006, 12 (28), s. 4478–4484.
29. Q. Luo, Z. Li, J. Yan, F. Zhu, R.J. Xu, Y.Z. Cai, Lycium barbarum *polysaccharides induce apoptosis in human prostate cancer cells and inhibits prostate cancer growth in a xenograft mouse model of human prostate cancer*, „J. Med. Food", 2009, 12 (4), s. 695–703.
30. F. Mao, B. Xiao, Z. Jiang, J. Zhao, X. Huang, J. Guo, *Anticancer effect of* Lycium barbarum *polysaccharides on colon cancer cells involves G0/G1 phase arrest*, „J. Med. Oncol.", 2010, dostęp elektroniczny: http://www.ncbi.nlm.nih.gov/pubmed/20066520.
31. Y. Miao, B. Xiao, Z. Jiang, Y. Guo, F. Mao, J. Zhao, X. Huang, J. Guo, *Growth inhibition and cell-cycle arrest of human gastric cancer cells by* Lycium barbarum *polysaccharide*, „J. Med Oncol.", 2009, dostęp elektroniczny: http://www.ncbi.nlm.nih.gov/pubmed?term=Growth%20inhibition%20and%20cell-cycle%20arrest%20of%20human%20gastric%20cancer%20cells%20by%20Lycium%20barbarum%20polysaccharide.
32. G. Li, D.W. Sepkovic, H.L. Bradlow, N.T. Telang, G.Y. Wong, Lycium barbarum *inhibits growth of estrogen receptor positive human breast cancer cells by favorably altering estradiol metabolism*, „Nutr. Cancer", 2009, 61 (3), s. 408–414.
33. J.C. Chao, S.W. Chiang, C.C. Wang, Y.H. Tsai, M.S. Wu, *Hot waterextracted* Lycium barbarum *and* Rehmannia glutinosa *inhibit proliferation and induce apoptosis of hepatocellular carcinoma cells, op. cit.*
34. A.R.M. Ruhul Amin, O. Kucuk, F.R. Khuri, D.M. Shin, *Perspectives for cancer prevention with natural compounds, op. cit.*

Rozdział 11. Ruch to zdrowie

1. G.K. Reeves, K. Pirie, V. Beral, J. Green, E. Spencer, D. Bull, *Cancer incidence and mortality in relation to body mass index in the million women studio: Cohort studio*, „BMJ", 2007, 335 (7630), s. 1134.

2. A.G. Renehan, I. Soerjomataram, M. Tyson, M. Egger, M. Zwahlen, J.W. Coebergh, I. Buchan, *Incident cancer burden attributable to excess body mass index in 30 European countries*, „Int. J. Cancer", 2010, 126 (3), s. 692–702.
3. OMS, *Obésité et surpoids*, 2006; dostępny na stronie: http://www.who.int/mediacentre/factsheets/fs311/fr/index.html (data dostępu: 8 lutego 2009).
4. *Ibid.*
5. InVS, *Étude nationale nutrition santé 2006. Des consommations en fruits et légumes encourageantes chez l'adulte mais pas chez l'enfant. Vers une stabilisation du surpoids chez l'enfant mais encore un adulte sur six obèse*, informacja prasowa, 2007; dostępny na stronie: http://www.invs.sante.fr/presse/2007/communiques/nutrition_sante_121207/ (data dostępu: 19 marca 2009).
6. Y. Wu, *Overweight and obesity in China*, „BMJ", 2006, 333 (7564), s. 362–363.
7. G.A. Bray, *The epidemic of obesity and changes in food intake: The fluoride hypothesis*, „Physiol. Behav.", 2004, 82 (1), s. 115–121.
8. H.L. Burdette, R.C. Whitaker, *Neighborhood playgrounds, fast food restaurants, and crime: Relationships to overweight in low-income preschool children*, „Pev. Med.", 2004, 38, s. S7–63.
9. *Ibid.*
10. S.J. Marshall, S.J. Biddle, T. Gorely, N. Cameron, I. Murdey, *Relationships between media use, body fatness and physical activity in children and youth: A meta-analyses*, „Int. J. Obes. Relat. Metab. Disord.", 2004, 28 (10), s. 1238–1246.
11. R. Von Kries, A.M. Toschke, H. Wurmser, T. Sauerwald, B. Koletzko, *Reduced risk for overweight and obesity in 5- and 6-y-old children by duration of sleep-a cross-sectional studio*, „Int. J. Obes. Relat. Metab. Disord.", 2002, 26 (5), s. 710–716.
12. L. Miles, *Physical activity and health*, „Nutrition Bulletin", 2007, 32 (4), s. 314–363.
13. K.S. Courneya, K.H. Karvinen, K.L. Campbell, R.G. Pearcey, G. Dundas, V. Capstick, K.S. Tonkin, *Associations among exercise, body weight, and quality of life in a population-based sample of endometrial cancer survivors*, „Gynecol. Oncol.", 2005, 97 (2), s. 422–430.
14. M.D. Holmes, W.Y. Chen, D. Feskanich, C.H. Kroenke, G.A. Colditz, *Physical activity and survival after breast cancer diagnosis*, „JAMA", 2005, 293 (20), s. 2479–2486.
15. J.P. Pierce, M.L. Stefanick, S.W. Flatt, L. Natarajan, B. Sternfeld, L. Madlensky, W.K. Al-Delaimy, C.A. Thomson, S. Kealey, R. Hajek, B.A. Parker, V.A. Newman, B. Caan, C.L. Rock, *Greater survival after breast cancer in physically active women with high vegetable-fruit intake regardless of obesity*, „J. Clin. Oncol.", 2007, 25 (17), s. 2345–2351.
16. R. Knols, N.K. Aaronson, D. Uebelhart, J. Fransen, G. Aufdemkampe, *Physical exercise in cancer patients during and after medical treatment: A systematic*

review of randomized and controlled clinical trials, „J. Clin. Oncol.", 2005, 23 (16), s. 3830–3842.

17. F. Cramp, J. Daniel, *Exercice for the management of cancer-related fatigue in adults*, „J. Clin. Oncol.", 2008, publikacja elektroniczna pobrana z bazy The Cochrane Collaboration: http://www2.cochrane.org/reviews/en/ab006145.html.
18. M.L. Irwin, A.W. Smith, A. McTiernan, R. Ballard-Barbash, K. Cronin, F.D. Gilliland, R.N. Baumgartner, K.B. Baumgartner, L. Bernstein, *Influence of pre- and postdiagnosis physical activity on mortality in breast cancer survivors: The health, eating, activity, and lifestyle study*, „J. Clin. Oncol.", 2008, 26 (24), s. 3958–3964.
19. C.N. Holick, P.A. Newcomb, A. Trentham-Dietz, L. Titus-Ernstoff, A.J. Bersch, M.J. Stampfer, J.A. Baron, K.M. Egan, W.C. Willett, *Physical activity and survival after diagnosis of invasive breast cancer*, „Cancer Epidemiol. Biomarkers Prev.", 2008, 17 (2), s. 379–386.
20. J.P. Pierce, M.L. Stefanick, S.W. Flatt, L. Natarajan, B. Sternfeld, L. Madlensky, W.K. Al-Delaimy, C.A. Thomson, S. Kealey, R. Hajek, B.A. Parker, V.A. Newman, B. Caan, C.L. Rock, *Greater survival after breast cancer in physically active women with high vegetable-fruit intake regardless of obesity*, *op. cit.*
21. R. Knols, N.K. Aaronson, D. Uebelhart, J. Fransen, G. Aufdemkampe, *Physical exercise in cancer patients during and after medical treatment: A systematic review of randomized and controlled clinical trials*, *op. cit.*
22. M.J. Rennie, *Exercise- and nutrient-controlled mechanisms involved in maintenance of the musculoskeletal mass*, „Biochem. Soc. Trans.", 2007, 35 (cz. 5), s. 1302–1305.
23. M.D. Holmes, W.Y. Chen, D. Feskanich, C.H. Kroenke, G.A. Colditz, *Physical activity and survival after breast cancer diagnosis*, „JAMA", 2005, 293 (20), s. 2479–2486.
24. J.P. Pierce, M.L. Stefanick, S.W. Flatt, L. Natarajan, B. Sternfeld, L. Madlensky, W.K. Al-Delaimy, C.A. Thomson, S. Kealey, R. Hajek, B.A. Parker, V.A. Newman, B. Caan, C.L. Rock, *Greater survival after breast cancer in physically active women with high vegetable-fruit intake regardless of obesity*, *op. cit.*
25. M.D. Holmes, W.Y. Chen, D. Feskanich, C.H. Kroenke, G.A. Colditz, *Physical activity and survival after breast cancer diagnosis*, *op. cit.*
26. J.P. Pierce, M.L. Stefanick, S.W. Flatt, L. Natarajan, B. Sternfeld, L. Madlensky, W.K. Al-Delaimy, C.A. Thomson, S. Kealey, R. Hajek, B.A. Parker, V.A. Newman, B. Caan, C.L. Rock, *Greater survival after breast cancer in physically active women with high vegetable-fruit intake regardless of obesity*, *op. cit.*
27. C.N. Holick, P.A. Newcomb, A. Trentham-Dietz, L. Titus-Ernstoff, A.J. Bersch, M.J. Stampfer, J.A. Baron, K.M. Egan, W.C. Willett, *Physical activity and survival after diagnosis of invasive breast cancer*, *op. cit.*

Indeks tematyczny

agawa 140–141, 228
akrylamid 66, 128–130, 212, 219, 221–222, 225, 228
aktywność fizyczna 176–177, 182–186, 188, 195, 200, 217
alkohol 151, 153, 197, 200
antyoksydanty 103–105, 158, 192–194
azotany 89, 115, 146–147, 197

badania epidemiologiczne 35–38
beta-karoten 102, 106, 108–109, 164–166, 196, 201
BMI 177–181

cukier 133–136, 138–139, 219
czerniak złośliwy 22, 154–155, 198

drób 90
dziedziczenie 31

enzymy 58–60, 93, 232

fitoestrogeny 106, 113, 173

genisteina 37, 113–114, 171, 173–174, 233
geny 31, 46–51, 54–57
grillowanie 85–87, 131, 197, 202, 220

herbata 66, 99, 157–159, 163–164, 170, 195, 201–202, 220
hormony 28–29, 32, 232–233, 236

infekcyjne czynniki 29, 32
insulina 135–138, 181

jajka 100, 221

kapustne warzywa 108
kawa 157–158, 221
kolory roślin 106–115
kurkuma 38–39, 171, 173, 194, 222
kwercetyna 109, 127, 173, 195

laktaza 92–94
laktoza 93–95
likopen 58, 102, 105, 106, 110–111, 172, 195, 202, 234
luteina 106, 112–113

mate 66, 159
metale ciężkie 30, 65, 69, 146, 190, 196, 234
mięso czerwone 33, 77–81, 84, 87, 200, 222

nabiał 91–99
nosogardło, rak 149–150, 158–159, 171, 207
nowotworzenie 27, 57, 70, 109, 125
nutrigenomika 54–57, 189, 234

okrężnica, rak 22, 64, 70, 78–83, 93, 96–98, 112, 114 115, 139, 150, 156, 167–168, 170–172, 174, 183, 185, 200
oleje roślinne 120–128, 197, 224
omega-3 63, 71–72, 123–124, 234
otyłość 120, 135–138, 175–183
owoce 30–31, 101–118, 192, 198–199, 228
owoce leśne 172

p53 55, 152, 174, 235
palenie tytoniu 26–27
PCB 30, 65–71, 74, 235
pestycydy 103, 115–118, 146, 191
pierś, rak 19–20, 22, 25, 28, 60–61, 81, 113, 138–139, 150, 158, 170–174, 175, 183–185, 199–201
płuco, rak 22–23, 26–27, 59, 102, 107–110, 119, 126–127, 145, 156, 164–166, 168, 170–172
polifenole 103, 105, 109, 112, 151, 158, 164, 170, 174
prebiotyki 91–93, 99, 195, 235, 236
probiotyki 92–93, 235, 236
prostata, rak 22, 25, 28, 95–96, 98, 102, 110, 112–113, 138, 152, 156, 165–168, 170–174, 182–183
punkt dymienia 124–125

resweratrol 151–152, 171
ryby 63–76, 121, 123, 131, 194, 196, 226, 228

selen 58, 74, 105, 167–168, 195, 200–202, 236
skorupiaki 69–72
skóra, rak 20, 145, 155, 170–172
słodycze 134–135, 138, 180
słodziki 139–140, 236
soja 106, 113, 227
soki owocowe 59, 153–154, 227
sok pomarańczowy 154–155, 198, 227
sok z granatów 99, 153–154, 156–157, 171, 194, 228
sposoby przyrządzania potraw 34, 86, 119–131, 212

stewia 140–141, 228
suplementy diety 161–174, 207–208

wapń 88, 94–96, 168, 197, 200, 201
warzywa 20, 30, 34, 99, 101–118
wątroba, rak 22, 26, 29, 112, 150, 158, 170–172, 174
westernizacja 20, 212
wędliny 89–90, 202, 230
wino 38, 59, 148–151, 153, 195, 230
witamina C 105, 163, 165, 200
witamina D 37, 39, 74, 94, 98, 169, 236
witamina E 105, 165–167, 196, 201
włókna pokarmowe 115, 195, 200–201
woda 115, 143–147, 230

zielona herbata 158–159, 163, 170, 173–174, 195

żelazo 74, 88, 167–168, 200

DIETA ANTYRAKOWA W PIGUŁCE

5 złotych zasad profilaktyki antynowotworowej

1. Nie pal: palenie działa rakotwórczo już od pierwszego papierosa.

2. Jedz urozmaicone posiłki: nie rezygnuj z niczego. Niebezpieczne jest częste spożywanie w znacznych ilościach pokarmów potencjalnie rakotwórczych.

3. Przyrządzaj dania na różne sposoby: potrawy gotowane na parze i duszone są zdrowsze.

4. Wybieraj produkty tradycyjne, regionalne, ekologiczne: przyznaj pierwszeństwo na swoim talerzu produktom z jak najmniejszą ilością pozostałości pestycydów.

5. Obaj o prawidłowy bilans energetyczny: zaaplikuj sobie większą dawkę ruchu i zmniejsz dostawę kalorii, nie pogryzaj między posiłkami, uprawiaj sport.

10 razy TAK, czyli 10 czynników niezbędnych w profilaktyce

1. Sok z granatów: najlepiej wytwarzany przemysłowo.
2. Kurkuma: doprawiajcie nią potrawy tak często, jak tylko to możliwe.
3. Zielona herbata: wszystkie odmiany zielonych herbat są godne polecenia.
4. Wino: bogate w resweratrol, jednak zalecane w umiarkowanych ilościach.
5. Selen: jeden z nielicznych suplementów, które wykazały realne działanie przeciwnowotworowe; przed zakupem zasięgnijcie porady lekarza lub farmaceuty.
6. Pomidory: zawierają likopen, najlepiej spożywać je w postaci soku, sosu lub gotowane.
7. Błonnik: bardzo ważny, pełni rolę prebiotyku oraz ułatwia transport pokarmu w jelicie.
8. Czosnek i cebula: wykazują silne działanie antyrakowe, jedzcie je jak najczęściej.
9. Kwercetyna: zawarta w kaparach, lubczyku, kakao i ostrej papryce, szczególnie wskazana dla palaczy.
10. Aktywność fizyczna: wybierzcie ulubiony rodzaj ćwiczeń i trenujcie regularnie.

10 razy NIE, czyli 10 czynników ryzyka

1. Włócznik, czerwony tuńczyk, halibut i łosoś: należy ograniczyć ich spożywanie.

2. Mleko, sery i jogurty: znakomite jedynie dla dzieci i kobiet, mężczyźni po 50 roku życia powinni znacznie ograniczyć nabiał w swojej diecie.

3. Beta-karoten: jeśli palicie lub kiedykolwiek paliliście, powinniście absolutnie unikać tego związku, ponieważ wykazuje on działanie rakotwórcze u palaczy; nie przesadzajcie również z konsumpcją mango, marchwi, moreli, cukinii, brzoskwiń, dyni, patatów.

4. Witamina E: mężczyźni powinni na nią szczególnie uważać; jest obecna w większości zestawów i koktajli witaminowych.

5. Mocne alkohole: regularne picie może zwiększyć ryzyko zachorowania na niektóre rodzaje nowotworów; nigdy nie należy przekraczać dawki napojów alkoholowych odpowiadającej 30 g czystego alkoholu na dzień.

6. Nadwaga: troszczcie się o zachowanie prawidłowej wagi własnej i Waszych dzieci.

7. Arsen w wodzie pitnej, azotany i azotyny w wodzie oraz w niektórych wędlinach produkowanych metodą przemysłową: należy się ich zdecydowanie wystrzegać.

8. Hemoglobina zawarta w mięsie: usuwajcie krew z mięsa przed jego dalszą obróbką.

9. Oleje bogate w wielonienasycone kwasy tłuszczowe: chodzi głównie o olej rzepakowy, olej perilla oraz olej z nasion konopi, które poddane działaniu wysokiej temperatury działają potencjalnie rakotwórczo.

10. Grillowanie i smażenie w woku: smażenie w wysokich temperaturach pozostawcie jedynie na wyjątkowo rzadkie okazje.

Ocena przydatności różnych produktów żywnościowych w profilaktyce antynowotworowej

Ryby i owoce morza	Korzyści lub ryzyko	Klasyfikacja ze względu na przydatność w profilaktyce antynowotworowej
Czarniak i rdzawiec	Chude ryby, mniej skażone niż tłuste	Korzystny
Dorsz	Ryba chuda, mniej skażona niż ryby tłuste	Korzystny
Halibut	Często skażony metalami ciężkimi i PCB	Zachować ostrożność
Jeżowiec jadalny	Bogaty w jod	Bardzo korzystny
Kraby	Często skażone metalami ciężkimi i PCB	Zachować ostrożność
Krewetki	Stosunkowo mało skażone, ubogie w tłuszcze	Bardzo korzystne
Łosoś	Często skażony metalami ciężkimi i PCB	Zachować ostrożność
Ostrygi	Bogate w selen	Korzystne
Ryby smażone w panierce	Uwaga na sposób smażenia i wybór ryby (lepsza chuda ryba i olej palmowy)	Należy unikać
Ryby wędzone	Mocno solone, zawierają policykliczne węglowodory aromatyczne	Niewskazane
Sardynki w oleju słonecznikowym	Nienajlepsza proporcja kwasów omega-3 do omega-6	Korzystne
Sushi	Mięso ryb zawiera wielonienasycone kwasy tłuszczowe, ale niestety często bywa skażone	Zachować ostrożność
Taramosalata z ikry łososia	Wysokokaloryczna, zasobna w tłuszcze, w tym kwasy omega-3 (w zależności od użytego oleju)	Średnio korzystna
Trąbiki	Często skażone metalami ciężkimi i PCB	Zachować ostrożność
Tuńczyk	Często skażony metalami ciężkimi i PCB	Zachować ostrożność

Mięso i wędliny	Korzyści lub ryzyko	Klasyfikacja ze względu na przydatność w profilaktyce antynowotworowej
Boczek	Dużo soli i nasyconych kwasów tłuszczowych	Średnio korzystny
Dziczyzna	Stosunkowo niewielka zawartość nasyconych kwasów tłuszczowych	Bardzo korzystna
Foie gras (pasztet z wątróbek gęsich lub kaczych)	Bogaty w żelazo	Korzystny
Kaszanka	Zawiera dużo żelaza hemowego	Niewskazana
Mięso wieprzowe	Zawartość tłuszczu zależy od tego, z której partii tuszy pochodzi dany kawałek mięsa	Wskazane unikanie tłuszczu
Mięso wołowe	Wskazane usunięcie krwi	Neutralne
Mięso z królika	Spora zawartość wielonienasyconych kwasów tłuszczowych	Bardzo korzystne
Mięso z kurczaka	Niewielka zawartość tłuszczu	Bardzo korzystne
Parówki	Zawierają nasycone kwasy tłuszczowe, azotyny i polifosforany	Niezbyt wskazane
Podroby	Zwykle zasobne w hemoglobinę	Zalecany umiar
Potrawy grillowane	Zawierają węglowodory policykliczne	Niewskazane
Smalec z cebulą i skwarkami	Wysoka zawartość nasyconych kwasów tłuszczowych	Niewskazany
Tatar	Surowe mięso, zawiera żelazo hemowe	Korzystny
Wędliny	Wysoka zawartość azotanów (w wędlinach przemysłowych)	Zachować ostrożność
Żeberka wieprzowe	Tłuste mięso (23,6% tłuszczu) i szkodliwe metody przyrządzania	Zdecydowanie niewskazane

Jajka, mleko, sery	Korzyści lub ryzyko	Klasyfikacja ze względu na przydatność w profilaktyce antynowotworowej
Jajka	Zawierają luteinę i zeaksantynę (z rodziny karotenoidów)	Bardzo korzystne
Jogurt	Zawiera żywe bakterie probiotyczne	Korzystny
Lody śmietankowe	Tłuste (dużo nasyconych kwasów tłuszczowych) i słodkie	Niewskazane
Mleko	Zawiera laktozę, wapń i witaminę D	Bardzo korzystne dla dzieci, korzystne dla kobiet, należy ograniczać u mężczyzn po 50 roku życia
Mleko kwaśne	Bogate w probiotyki	Korzystne
Mleko zagęszczone	Bogate w wapń, uwaga na cukier	Niewskazane
Sery topione	Bogate w nasycone kwasy tłuszczowe i sód	Niewskazane
Sery żółte	Bogate w wapń i witaminę D	Bardzo korzystne dla dzieci, korzystne dla kobiet (uwaga na zawartość tłuszczu), ograniczać u mężczyzn po 50 roku życia
Śmietana	Bogata w nasycone kwasy tłuszczowe	Ograniczyć spożycie u mężczyzn po 50 roku życia
Śmietana typu crème fraîche	Zawiera bakterie kwasu mlekowego, może mieć sporo tłuszczu	Średnio korzystna

Warzywa świeże i suszone, warzywa skrobiowe, zioła i algi	Korzyści lub ryzyko	Klasyfikacja ze względu na przydatność w profilaktyce antynowotworowej
Agar-agar (z krasnorostów)	Substancja żelująca o pozytywnym wpływie na trawienie	Średnio korzystny
Algi	Zawierają fukoksantynę i fukoidynę o właściwościach antyoksydacyjnych	Bardzo korzystne
Awokado	Bogate w wielonienasycone kwasy tłuszczowe i witaminy z grupy B	Bardzo korzystne
Bakłażan	Bogaty w nierozpuszczalne włókna	Korzystny
Bazylia	Zawiera polifenole aromatyczne o właściwościach antyoksydacyjnych oraz przeciwzapalny kwas ursolowy	Bardzo korzystna
Brokuły	Wysoka zawartość folianów (naturalny kwas foliowy)	Znakomite
Brukiew	Źródło związków indolowych	Korzystna
Brukselka	Duża zawartość związków indolowych	Bardzo korzystna
Bulion warzywny	Źródło witamin, minerałów i antyoksydantów	Bardzo korzystny
Buraki	Źródło antocyjanów	Bardzo korzystne
Cebula biała	Zawiera selen o właściwościach antyoksydacyjnych	Znakomita
Cebula czerwona	Źródło antocyjanów	Znakomita
Cebula różowa	Źródło związków fenolowych	Znakomita
Cukinia	Zawiera karotenoidy	Bardzo korzystna
Czarna rzodkiew	Zawiera związki siarkowe	Bardzo korzystna
Czosnek	Związki siarkowe	Znakomity
Dynia	Bogata w karotenoidy	Korzystna
Fasola czerwona	Źródło antocyjanów	Korzystna
Fenkuł	Źródło włókien i witaminy B_9, niskokaloryczny	Bardzo korzystny

Warzywa świeże i suszone, warzywa skrobiowe, zioła i algi	Korzyści lub ryzyko	Klasyfikacja ze względu na przydatność w profilaktyce antynowotworowej
Frytki	Wysoka zawartość tłuszczu i związków toksycznych powstających podczas podgrzewania oleju	Zalecany umiar, należy sprawdzić jakość oleju
Glutaminian sodu	Wzmacniacz smaku, który może zastępować sól (wystarczy 3 razy mniejsza ilość niż w przypadku soli), możliwe efekty uboczne: sztywnienie karku, palpitacje serca	Średnio korzystny
Groszek zielony	Źródło luteiny	Korzystny
Grzyby	Niskoenergetyczne, spora zawartość witamin	Bardzo korzystne
Guacamole (sos na bazie awokado)	Zawiera awokado bogate w wielonienasycone kwasy tłuszczowe i witaminy z grupy B; lepszy jest wykonany w domu, ponieważ przemysłowa wersja zwykle zawiera sporo tłuszczów	Niezły
Hummus	Bogaty w wielocukry i tłuszcze i tym samym wysokokaloryczny, zdrowszy będzie domowej roboty	Niezbyt korzystny
Kalafior	Zawiera związki indolowe, właściwie brak w nim karotenoidów	Bardzo korzystny
Kapary	Bogate w kwercetynę	Znakomite
Kapusta chińska	Źródło związków indolowych	Bardzo korzystna
Kapusta czerwona	Zawiera antocyjany	Korzystna
Karczoch	Zawiera prebiotyk inulinę	Bardzo korzystny
Kawa na bazie prażonej cykorii	Bogata w prebiotyk inulinę	Uwaga na akrylamid
Kolendra	Ułatwia usuwanie metali ciężkich z organizmu, zawiera polifenole aromatyczne	Bardzo korzystna

Warzywa świeże i suszone, warzywa skrobiowe, zioła i algi	Korzyści lub ryzyko	Klasyfikacja ze względu na przydatność w profilaktyce antynowotworowej
Koper	Pobudza trawienie	Bardzo korzystny
Lubczyk	Bogaty we flawonoidy, szczególnie kwercetynę	Bardzo korzystny
Marchew	Bogata w beta-karoten	Nie przesadzać z ilością
Mięta	Duża zawartość antyoksydantów, działa przeciwbólowo, antyseptycznie i ułatwia trawienie	Bardzo korzystna
Oliwki czarne	Bogate w jednonienasycone kwasy tłuszczowe, zawierają związki fenolowe	Korzystne
Oliwki zielone	Mniej tłuste niż czarne oliwki (odpowiednio 12,5 g oraz 30 g tłuszczów/100 g), bogate w jednonienasycone kwasy tłuszczowe, zawierają związki fenolowe	Bardzo korzystne
Papryka ostra	Źródło kwercetyny	Bardzo korzystna
Papryka słodka	Zawiera bioflawonoidy	Bardzo korzystna
Pasternak	Zawiera antyoksydacyjną epigeninę	Korzystny
Pataty (słodkie ziemniaki)	Zawierają cukry złożone, antocyjany o właściwościach antyoksydacyjnych oraz beta-karoten	Korzystne
Pietruszka	Bogata w witaminę C i wapń	Bardzo korzystna
Pomidory świeże	Źródło likopenu	Znakomite, szczególnie dla mężczyzn
Rukola	Zawiera flawonoidy, w tym kwercetynę i karotenoidy o działaniu antyoksydacyjnym	Bardzo korzystna
Rzepa	Zawiera związki indolowe i heterozydy	Bardzo korzystna
Rzeżucha	Źródło związków indolowych	Bardzo korzystna
Sałata zielona	Źródło luteiny	Korzystna
Seler	Zawiera poliacetyleny blokujące cykl komórkowy komórek nowotworowych	Uwaga na pozostałości pestycydów

Warzywa świeże i suszone, warzywa skrobiowe, zioła i algi	Korzyści lub ryzyko	Klasyfikacja ze względu na przydatność w profilaktyce antynowotworowej
Soczewica	Dobre źródło białka roślinnego	Bardzo korzystna
Soja	Zawiera fitoestrogeny	Korzystna
Suszone pomidory w oliwie	Wysoka biodostępność (przyswajalność) likopenu	Bardzo korzystne
Szpinak	Bogaty w karotenoidy i wapń	Korzystny
Tapenada (czarne oliwki + czosnek)	Spora zawartość jednonienasyconych kwasów tłuszczowych, niestety ogólnie zbyt tłusta	Niezbyt wskazana
Tofu	Zawiera fitoestrogeny	Bardzo korzystne
Topinambur (słonecznik bulwiasty)	Zawiera inulinę o działaniu prebiotycznym	Korzystny
Warzywa konserwowe	Źródło witamin i minerałów (zależy od rodzaju warzywa), uwaga na zawartość soli	Bardzo korzystne, zwłaszcza pomidory
Ziemniaki	Zawierają cukry złożone, a w łupinie witaminę C o właściwościach antyoksydacyjnych	Korzystne
Zioła przyprawowe	Bogate w antyoksydanty	Korzystne

Owoce świeże i suszone	Korzyści lub ryzyko	Klasyfikacja ze względu na przydatność w profilaktyce antynowotworowej
Ananas	Zawiera bioflawonoidy	Korzystny
Arbuz	Źródło likopenu	Bardzo korzystny
Banany	Bogate we włókna prebiotyczne	Bardzo korzystne
Borówka brusznica	Zawiera tokotrienole i polifenole o właściwościach antyoksydacyjnych	Bardzo wskazana
Brzoskwinie	Bogate w beta-karoten	Uwaga na pestycydy
Granaty	Zawierają silne antyoksydanty – elagitaniny	Bardzo korzystne
Grejpfruty	Źródło likopenu	Bardzo korzystne
Gruszki	Zawierają bioflawonoidy	Uwaga na pestycydy
Guajawa	Źródło likopenu	Korzystna
Jabłka	Zawierają kwercetynę, bogate we włókna pokarmowe	Uwaga na pestycydy
Jagody goji	Zawiera specyficzny wielocukier o właściwościach antyoksydacyjnych	Korzystne
Jeżyny	Źródło antocyjanów	Bardzo korzystne
Kiwi	Źródło luteiny	Bardzo korzystne
Maliny	Bogate w antocyjany i składniki mineralne	Korzystne
Mango	Bogate w beta-karoten	Korzystne
Melon	Źródło luteiny	Korzystny
Migdały	Bogate w witaminy	Korzystne
Morele	Bogate w beta-karoten	Uwaga na pestycydy
Nektarynki	Zawierają bioflawonoidy	Bardzo korzystne
Orzechy	Zawierają kwasy omega-3	Bardzo korzystne
Pomarańcze	Bogate w witaminę C i wapń	Korzystne
Porzeczki	Zasobne w antocyjany	Znakomite
Suszone owoce	Dużo cukrów	Średnio korzystne
Śliwki	Ważne źródło polifenoli	Korzystne

Owoce świeże i suszone	Korzyści lub ryzyko	Klasyfikacja ze względu na przydatność w profilaktyce antynowotworowej
Truskawki	Zawierają wapń i żelazo oraz antocyjany	Korzystne
Winogrona	Zawierają liczne polifenole, w tym resweratrol	Bardzo korzystne
Wiśnie	Zawartość antyoksydacyjnych antocyjanów i folianów	Korzystne
Żurawina	Źródło przeciwutleniających antocyjanów	Bardzo korzystna

Oleje i inne produkty tłuszczowe oraz sosy	Korzyści lub ryzyko	Klasyfikacja ze względu na przydatność w profilaktyce antynowotworowej
Black butter (ciemny sos maślany)	Zawiera dużo nadtlenków lipidowych	Niewskazany
Keczup	Bogaty w likopen	Korzystny
Majonez	Bardzo dużo tłuszczów	Niewskazany
Olej arachidowy	Głównie jednonienasycone kwasy tłuszczowe	Korzystny
Olej rzepakowy	Zawiera wielonienasycone kwasy tłuszczowe podatne na rozkład pod wpływem światła i ciepła	Średnio korzystny
Olej słonecznikowy	Zawiera wielonienasycone kwasy tłuszczowe podatne na rozkład pod wpływem światła i ciepła	Korzystny
Oliwa z oliwek	Głównie jednonienasycone kwasy tłuszczowe	Bardzo korzystna
Tłuszcz gęsi	Bogaty w nasycone kwasy tłuszczowe	Korzystny
Tran z wątroby dorsza	Bogaty w kwasy omega-3	Korzystny

Cukier, słodziki i słodycze	Korzyści lub ryzyko	Klasyfikacja ze względu na przydatność w profilaktyce antynowotworowej
Aspartam	Słodzik, zero kalorii	Neutralny
Cukier (sacharoza)	Wysokokaloryczny (400 kcal/100 g)	Nieszkodliwy
Cukierki	Wysoka zawartość węglowodanów, bez wartości odżywczej	Niewskazane
Galaretki owocowe	Dużo cukru	Niewskazane
Konfitury	Bogate w cukry proste, pozbawione zalet świeżych owoców (witamin, włókien, składników mineralnych)	Uwaga na wysoką kaloryczność
Masło czekoladowe do kanapek	Wysoka zawartość tłuszczu i cukru	Niezbyt wskazane
Miód	Bogaty we fruktozę	Bardzo korzystny
Pączki	Wysoka zawartość tłuszczu i toksycznych związków powstających w czasie podgrzewania oleju	Niewskazane
Sorbety	Zwykle zawierają sporo cukrów prostych, zdrowsze są sorbety wykonane w domu na bazie świeżych owoców bogatych w antyoksydanty	Średnio korzystne, wskazany umiar
Stewia	Wykazuje wysoką słodkość względną (przewyższającą słodkość cukru)	Słabo zbadana
Syrop z agawy	Niski potencjał antyoksydacyjny zbliżony do cukru	Bez specjalnych korzyści

Przekąski słone i słodkie	Korzyści lub ryzyko	Klasyfikacja ze względu na przydatność w profilaktyce antynowotworowej
Czipsy	Wysoka zawartość akrylamidu	Zachować ostrożność, bardzo szkodliwe
Krakersy	Wysoka zawartość akrylamidu	Niewskazane
Pierniki	Wysoka zawartość cukru	Niezbyt wskazane
Rogalik fabrycznie pakowany	Możliwa obecność kwasów tłuszczowych trans	Zdecydowanie niewskazany
Rogalik maślany	Bogaty w nasycone kwasy tłuszczowe	Średnio korzystny

Ziarna i produkty zbożowe	Korzyści lub ryzyko	Klasyfikacja ze względu na przydatność w profilaktyce antynowotworowej
Chleb biały	Niewielka ilość włókien pokarmowych	Korzystny
Chleb razowy	Bogaty we włókna pokarmowe i wielocukry	Bardzo korzystny
Drożdże piwne	Bogate w witaminy z grupy B (wspomagające system odpornościowy)	Bardzo korzystne
Jęczmień	Bogaty w prebiotyki	Bardzo korzystny
Kukurydza	Źródło antocyjanów	Średnio korzystna
Len (nasiona)	Bogate w lignany (uwaga: nie należy jeść całych nasion, ale je zmielić)	Korzystne
Musli	Bogate w błonnik, uwaga na wysoką zawartość cukru w niektórych mieszankach	Korzystne
Płatki zbożowe	Ryzyko obecności alfatoksyn	Średnio korzystne
Popcorn	Bogaty w cukry złożone i tłuszcze, uwaga na wielkość porcji i zawartość cukru i / lub soli, możliwa obecność akrylamidu	Należy unikać
Pszenica orkisz	Bogata we włókna pokarmowe, białko roślinne i magnez	Bardzo korzystna
Quinoa (ziarno komosy ryżowej)	Zasobne w magnez i żelazo niehemowe, dobre źródło białka roślinnego i włókien pokarmowych	Bardzo korzystne
Ryż	Bogaty w cukry złożone	Bardzo korzystny
Semolina	Źródło białka i cukrów złożonych; lepsza jest semolina pełnoziarnista, ponieważ w osłonce ziarna zawarte są antyoksydanty	Korzystna
Sezam	Bogaty w białko i włókna	Bardzo korzystny
Sucharki	Wysoka zawartość akrylamidu	Niewskazane

Napoje	Korzyści lub ryzyko	Klasyfikacja ze względu na przydatność w profilaktyce antynowotworowej
Alkohole wysokoprocentowe	Wysoka zawartość etanolu, zalecany umiar	Nie należy przekraczać dziennej ilości napojów alkoholowych równoważnej 30 g etanolu
Herbata	Zawiera galusan epigallokatechiny	Bardzo korzystna
Kawa	Zawartość kofeiny i polifenoli decyduje o jej potencjalnym działaniu przeciwnowotworowym	Raczej korzystna
Kefir	Bogaty w probiotyki	Korzystny
Mleko kokosowe	Bogate w tłuszcze (21%), w tym kwasy tłuszczowe nasycone (18%)	Średnio korzystne
Napoje gazowane	Bardzo zasobne w cukry proste	Niewskazane
Smoothie	Bogaty w antyoksydanty, ale niestety również w cukry proste	Średnio korzystny
Sok ananasowy	Zawiera enzym bromelinę ułatwiający trawienie mięsa i ryb	Raczej korzystny
Sok jabłkowy	Bogaty w antyoksydacyjne polifenole oraz pektynę	Średnio korzystny
Sok marchwiowy	Bogaty w beta-karoten	Niewskazany
Sok pomarańczowy	Zawiera furokumaryny, które mogą wykazywać związek z występowaniem czerniaka złośliwego	Osoby o zwiększonym ryzyku rozwoju czerniaka oraz przebywające na słońcu powinny zachować ostrożność
Sok winogronowy	Bogaty we flawonoidy	Korzystny
Sok z granatów	Niezwykle bogaty w antyoksydanty, ma ich więcej niż wino i zielona herbata	Najlepszy! Można pić bez ograniczeń
Syropy owocowe	Bardzo słodkie	Niewskazane
Werbena (napar)	Dobry zamiennik herbaty, uspokaja i ułatwia trawienie	Bardzo korzystna

Napoje	Korzyści lub ryzyko	Klasyfikacja ze względu na przydatność w profilaktyce antynowotworowej
Wino	Zawiera resweratrol, silny antyoksydant o udowodnionym antynowotworowym działaniu	Bardzo korzystne, gdy pite z umiarem
Woda butelkowana	Bez zawartości pestycydów, jednak niektóre wody zawierają inne zanieczyszczenia takie jak arsen	Sprawdzić skład
Woda kranowa	W niektórych rejonach możliwa obecność azotanów, pestycydów i arsenu	Sprawdzić skład

Przyprawy	Korzyści lub ryzyko	Klasyfikacja ze względu na przydatność w profilaktyce antynowotworowej
Anyż gwiazdkowy	Pobudza trawienie i działa antyseptycznie	Bardzo korzystny
Cynamon	Działanie antyinfekcyjne	Korzystny
Czekolada gorzka	Zawiera antyoksydanty	Bardzo korzystna
Gałka muszkatołowa	Ułatwia trawienie	Bardzo korzystna
Imbir	Wysoka zawartość witaminy C (gdy świeży)	Znakomity
Kurkuma	Zawiera żółty barwnik kurkuminę	Znakomita
Lukrecja	Pobudza trawienie, działa moczopędnie i hipertensyjnie (podnosi ciśnienie krwi)	Zachować ostrożność
Musztarda	Silnie zakwaszająca	Korzystna
Ocet winny	Pobudza trawienie	Neutralny
Pieprz	Zawiera piperynę, która wzmacnia pozytywne działanie kurkumy	Znakomity
Sos sojowy	Bardzo słony	Niezbyt wskazany
Sól	Wykazuje powiązanie z występowaniem niektórych nowotworów żołądka	Konieczny umiar
Wanilia	Antyoksydant	Korzystna

Zalecane ryby

Moja rekomendacja ryb i owoców morza		
	Gatunki, których należy unikać	Polecane gatunki
Ryby	Włócznik Gardłosz atlantycki Marlin Łosoś czerwony Czerwony tuńczyk Węgorz Rekinek psi Koleń	Makrela Sardela Sardynka Dorada Labraks Sola
Owoce morza	Trąbiki Kraby	Krewetki Małże

Zalecane owoce i warzywa

Owoce i warzywa najbogatsze w antyoksydanty			
Owoce		Warzywa	
Nazwa	Potencjał antyoksydacyjny [ORAC/100 g]	Nazwa	Potencjał antyoksydacyjny [ORAC/100 g]
Śliwki suszone	5770	Jarmuż	1770
Rodzynki	2830	Szpinak	1260
Czarne borówki	2400	Brukselka	980
Jeżyny	2036	Kiełki lucerny (alfalfa)	930
Truskawki	1540	Brokuł	890
Maliny	1220	Burak czerwony	840
Śliwki	949	Czerwona papryka	710
Pomarańcze	750	Cebula	450
Ciemne winogrona	739	Kukurydza	400
Wiśnie	670	Bakłażan	390
Kiwi	602		
Czerwony grejpfrut	483		

Wskazówki dotyczące przygotowania żywności

1. Wybieraj produkty tradycyjne, regionalne, ekologiczne.
2. Dokładnie płucz owoce i warzywa; możesz w tym celu użyć wody z niewielką ilością naturalnego mydła, następnie należy ją zmyć i obrać owoce lub warzywa.
3. Wskazane jest obieranie owoców i warzyw, a w przypadku kapust i sałat należy koniecznie usunąć ich zewnętrzne liście.
4. Usuń krew z mięsa przed gotowaniem. Dokładnie wypłucz je przed dalszą obróbką.

Podgrupy warzyw i owoców zawierające określone barwniki roślinne

Kolor	Reprezentatywne warzywa i owoce
Zielony	Brokuł Kapusta Brukselka Kapusta chińska (pe-tsai) Kalafior Jarmuż Rzeżucha Brukiew
Pomarańczowy	Morela Marchew Dynia Cukinia Mango
Czerwony	Wiśnie Truskawki Guajawa Czerwone jabłka Czerwona cebula Czerwone grejpfruty Arbuz Pomidory Sos pomidorowy Sok pomidorowy
Czerwonofioletowy	Borówka brusznica Buraki Kapusta czerwona Maliny Czerwona fasola Jeżyny Borówka czarna

Kolor	Reprezentatywne warzywa i owoce
Żółtopomarańczowy	Ananas Cytryna Klementynka Mandarynka Melon Nektarynka Pomarańcza Papaja Brzoskwinia Gruszka Jasne winogrona Grejpfrut Żółta papryka
Żółtozielony	Awokado Szpinak Kiwi Sałata rzymska Kukurydza Melon miodowy (żółty) Rzepa Groszek zielony
Biały i kremowy	Czosnek Cykoria Cebula Rzodkiew Soja (tofu)
Fioletowy	Bakłażan Czarna porzeczka Jarmuż Śliwki Suszone śliwki Jeżyny Ciemne winogrona

Właściwa pora na warzywa i owoce

1. Rano: wskazane są produkty roślinne w kolorze żółtopomarańczowym i pomarańczowym spożywane na surowo lub w postaci soków.

2. W środku dnia: polecane są warzywa i owoce czerwone oraz białe; można je również spożywać w innych porach dnia.

3. Wieczorem: należy zrezygnować z warzyw i owoców w kolorze czerwonofioletowym i fioletowym; wskazane są warzywa kapustowate i naciowe.

Suplementy wspomagające dietę antynowotworową

Naturalne związki aktywne obecne w pożywieniu: ich źródła, mechanizm działania i przydatność w profilaktyce określonych nowotworów			
Czynnik aktywny	**Naturalne źródło**	**Działanie**	**Przydatność w profilaktyce określonych nowotworów**
Zielona herbata (polifenole, EGCG)	Zielona herbata (*Camelia sinensis*)	Antyoksydacyjne, antymutagenne, antyproliferacyjne (blokada cyklu komórkowego zmutowanych komórek), przeciwzapalne, antyangiogenetyczne (zapobiega tworzeniu nowych naczyń włosowatych), immunomodulacyjne (stymuluje układ odpornościowy)	Rak skóry, płuca, jamy ustnej, głowy i szyi, przełyku, żołądka, wątroby, trzustki, jelita cienkiego, okrężnicy, pęcherza moczowego, prostaty, gruczołu piersiowego
Kurkuma	Przyprawa kurkuma ze sproszkowanego kłącza ostryżu (*Curcuma longa*)	Antyoksydacyjne, antyproliferacyjne, przeciwzapalne, antyangiogenetyczne, immunomodulacyjne	Rak skóry, płuca, jamy ustnej, głowy i szyi, przełyku, żołądka, wątroby, trzustki, jelita cienkiego, okrężnicy, pęcherza moczowego, prostaty, gruczołu piersiowego, szyjki macicy, chłoniaki
Luteolina	Karczochy, brokuły, seler, kapusta, szpinak, zielona papryka, liście granatu, mięta pieprzowa, owoce tamaryndowca, kalafior	Przeciwzapalne, antyalergiczne, antyproliferacyjne, antyoksydacyjne	Rak jajnika, żołądka, wątroby, okrężnicy, piersi, jamy ustnej, adenocarcinoma przełyku, rak prostaty, płuca, nosogardła, szyjki macicy, białaczka, rak skóry i trzustki

Czynnik aktywny	Naturalne źródło	Działanie	Przydatność w profilaktyce określonych nowotworów
Resweratrol	Czerwone wino, winogrona (głównie skórka), morwa, orzechy arachidowe, liść winorośli, kora sosny	Antyoksydacyjne, antyproliferacyjne, antyangiogenetyczne, przeciwzapalne	Rak jajnika, piersi, prostaty, wątroby, macicy, białaczka, rak płuca i żołądka
Genisteina	Soja i produkty sojowe, czerwona koniczyna (*Trifolium pratense*), orzeszki pistacjowe	Antyoksydacyjne, antyproliferacyjne, antyangiogenetyczne, przeciwzapalne	Rak prostaty, piersi, skóry, okrężnicy, żołądka, wątroby, jajnika, trzustki, przełyku, głowy i szyi
Jabłka granatu	Owoce granatowca (*Punica granatum*), sok z granatów, pestki granatu, olej z pestek granatu	Antyoksydacyjne, antyproliferacyjne, antyangiogenetyczne, przeciwzapalne	Rak prostaty, skóry, piersi, płuc, okrężnicy, jamy ustnej, białaczka
Likopen	Pomidory, guajawa, dzika róża, arbuz, papaja, morela i czerwony grejpfrut; największa ilość znajduje się w dojrzałych pomidorach oraz w potrawach i przetworach na bazie pomidorów	Antyoksydacyjne, antyproliferacyjne, antyangiogenetyczne, przeciwzapalne, immunomodulacyjne	Rak prostaty, płuc, piersi, żołądka, wątroby, trzustki, jelita grubego, głowy i szyi oraz skóry

Czynnik aktywny	Naturalne źródło	Działanie	Przydatność w profilaktyce określonych nowotworów
Kwas elagowy	Sok z granatów i olej z pestek granatów, różne orzechy, wiciokrzew [*Lonicera caerulea*], truskawki i inne owoce leśne, kora migdałecznika arjuna [*Terminalia arjuna*], liście i owoce *Terminalia bellirica*, kora, liście i owoce *Terminalia muelleri*	Antyoksydacyjne, antyproliferacyjne, przeciwzapalne	Neuroblastoma, rak skóry, trzustki, piersi, prostaty, okrężnicy, jelita cienkiego, przełyku, pęcherza moczowego, jamy ustnej, białaczka, rak wątroby
Lupeol	Mango, oliwki, figi, truskawki, czerwone winogrona	Antyoksydacyjne, antymutagenne, przeciwzapalne, antyproliferacyjne	Rak skóry, płuc, białaczka, rak trzustki, prostaty, okrężnicy, wątroby, głowy i szyi
Kwas betulinowy	Obecny w większości roślin. Najbogatsze źródła to: brzoza [*Betula spp.*], jujuba [*Zizyphus spp.*], czapetka [*Syzygium spp.*], piwonia [*Paeonia spp.*], hurma [*Diospyros spp.*]	Przeciwzapalne, immunomodulacyjne, prowokuje apoptozę zmutowanych komórek	Rak skóry, jajnika, okrężnicy, mózgu, rak nerkowokomórkowy, rak macicy, prostaty, białaczka, rak płuca, piersi, głowy i szyi
Ginkolid B	Miłorząb japoński [*Gingko biloba*]	Antyoksydacyjne, antyangiogenetyczne	Rak jajnika, piersi i mózgu

Źródło: A.R.M. Ruhul Amin, O. Kucuk, F.R. Khuri, D.M. Shin, *Perspectives for cancer prevention with natural compounds*, „Journal of Clinical Oncology", 2009, 27 [18].

Profilaktyczne porady dla kobiet i mężczyzn w różnym wieku

Jeśli jesteś młodą lub dojrzałą kobietą przed menopauzą...

1. Powinnaś spożywać sporo nabiału i dodatkowo dostarczać sobie odpowiednią ilość wapnia.
2. Znakomite będą dla ciebie owoce i warzywa w kolorze białym oraz zielonym. Spożywaj posiłki bogate we włókna pokarmowe.
3. Jeśli masz problem z nadmiernie obfitymi miesiączkami, jedz czerwone mięso, soczewicę, fasolę, tofu, cieciorkę, figi oraz morele.
4. Aby zwiększyć przyswajanie żelaza, możesz przyjmować witaminę C.
5. Nie powinnaś przesadzać z konsumpcją pomarańczowych warzyw i owoców; zalecenie to dotyczy szczególnie kobiet palących papierosy.
6. Pij sok z granatów.

Zawartość wapnia w porcji wybranych produktów mlecznych			
	Porcja	Zawartość wapnia [mg]	Ilość, jaką należałoby spożyć, aby przekroczyć 2 g wapnia/dobę
Mleko owcze tłuste	Filiżanka 125 ml	188	11 filiżanek = 1,3 l
Mleko kozie tłuste	Filiżanka 125 ml	120	17 filiżanek = 2,1 l
Mleko krowie półtłuste UHT	Filiżanka 125 ml	115	18 filiżanek = 2,2 l
Zsiadłe mleko	1 kubeczek 125 g	97,3	21 kubeczków = 2,6 kg
Jogurt naturalny z mleka tłustego	1 kubeczek 125 g	126	16 kubeczków = 2 kg
Serek biały petit-suisse o zawartości 20% tłuszczu	2 gałki	117	35 gałek serka
Twarożek 20% tłuszczu	100 g	123	17 porcji po 100 g = 1,7 kg
Ser ementaler	30 g	1055	2 porcje
Ser camembert	30 g	456	5 porcji
Ser roquefort	30 g	608	3,5 porcji
Ser topiony	30 g	346	6 porcji

Jeśli jesteś kobietą po menopauzie...

1. Wybieraj produkty bogate w wapń i selen.
2. Spożywaj pokarmy bogate w błonnik.
3. Potrzebujesz dużo owoców i warzyw, szczególnie zielonych, białych i ciemnych.
4. Kontroluj spożycie tłuszczów.
5. Twojemu zdrowiu sprzyja kwercetyna zawarta w kaparach, kakao, lubczyku oraz ostrej papryce.
6. Pij zieloną herbatę.
7. Wskazany jest również sok z granatów.

Jeśli jesteś mężczyzną...

1. Unikaj beta-karotenu, szczególnie w postaci suplementów diety.
2. Zrezygnuj z preparatów witaminowych zawierających retinol.
3. Ogranicz dostawę witaminy E.
4. Nie potrzebujesz dużych ilości wapnia, zatem sery spożywaj okazjonalnie!
5. Jedz jak najwięcej białych warzyw, takich jak czosnek, cebula, szalotka, oraz czerwonych, takich jak pomidory. Koniecznie wprowadź do swojego menu sok z granatów.
6. Korzystny będzie dla ciebie selen i kwercetyna.

Ćwiczenia fizyczne: ekoaktywność

Poruszaj się energicznie, spaceruj, bądź aktywna/aktywny w codziennych zajęciach lub podejmij się dodatkowych ćwiczeń!

1. Gimnastyka w wodzie: skuteczne ćwiczenia w częściowym zanurzeniu, szczególnie polecane osobom z nadwagą oraz w przypadku problemów ze stawami.

2. Spacery: grupowe wyprawy w bliskim kontakcie z przyrodą sprawiają, że ćwiczymy niejako mimochodem, przy okazji.

3. Stretching: łagodzi napięcie mięśniowe i odpręża.

4. Pilates: uaktywnia wszystkie mięśnie i buduje świadomość ciała.

5. Tai-chi oraz qi-qong: azjatyckie relaksujące ćwiczenia polegające na wykonywaniu płynnych ruchów, koncentracji i głębokim oddychaniu, rozwijające zmysł równowagi.

6. Power yoga: modyfikacja jogi z większym naciskiem na ruch; usuwa wszelkie napięcia fizyczne i psychiczne.

Wydawnictwo Otwarte sp. z o.o.,
ul. Kościuszki 37, 30-105 Kraków. Wydanie I, 2012.
Druk: Abedik, Poznań.